os imperfeccionistas

Tom Rachman

os imperfeccionistas

Tradução de
FLÁVIA CARNEIRO ANDERSON

EDITORA RECORD
RIO DE JANEIRO • SÃO PAULO

2011

CIP-BRASIL. CATALOGAÇÃO-NA-FONTE
SINDICATO NACIONAL DOS EDITORES DE LIVROS, RJ

Rachman, Tom, 1974-
R118i Os imperfeccionistas / Tom Rachman; tradução de Flavia Anderson. - Rio de Janeiro: Record, 2011.

Tradução de: The imperfectionists
ISBN 978-85-01-09037-9

1. Romance americano. I. Anderson, Flávia. II. Título.

11-0739. CDD: 813
CDU: 821.111(73)-3

TÍTULO ORIGINAL EM INGLÊS:
The imperfectionists

Texto revisado segundo o novo Acordo Ortográfico da Língua Portuguesa.

Editoração eletrônica: Abreu's System

Revisão técnica: Gabriela Máximo

Direitos exclusivos de publicação em língua portuguesa somente para o Brasil adquiridos pela
EDITORA RECORD LTDA.
Rua Argentina 171 – 20921-380 – Rio de Janeiro, RJ – Tel.: 2585-2000

Impresso no Brasil

ISBN 978-85-01-09037-9

Para Clare e Jack

Sumário

“POPULARIDADE DE BUSH DESPENCA MAIS NAS PESQUISAS”

LLOYD BURKO, CORRESPONDENTE EM PARIS

LLOYD AFASTA AS COBERTAS E DIRIGE-SE APRESSADO À porta de seu apartamento, de cueca branca e meias pretas. Recompõe-se ao segurar a maçaneta; fecha os olhos. Uma rajada de ar frio passa por sob a porta, levando-o a encolher os dedos do pé. O corredor, no entanto, está silencioso. Ouve-se apenas o barulho de saltos altos no andar de cima. O rangido de uma persiana do outro lado do pátio. Sua própria respiração, sibilando ao puxar o ar, sibilando ao expirar.

Surge a voz de uma mulher, indiscernível. Lloyd estreita ainda mais os olhos, como se para aumentar o volume do que ela diz, mas entreouve apenas sussurros, uma conversa ao café da manhã entre ela e o sujeito do apartamento no fim do corredor. Isso até a porta dos dois se abrir de repente: a voz feminina se eleva, as tábuas do assoalho do corredor rangem — ela está se aproximando. Ele se afasta da porta depressa, abre o trinco da janela que dá para o pátio e fica ali, contemplando seu recanto de Paris.

A mulher bate à porta.

— Entre — diz Lloyd. — Não precisa bater. — E sua esposa entra no apartamento de ambos pela primeira vez desde a noite passada.

Ele não se vira para encará-la, apenas pressiona os joelhos com mais força contra a grade de ferro. Eileen acaricia os cabelos grisalhos da nuca do marido. Ele recua, surpreso com o toque.

— Sou eu — diz a esposa.

Lloyd sorri, os olhos se enrugando, os lábios se entreabrindo, tomando ar como se para fazer um comentário. Mas ele fica quieto. Ela o solta.

Quando finalmente se vira, Lloyd vê a esposa sentada diante da gaveta na qual eles guardam fotografias velhas. Um pano de prato está pendurado no ombro de Eileen, que enxuga os dedos, úmidos por causa das batatas descascadas, do detergente e das cebolas picadas, perfumados com o cheirinho de naftalina das cobertas e com o aroma de terra das jardineiras das janelas — ela é o tipo de mulher que toca em tudo, prova o que for, põe a mão na massa. Eileen coloca os óculos de leitura.

— O que você está procurando aí? — pergunta Lloyd.

— Só uma foto minha em Vermont, quando eu era pequena. Quero mostrar para o Didier. — Ela se levanta com o álbum de fotografias e para à porta. — Você já tem planos para o jantar, não tem?

— Hum. — Ele faz um gesto em direção ao álbum. — Aos poucos.

— Como assim?

— Você está se mudando para o fim do corredor.

— Não.

— Não tem problema.

Ele não se opôs à amizade dela com Didier, o morador do apartamento ao fim do corredor. Ao contrário de Lloyd, Eileen não encerrou aquela parte de sua vida, a que inclui sexo. Ela é 18 anos mais nova, uma diferença que o estimulava antes, mas que agora, tendo ele 70, separa os dois como um lago. Lloyd lhe manda um beijo e volta a se concentrar na paisagem.

As tábuas do assoalho do corredor rangem. A porta de Didier abre e fecha — lá Eileen nem bate, simplesmente entra.

Lloyd olha de relance para o telefone. Faz semanas que vendeu uma matéria e precisa de dinheiro. Liga para o jornal em Roma.

Um estagiário transfere a ligação para o editor executivo, Craig Menzies, um homem tenso que está ficando careca e decide quase tudo que é publicado a cada edição. Independentemente da hora do dia, Craig está à sua mesa — o sujeito não faz outra coisa na vida a não ser se dedicar às notícias.

— Tem um minutinho? — pergunta Lloyd.

— Na verdade, estou meio ocupado. Por que não me manda um e-mail?

— Não vai dar. Meu computador está quebrado. — Na verdade, ele não tem um, usa um processador de textos de 1993. — Posso imprimir as sugestões e mandá-las por fax.

— Pode me dizer pelo telefone. E veja se dá um jeito de consertar logo o computador.

— Está bem: consertar o computador. Devidamente anotado. — Ele percorre com o dedo a folha do bloquinho, como se para extrair uma ideia melhor do que a rabiscada ali. — Vocês têm interesse num especial sobre a hortulana? É uma iguaria francesa, acho que uma espécie de tentilhão, cuja venda é ilegal aqui. Eles metem a ave numa gaiola, arrancam os olhos para que não diferencie a noite do dia e a entopem de comida. Quando o bicho engorda, eles o mergulham em conhaque e o cozinham. Foi servido na última refeição de Mitterrand.

— Aham — resmunga Craig, circunspectamente. — Mas, sinto muito, o que é que isso traz de novo?

— Nada de novo. Uma simples curiosidade.

— Tem alguma outra?

Lloyd passa o dedo pelo bloquinho novamente.

— Que tal uma matéria de negócios sobre vinho? As vendas do rosé superam pela primeira vez as do branco, na França.

— É verdade?

— Acho que sim. Mas tenho que dar outra averiguada.

— Não tem nada mais relevante?

— Não gostou da ideia da hortulana?

— Acho que não temos espaço. Estamos bastante limitados hoje, apenas quatro páginas de notícias.

Todas as outras publicações para as quais Lloyd oferecia seus serviços de freelancer já não compram mais matérias suas. Agora, ele tem a impressão de que o jornal — seu último recurso, seu último comprador — pensa em dispensá-lo também.

— Você está a par dos nossos problemas financeiros, Lloyd. Hoje em dia só compramos material independente que seja de cair o queixo. O que não quer dizer que o seu não seja bom. Acontece que Kathleen busca matérias ousadas agora. Terrorismo, usinas nucleares no Irã, revitalização da Rússia, esse tipo de pauta. O resto, na verdade, conseguimos nas agências de notícias. É uma questão financeira, não tem a ver com você.

Lloyd desliga e volta à janela, de onde contempla os prédios do sexto *arrondissement*; as paredes brancas encardidas nos pontos atingidos pela chuva e pelas goteiras dos canos, as tintas descascando; as persianas bem fechadas; os pátios abaixo, nos quais se amontoam as bicicletas dos moradores, guidões, pedais e eixos caídos uns sobre os outros; os tetos de zinco no alto; os canos cobertos das chaminés lançando fumaças esbranquiçadas no céu nublado.

Ele vai até a porta fechada do apartamento e fica ali parado, imóvel, escutando. Eileen pode voltar sem ser convidada. Afinal, esta *é* a casa deles, caramba!

Quando chega a hora do jantar, Lloyd se movimenta de forma a provocar o maior barulho possível: bate a porta do closet, simula um ataque de tosse ao sair, tentando garantir que, no fim do corredor, a esposa saiba que ele está indo ao suposto jantar, embora não haja nenhum. Lloyd simplesmente não aceitaria nem mais um convite por caridade para uma refeição com ela e Didier.

Lloyd perambula pelo Boulevard du Montparnasse para matar o tempo, compra uma caixa de biscoitos calissons para dar à filha Charlotte e volta para casa, agora furtivamente, em contraste com a barulheira de antes. Ao entrar, empurra a porta em direção às dobradiças, para evitar o rangido, e a fecha com suavidade. Não acende a luz — Eileen poderia ver a claridade sob a porta — e se dirige às cegas à cozinha, onde deixa a porta da geladeira aberta, para servir de fonte de iluminação. Abre uma lata de grão-de-bico e mete o garfo direto ali, o que lhe chama atenção para a mão direita, repleta de manchas de senilidade. Passa o talher para a esquerda, metendo a decrépita direita no fundo do bolso da calça, onde fica segurando a carteira de couro minguada.

Já ficou liso assim inúmeras vezes. Sempre gastou mais do que poupou. Com camisas sob medida da Jermyn Street. Caixas de Chateau Gloria 1971. Cotas de um cavalo de corrida que quase lhe deu lucro. Férias improvisadas no Brasil, com mulheres improvisadas. Táxis para toda parte. Lloyd dá outra garfada no grão-de-bico. Sal. Falta sal. Joga uma pitada dentro da lata.

À alvorada, o jornalista se deita sob um monte de colchas e cobertores — não liga mais o aquecedor, a menos que Eileen esteja ali. Visitará Charlotte durante o dia, embora não esteja lá muito animado com a ideia. Vira-se de lado, como se para passar da filha ao filho, Jérôme. Muda de posição de novo. Está tão acordado, tão fatigado... Um grandessíssimo preguiçoso: é o que se tornou. Como foi acontecer?

Afasta as cobertas e, estremecendo por estar só de cueca e meia, vai até a mesa. Estuda antigos números de telefone — centenas de pedaços de papéis grampeados, grudados com fita adesiva, colados. Está cedo demais para ligar para quem quer que seja. Dá um semissorriso ante os nomes de velhos colegas: o editor que o xingou por ter perdido os primeiros tumultos de Paris, em 1968, por estar numa banheira, bêbado, com uma amiga. Ou o redator-chefe que o enviou de avião a Lisboa para que cobrisse o golpe de 1974, embora Lloyd não falasse uma palavra sequer de português. Ou o jornalista que teve um ataque de riso com ele, numa entrevista coletiva com Giscard d'Estaing, até ambos serem expulsos e repreendidos pelo assessor de imprensa do político. Quantos desses velhos colegas ainda estarão na ativa?

As cortinas da sala ficam cada vez mais claras por trás. Ele as abre. Não se vê nem o sol nem as nuvens, só prédios. Ao menos Eileen não faz a menor ideia de sua situação financeira. Se soubesse, tentaria ajudar. E então, o que restaria dele?

Lloyd abre a janela, respira fundo, pressiona o joelho contra a grade. O esplendor de Paris — seu tamanho, sua amplitude, seu rigor, sua brandura, sua simetria perfeita; a vontade humana imposta nas pedras, nos gramados cortados, nos rosais rebeldes — reside noutra parte. Sua cidade parisiense é menor e engloba ele mesmo, a janela, as tábuas rangentes do assoalho no corredor.

Às 9 horas Lloyd cruza o Jardim de Luxemburgo. Próximo ao Palácio da Justiça, descansa. Já esmorecendo? Seu idiota preguiçoso. Obriga-se a continuar, passando pelo Sena, pela Rue Montorgueil, pelos grandes bulevares.

A loja de Charlotte fica na Rue Rochechouart, num trecho da parte baixa da colina, felizmente. Como está fechada, ele decide ir a um bistrô, mas muda de ideia à entrada — não pode se dar a esse luxo. Lloyd observa a vitrine da loja da filha, cheia de chapéus feitos à mão, desenhados por ela e costurados por uma equipe de moças com aventais de cintura alta e touca de tecido, como as criadas do século XVIII.

Charlotte chega após o horário indicado na porta.

— *Oui*? — diz a jovem ao ver o pai. Só fala com ele em francês.

— Estava admirando sua vitrine. Muito bem decorada.

Ela abre a porta e entra.

— Por que está de gravata? Vai a algum lugar?

— Vim visitar você. — Lloyd lhe entrega a caixa de biscoitos. — Uns calissons.

— Não gosto desses.

— Pensei que adorasse.

— Eu não. Brigitte. — É a mãe dela, a segunda ex-esposa de Lloyd.

— Por que não os dá a ela, então? — sugere o pai.

— Brigitte não vai aceitar nada seu.

— Você está tão brava comigo, Charlie...

Ela vai até o outro lado da loja, limpando tudo como se estivesse em um combate. Uma cliente entra e Charlotte sorri. Lloyd se recolhe a um canto. A freguesa sai e a filha dá continuidade à faxina pugilista.

— Fiz algo errado? — pergunta ele.

— Meu Deus, como você é egocêntrico!

Ele dá uma olhada nos fundos da loja.

— Elas ainda não chegaram — informa Charlotte, com aspereza.

— Quem?

— As jovens.

— As funcionárias? Por que está me dizendo isso?

— Você chegou cedo demais. Não calculou bem o horário.

Charlotte alega que o pai perseguiu todas as moças apresentadas por ela, a começar por sua melhor amiga no *lycée*, Nathalie, que certa vez foi passar as férias com eles em Antibes e perdeu a parte de cima do biquíni no mar. Charlotte flagrou o pai olhando. Felizmente, nunca chegou a saber que a relação entre Lloyd e Nathalie foi muito além.

Mas são águas passadas. Tudo isso terminou, por fim. Tão absurdo, em retrospecto — tanto desperdício de esforço. Libido: foi a tirana de sua época, arrancando-o dos reconfortantes Estados Unidos, tantos anos atrás, rumo à pecaminosa Europa, à cata de aventura e conquistas, levando-o a casar-se quatro vezes e a pular a cerca centenas de outras, distraindo-o, degradando-o e praticamente arruinando-o. Não obstante, agora ela cessou, clemente; o desejo foi minguando nos últimos anos, tão misterioso na despedida quanto na chegada. Pela primeira vez desde os 12 anos, Lloyd observa o mundo sem motivação. E se sente bastante perdido.

— Você não gosta mesmo desses biscoitos? — pergunta ele.

— Não pedi que os comprasse.

— Não, não pediu. — Lloyd dá um sorriso triste. — Mas há algo que eu possa fazer por você?

— Para quê?

— Para ajudar.

— Não quero sua ajuda.

— Está bom. Está bom, então. — Lloyd assente, suspira e se vira rumo à porta.

Charlotte o segue. O pai estende a mão para tocar seu braço, mas ela se afasta e entrega-lhe a caixa de calissons.

— Não vou comer isto.

De volta ao apartamento, Lloyd examina os números de telefone da agenda e acaba ligando para um velho amigo jornalista, Ken Lazzarino, que agora trabalha para uma revista em Manhattan. Trocam novidades, sentindo certa nostalgia por alguns momentos, embora um pensamento subjacente permeie a conversa: ambos sabem que Lloyd quer algo mas não tem coragem de pedir. Por fim, ele desembucha:

— E se eu quiser enviar uma matéria para vocês?

— Você nunca escreveu para a gente, Lloyd.

— Eu sei, só estou perguntando.

— Eu cuido da estratégia on-line, não mexo com conteúdo.

— Tem algum contato que você possa me passar?

Depois de ouvir diversas versões de não, Lloyd desliga.

Consome outra lata de grão-de-bico e tenta falar de novo com Craig, no jornal.

— E se eu fizer um apanhado da economia da Europa hoje?

— Hardy Benjamin é a encarregada disso agora.

— Sei que é um saco para vocês eu não ter esse troço de e-mail funcionando. Mas posso mandar as matérias por fax. Não vai fazer diferença.

— Na verdade, faz sim. Mas, olhe, ligo para você se precisar de alguma notícia de Paris. Ou entre em contato comigo se tiver algo noticiável.

Lloyd abre uma revista francesa de atualidades, na esperança de roubar alguma ideia de pauta. Folheia as páginas com impaciência — não reconhece metade dos nomes. Quem diabos é esse sujeito na foto? Costumava saber tudo o que acontecia naquele país. Nas entrevistas coletivas, era o primeiro da fila, a mão erguida, e depois ainda corria para fazer perguntas nos bastidores. Nos coquetéis das embaixadas, aproximava-se dos embaixadores com um sorriso largo, para logo pegar o bloquinho do bolso de trás da calça. Hoje em dia, se Lloyd por acaso for a uma coletiva, fica na última fileira, escrevinhando, cochilando. Convites texturizados acumulam-se em sua mesa de centro. Furos jornalísticos, grandes ou pequenos, escapolem de suas mãos. Ainda tem tino para escrever as matérias óbvias — as que consegue digitar bêbado, de olhos fechados, cueca e meias, no processador de texto. E, às vezes, é o que faz.

Lloyd joga a revista de atualidades na cadeira que Eileen deixou perto da gaveta. Para quê continuar tentando? Telefona para o celular do filho.

— Acordei você? — pergunta, em francês, o idioma que usam um com o outro.

Jérôme cobre o fone e tosse.

— Queria convidá-lo para almoçar mais tarde — prossegue Lloyd. — Você já não devia estar no ministério, a essa hora?

Mas o filho está de folga hoje, e eles combinam de se encontrar num bistrô próximo à Place de Clichy, que é perto de onde o jovem mora, embora o local exato de sua residência seja tão misterioso para o pai quanto o seu trabalho no Ministério das Relações Exteriores. Jérôme é reservado.

Lloyd chega cedo ao bistrô, com o intuito de conferir os preços no cardápio. Abre a carteira para contar o dinheiro e reserva uma mesa.

Quando o filho chega, ele se levanta e sorri.

— Já tinha quase esquecido do quanto gosto de você!

Jérôme se senta rápido, como se estivesse jogando dança da cadeira.

— Você é estranho — diz o rapaz.

— Sou. Tem razão.

O filho estende o guardanapo e passa a mão pelos cachos desgrenhados, deixando tufos de cabelo emaranhados. Sua mãe, Françoise, uma atriz de teatro que sempre vivia com um cigarro entre os dedos, tinha o mesmo hábito de desalinhar os cabelos, o que a deixava ainda mais atraente até anos depois, quando perdeu o emprego e o vício a deixou desleixada. Jérôme, com seus 28 anos, já anda maltrapilho, vestindo talvez roupas de brechó: uma jaqueta de veludo com mangas excessivamente curtas e camisa listrada justa demais, com um papel de enrolar cigarro visível no bolso rasgado, à altura do peito.

— Por que não me deixa comprar uma camisa para você? — pergunta Lloyd, num impulso. — Precisa de uma mais adequada. Podemos dar um pulo na Hilditch & Key, na Rivoli. Vamos pegar um táxi. Ande.

Fala sem pensar; não tem dinheiro para comprar roupa. Mas Jérôme recusa a oferta. Lloyd estende a mão sobre a mesa e pega no polegar do filho.

— Faz séculos que não nos vemos; a gente mora na mesma cidade, ora!

Jérôme retira o polegar e examina o cardápio. Escolhe a salada com nozes e queijo de cabra.

— Coma algo mais substancial — protesta Lloyd. — Um bife!

Ele sorri, mas seu olhar se dirige ao preço do filé no cardápio. Então, seus dedos dos pés se contraem.

— Salada está bom — retruca Jérôme.

O pai também pede uma, já que é o prato mais barato do cardápio. Oferece uma garrafa de vinho ao filho e se sente aliviado quando ele recusa. Lloyd devora a comida, bem como todo o pão da cestinha. Grão-de-bico demais, carne de menos. Jérôme, nesse ínterim, belisca o queijo de cabra e ignora a alface.

Brincando, o pai lhe diz em inglês:

— Coma as verduras, rapaz!

O jovem faz uma careta, sem entender, e Lloyd é obrigado a traduzir para o francês.

Jérôme chegou a falar inglês certa época, mas, como o pai saiu de casa quando ele tinha 6 anos, não teve muitas oportunidades de praticar depois. Que peculiar, então, Lloyd identificar na face desse rapaz francês os traços de seu pai, lá de Ohio, há muito falecido. À parte os cabelos, a semelhança é impressionante — o nariz achatado e os olhos castanhos opacos. Até mesmo o hábito de Jérôme usar apenas três palavras quando seriam necessárias vinte. Com a diferença, claro, de que o rapaz usa termos de outra língua. Um pensamento perturbador passa pela mente de Lloyd: um dia, seu filho vai morrer. Um fato óbvio, mas ele nunca havia ponderado a respeito disso antes.

— Bom, vamos chamar aquela garçonete charmosa. — O pai levanta o braço, tentando atrair a atenção da jovem. — Moça bonita, hein? Vou pedir o telefone dela para você. Quer?

Jérôme abaixa o braço de Lloyd.

— Não precisa — diz o rapaz, enrolando depressa um cigarro.

Faz meses que não se encontram, e o motivo logo fica óbvio: os dois se gostam, mas não têm muito o que dizer um ao outro. O que Lloyd sabe a respeito de Jérôme? Quase tudo dos primeiros anos de vida do filho — ele era tímido, sempre lia as revistinhas do Lucky Luke, queria ser cartunista. O pai lhe sugeriu tornar-se jornalista. O melhor trabalho do mundo, alegou.

— E então, ainda desenha?

— Desenhar o quê?

— Suas historinhas.

— Não faço isso há anos.

— Por que não me desenha agora? Num guardanapo?

Jérôme olha para baixo, balança a cabeça.

Esse almoço vai terminar em breve. Lloyd precisa fazer a pergunta que o levou a marcar o encontro. Pega rápido a conta, afastando a mão estendida do filho.

— De jeito nenhum. Eu convidei

Fora do bistrô, ainda teria a chance de perguntar ao rapaz. O último momento chega. Em vez disso, Lloyd indaga:

— Onde está morando agora?

— Estou me mudando. Depois te dou os detalhes.

— Quer caminhar um pouco?

— Vou para o outro lado.

Trocam um aperto de mãos.

— Obrigado por ter vindo — diz Lloyd.

A caminho de casa, ele se amaldiçoa. Perto de Les Halles, para na calçada para contar o dinheiro da carteira. Um adolescente numa lambreta dirige na calçada em sua direção, e buzina furiosamente.

— Quer que eu fique onde, hein? — vocifera Lloyd. — Onde mais eu vou ficar?

O jovem desacelera, xingando, a lambreta arranhando a perna de Lloyd.

— Babaca — diz Lloyd.

Não chegou a fazer a pergunta a Jérôme. No apartamento, Eileen comenta:

— Bem que eu queria que você trouxesse o Jérôme. Adoraria cozinhar algo para ele. Não seria ótimo se seu filho viesse aqui de vez em quando?

— Ele é muito ocupado.

— Por causa do ministério?

— É o que imagino. Não sei. Quando faço perguntas, recebo apenas vagos... — Lloyd olha para a palma da própria mão, perscrutadoramente, incapaz de encontrar a palavra. — Sei lá. Pergunte você a ele.

— Está bom, mas precisa trazê-lo aqui primeiro. Jérôme tem namorada?

— Não sei.

— Não precisa se irritar comigo.

— Não me irritei. Mas como é que eu vou saber, Eileen?

— Deve ser interessante trabalhar no ministério.

— Vai que o trabalho dele é tirar cópias, sabe-se lá!

— Não, tenho certeza que não.

— Mas devo admitir, acho muito estranho.

— O quê?

Lloyd hesita.

— Que ele, sabendo o que faço para viver, que ajudei a criá-lo, que o sustentou na infância, ou seja, mesmo sabendo que sou jornalista, nunca me deu nenhuma mísera informação, nem uma migalha sequer do ministério. Não chega a ser uma tragédia. Mas seria de se imaginar que faria isso.

— Talvez Jérôme não tenha nada para lhe dar.

— Sei como esses lugares funcionam. Ele tem algum material que eu poderia usar.

— É provável que não tenha permissão para falar com jornalistas.

— Ninguém tem. Mas acabam falando. É o que se chama de vazamento.

— Sei como se chama.

— Não expliquei por isso. Desculpe. — Lloyd toca no braço de Eileen. — Está tudo bem. Já estou melhor agora.

Na manhã seguinte, ele acorda furioso. Algo durante o sono o enraiveceu, mas ele não lembra o quê. Quando a esposa vai tomar café da manhã, ele manda que volte e coma no apartamento de Didier. Eileen sai e ele deseja que ela não tivesse ido embora, que tivesse passado a noite ali. Abre a carteira. Já sabe quanto tem, mas confere ainda assim. Se não receber algo logo, terá que sair desse apartamento. E se ele se mudar, Eileen não irá junto.

Sem ela, aonde Lloyd vai? Precisa de dinheiro, precisa de uma notícia.

— Segundo dia seguido que acordo você. A que horas costuma se levantar? — pergunta Lloyd a Jérôme, pelo telefone. — Olhe, preciso me encontrar com você de novo.

O filho chega ao bistrô e troca um aperto de mãos com o pai. Como ensaiado, Lloyd diz:

— Sinto muito incomodá-lo outra vez. É que tem algo importante que preciso averiguar, para o trabalho.

— Comigo?

— Um detalhezinho. Estou escrevendo uma matéria sobre a política externa da França. É urgente. Preciso entregar hoje. Esta tarde.

Jérôme se recosta na cadeira.

— Não sei de nada que possa aproveitar.

— Mas você ainda nem ouviu minha pergunta.

— Só que não sei nada mesmo.

— O que é que você faz lá? — pergunta Lloyd, atordoado e mal-humorado. — Sabe, nem ouviu o que quero perguntar. Já deve trabalhar no ministério há três anos, a essa altura. Não me deixa ir visitá-lo nem conversa sobre o que faz. Por acaso é faxineiro e está com vergonha de admitir? — Dá uma risada. — Eles lhe deram uma mesa?

— Aham

— Então é isso, um jogo de adivinhação. Você fica me respondendo com monossílabos. Já chego lá. Sua mesa fica perto ou longe da sala do ministro?

Jérôme muda de posição, pouco à vontade.

— Não sei. Meio-termo.

— Então fica perto.

— Não tão perto assim.

— Caramba, que dificuldade. Escute, preciso de uma notícia. Queria fazer umas perguntinhas rápidas.

— Pensei que tivesse uma pergunta específica.

— Mas não tem nenhuma ideia? Paguei seu almoço ontem. — Então acrescenta: — Estou brincando.

— Não posso falar.

— Não vou mencionar você. Não estou pedindo que entre lá e roube documentos nem nada assim.

— E do que exatamente precisa?

— Não sei bem. Algo relacionado ao terrorismo, talvez. Ou ao Iraque. Ou a Israel.

— Não sei — diz Jérôme, com suavidade, cabisbaixo.

As filhas de Lloyd já o teriam dispensado a essa altura. Só Jérôme é leal. As três mulheres são como o pai: sempre batalhando, sempre com algo em mente. Já o rapaz não oferece resistência. Só ele é leal. E o comprova ao comentar:

— Só anda rolando um comentário sobre a força militar em Gaza.

— Que força militar em Gaza? — indaga Lloyd, com interesse.

— Não estou a par de todos os detalhes.

— Mas espere, o ministro está falando de uma força militar em Gaza?

— Acho que ouvi isso.

— Acha? — O pai vislumbra: — Talvez tenhamos algo aqui. Talvez, talvez.

Pega o bloquinho e anota. Pensa na informação, sente um calafrio: é bom nisso. Mas Jérôme está se fechando. Tarde demais; já deu a brecha. Lá vem. Vamos.

— Você não pode usar isso.

— Você não vai se meter em confusão.

— A informação é minha — salienta Jérôme.

— Não é sua. Não passa de uma informação. Não pertence a ninguém. Existe independentemente de você. Não posso *não* saber disso agora. Quer que eu me ajoelhe? Pedi uma ajudinha. Não entendo qual é a dificuldade. — E conclui: — Sinto muito, mas você já me passou isso.

Lloyd volta depressa ao apartamento — talvez ainda termine antes do fechamento. Telefona para Craig. *Ah-caramba-ah*, pensa, enquanto transferem a ligação.

— Bom, meu caro, tenho uma história para você.

Craig o escuta.

— Mas, espere, a França está propondo uma força de paz da ONU em Gaza? Israel jamais aceitaria isso. É uma ideia inviável — diz o editor executivo.

— Será? E, seja como for, vou informar que os franceses estão propondo a ideia. O que acontecerá depois são outros quinhentos.

— Precisaríamos confirmar a informação.

— Posso fazer isso.

— Você tem quatro horas até o fechamento. Mande brasa e entre em contato daqui a noventa minutos.

Lloyd desliga. Dá uma olhada nos números de telefone dos contatos. Nem tem um material atualizado sobre Gaza. Telefona para o celular de Jérôme, mas toca, toca, e ele não atende. Encontra o número do Ministério das Relações Exteriores. Talvez consiga obter detalhes sem revelar o filho como sua fonte. Claro que sim. Já fez isso um milhão de vezes. Liga para a assessoria de imprensa do ministério, grato pela primeira vez por aquela maluca da Françoise ter mudado o sobrenome do filho e colocado o dela — ninguém associaria o nome "Lloyd Burko" ao de Jérôme.

Começa a interrogar a funcionária, mas como ela está mais interessada em arrancar informações do que em fornecê-las, ele desliga logo. Assim que o faz, o telefone toca: é Craig.

— Agora é você que está ligando para *mim* — diz Lloyd, em tom de triunfo.

— Mencionei sua matéria na reunião da tarde e Kathleen ficou empolgada — afirma, referindo-se à editora-chefe. — E, como você bem sabe, é melhor não deixá-la nesse estado.

— Então, vai querer?

— Vamos ter que ler a matéria primeiro. Gostaria de publicar.

— Quantas palavras?

— Pode usar o quanto for necessário. Desde que seja convincente. Como eu disse, vamos ter que ler primeiro. Acha que pode sair na primeira?

Se a matéria sai na primeira página, tem que continuar nas internas também, o que significa que será mais longa. E mais longa equivale a mais dinheiro.

— Na primeira página — ressalta Lloyd. — Com certeza, na primeira página.

— Vai botar pra quebrar, né?

— Acabei de falar com o Ministério das Relações Exteriores.

— E?

— Eles me disseram basicamente o mesmo.

— Mas você está confirmando a história; que incrível. Não vi nada parecido em lugar nenhum.

Depois que desligam, Lloyd perambula pelo apartamento, contempla a vista da janela, arranhando a tela, vasculha a memória em busca de uma fonte útil. Não há tempo. O que lhe resta fazer é trabalhar com o que tem — valer-se de estratagemas numa matéria com fonte única, encher linguiça com pano de fundo e rezar para que cole. Lloyd senta ao processador de textos e digita alguns parágrafos que, assim que arrancados da máquina, são com certeza os menos convincentes que já tentou vender. Deixa a página de lado. Nenhuma citação, nada.

Coloca outra folha no processador e recomeça, escrevendo a matéria tal como deve ser feita: cheia de citações, datas, números de tropas, disputas no gabinete, hostilidades transatlânticas. Ele domina o ofício — tudo foi expresso em termos de possibilidades, propostas, ideias. Todas as fontes inventadas falam sob "a condição de anonimato" ou são "funcionários próximos" ou "especialistas familiarizados com". Ninguém é citado pelo nome. Mil e quatrocentas palavras. Lloyd calcula quanto vai ganhar. O suficiente para pagar o aluguel — um alívio. O bastante para comprar uma camisa decente para Jérôme. Para levar Eileen a algum lugar e tomar uns drinques.

Ele relê a matéria, usando uma caneta vermelha para cortar o que pode ser contestado. Como isso acaba encurtando o texto, inventa umas citações repetitivas de "um funcionário do governo em Washington". Redigita tudo, faz correções e a manda pelo fax da telefônica que há na mesma rua. Volta depressa para casa, parando no patamar da escada, sem fôlego, tentando esboçar um sorriso. *Idiota preguiçoso!*, diz a si mesmo. Bate à porta de Didier.

— Eileen? Você está aí?

Lloyd entra no próprio apartamento e encontra uma garrafa de Tanqueray contendo um quarto da bebida; serve uma dose para si e bochecha o gim na boca, deixando a parte interna da maçã do rosto arder. Nunca havia forjado uma matéria antes.

— Eu me sinto bem! — diz. — Deveria ter feito isso anos atrás! Teria me poupado de um trabalhão!

Serve outra dose da bebida e aguarda a ligação inevitável.

O telefone toca.

— Precisamos definir melhor a fonte — diz Craig.

— Definir como?

— Ordens da Kathleen. A propósito, essa porcaria de fax é um pesadelo, tão perto assim do fechamento. Tivemos que digitar tudo de novo aqui. Você precisa dar um jeito no seu e-mail.

Esse é um bom sinal: Craig tem em mente matérias futuras.

— Tem razão. Vou consertar meu computador o mais rápido possível.

— E a fonte. Precisamos ser mais claros. Como no terceiro parágrafo, no qual a citação está esquisita. Não podemos identificar a pessoa como alguém "com acesso ao relatório" quando não citamos nenhum.

— Deixei isso? Ia cortar essa parte.

Fazem ajustes, checam o texto, desligam em comum acordo. Lloyd toma outro gole de gim. O telefone toca de novo. Craig ainda não está satisfeito.

— Esta matéria não cita como fonte direta nenhuma pessoa nem instituição. Será que não podemos colocar "o Ministério das Relações Exteriores francês"?

— Não vejo por que "um funcionário" não é suficiente.

— No cerne da matéria, você tem uma única fonte anônima. É ambíguo demais para a primeira página.

— Como assim ambíguo? Você publica esse tipo de coisa o tempo todo.

— Achei que você tivesse dito que o Ministério das Relações Exteriores confirmou a notícia.

— E confirmou.

— Não podemos incluir isso?

— Não vou queimar minha fonte.

— Estamos na reta final.

— Não quero que você coloque "francês" nem nada. Simplesmente diga "um funcionário".

— Se você se recusa a ser mais específico, não poderemos publicar a matéria. Sinto muito; Kathleen está aqui ao meu lado, confirmando. E isso significará modificar a primeira página. O que, como você sabe, será um verdadeiro inferno tão perto assim do fechamento. Precisamos decidir agora. Vai mudar de opinião ou não? — Ele aguarda. — Lloyd?

— Uma fonte no Ministério das Relações Exteriores. Ponha isso.

— E é fidedigna?

— É.

— Então está bom para mim.

Mas acabou não estando para Kathleen. Ela telefona para um contato em Paris, que zomba da matéria. Craig liga outra vez.

— A fonte de Kathleen é um assessor de imprensa da cúpula do ministério. A sua é melhor do que essa?

— É.

— Até que ponto?

— Simplesmente é. Não posso revelar de quem se trata.

— Estou travando uma luta com Kathleen por causa disso. Não duvido da sua fonte. Mas, em nome da minha paz de espírito, quero que me dê uma pista. Não vou publicar.

— Não posso.

— Então é isso. Sinto muito.

Lloyd faz uma pausa.

— Alguém da junta do Oriente Médio, está bom? Minha fonte é boa: da área política, não da de assessoria.

Craig passa a informação a Kathleen, que coloca Lloyd no viva-voz.

— E essa pessoa é confiável? — pergunta ela.

— Muito.

— Então já a usou antes?

— Não.

— Mas podemos confiar.

— Podemos.

— Extraoficialmente, quem é?

Lloyd hesita.

— Não entendo por que vocês têm que saber. — Mas entende, claro. — É meu filho.

Ele escuta as risadas deles pelo viva-voz.

— Está falando sério?

— Meu filho trabalha no ministério.

— Não gosto muito da ideia de citar pessoas da sua família — diz Kathleen. — Mas, a essa altura, ou fazemos isso ou publicamos uma matéria de agência de notícias sobre a queda vertiginosa do índice de aprovação de Bush, o que, na verdade, nem é mais material de primeira página.

Craig sugere:

— Poderíamos colocar a matéria "Cinco anos após o 11 de Setembro", que já está pronta.

— Não, o aniversário é na segunda. Quero guardá-la para o fim de semana. — Ela faz uma pausa. — Está bom, vamos publicar a do Lloyd.

Quando Eileen volta para casa, o marido já está bêbado. Ela deixou Didier com os amigos dele num clube de jazz e bate à porta de Lloyd. Por que não entra simplesmente? Mas o marido não vai tocar nesse assunto agora. Busca outro copo e serve uma dose para Eileen, antes que ela recuse.

— Não se esqueça de comprar o jornal amanhã — diz Lloyd. — Primeira página.

Eileen acaricia o joelho dele.

— Parabéns, querido. Quando foi a última vez que saiu uma assim?

— No governo de Roosevelt, provavelmente.

— Franklin ou Teddy?

— Teddy, sem dúvida.

Ele a puxa para perto, de um jeito meio brusco, e a beija — não o costumeiro selinho, mas um abraço ardente.

Eileen se afasta.

— Já chega.

— Tem razão... E se seu marido chegar?

— Não me faça me sentir mal.

— Só estou brincando. Não se sinta assim, eu não me sinto. — Ele dá um beliscão na maçã do rosto dela. — Amo você.

Sem dizer uma palavra, Eileen volta ao apartamento ao fim do corredor. Lloyd se joga na cama. Murmura, embriagado:

— A porra da primeira página, caralho!

A esposa o acorda com delicadeza na manhã seguinte e coloca o jornal na cama.

— Está um gelo aqui. Já liguei a cafeteira — comenta.

Ele se senta na cama.

— Não vi sua matéria, querido. Não ia sair hoje?

Lloyd perscruta as manchetes da primeira página: "Blair deve renunciar ao cargo em um ano"; "Pentágono proíbe crueldade nos interrogatórios da guerra antiterror"; "Casamento entre pessoas do mesmo sexo agita os Estados Unidos"; "Austrália lamenta morte de 'Caçador de Crocodilos'"; e, por fim, "Popularidade de Bush despenca mais nas pesquisas".

Sua matéria sobre Gaza não foi publicada na primeira página. Ele procura nas internas. Não está em lugar nenhum. Praguejando, telefona para Roma. Está cedo, mas Craig já se encontra à sua mesa.

— O que aconteceu com a minha matéria? — pergunta Lloyd.

— Sinto muito. Não pudemos incluí-la. Aquele assessor francês, amigo de Kathleen, ligou e negou tudo. Disse que a gente ia se ferrar se publicasse a notícia, que divulgariam um protesto oficial.

— O assessor amigo de Kathleen acaba com a minha matéria e vocês acreditam nele? E por que ela está checando a minha informação? Eu disse para vocês, meu filho trabalha no ministério.

— Bom, isso é meio estranho também. Kathleen mencionou o nome do seu filho para o amigo.

— E o identificou como a fonte? Vocês estão malucos?

— Não, não; espere aí. Ela não chegou a dizer que era sua fonte.

— Não vai ser difícil para ele chegar a essa conclusão. Meu Deus do céu!

— Quer me deixar terminar, Lloyd? Espere até eu terminar. Não tem nenhum "Jérôme Burko" trabalhando lá.

— Seus idiotas. Ele usa o sobrenome de solteira da mãe.

— Ah.

Lloyd tem que avisar o filho, dar-lhe tempo para bolar uma desculpa. Telefona para o celular do rapaz, mas ele não atende.

Talvez tenha ido cedo para o trabalho, para variar um pouco. Caramba, que desastre; Lloyd liga para a central do ministério.

A telefonista diz:

— Estou checando a lista de todos os funcionários deste prédio. Esse nome não está aqui.

Lloyd vai depressa ao Boulevard du Montparnasse, ergue o braço para chamar um táxi, mas então abaixa-o. Hesita na calçada, apertando a carteira, mais magra do que nunca. Mas se é para ficar totalmente liso, melhor assim. Faz sinal para um taxista.

No prédio do ministério, os seguranças não o deixam entrar. Ele repete o nome do filho, insiste que se trata de uma emergência familiar. Porém, não consegue ir a lugar nenhum. Mostra o crachá de jornalista — que perdeu a validade em 31 de dezembro de 2005. Espera do lado de fora, telefonando para o celular de Jérôme. Funcionários saem para fumar. Lloyd procura, entre eles, seu filho, perguntando se alguém ali trabalha na junta do Oriente Médio ou da África do Norte.

— Eu me lembro desse rapaz — diz uma mulher. — Estagiou aqui.

— Sei disso, mas em que setor ele está agora?

— Em nenhum. Não chegamos a contratá-lo. Creio que fez a prova, mas não conseguiu passar na de idiomas. — Ela estreita os olhos e sorri. — Sempre achei que ele estava mentindo quando falava que o pai era americano.

— O que está querendo dizer?

— É que o inglês dele era muito ruim.

A mulher consegue um antigo endereço de Jérôme e o entrega a Lloyd. Ele pega o metrô até a estação Château Rouge e encontra o prédio, uma construção com estuque com a fachada deteriorada e um portão principal quebrado. Examina a lista de moradores acoplada ao interfone de cada bloco interno, buscando o sobrenome de Jérôme. Não o encontra. Então, reconhece um sobrenome diferente, o seu. "Jérôme Burko".

Lloyd toca, mas ninguém atende. Moradores entram e saem. Ele se senta na extremidade do pátio e contempla as janelas com venezianas.

Depois de uma hora, o filho aparece na entrada principal, mas não vê o pai de imediato. Abre a caixa de correio e, checando a pilha de correspondência indesejada, avança em zigue-zague.

Lloyd o chama e o rapaz pergunta:

— O que está fazendo aqui?

— Sinto muito — diz o pai, levantando-se penosamente. — Lamento aparecer assim. — Nunca falou com o filho daquele jeito, com deferência. — Resolvi aparecer; tem problema?

— É sobre a sua matéria?

— Não, não. Nada a ver com isso.

— Então sobre o quê?

— Podemos subir? Estou com frio. Faz um tempo que estou aqui fora. — Ele ri. — Já sou velho, sabe? Posso não aparentar a idade, mas...

— Você não é velho.

— Sou. Sou sim. — Lloyd estende a mão e sorri. Jérôme não se aproxima. — Tenho pensado na minha família, ultimamente.

— Qual família?

— Posso entrar, Jérôme? Se não se importa. Minhas mãos estão geladas. — Ele as assopra e esfrega. — Tive uma ideia. Espero que você não se ofenda com isso. Pensei que talvez, se quiser, claro, eu possa ajudar com o seu inglês. Se a gente praticar constantemente, você vai aprender rápido, eu garanto.

O rapaz enrubesce.

— O que está querendo dizer? Meu inglês está bom. Aprendi com você.

— Não teve muitas oportunidades de escutá-lo.

— Não preciso de aula particular. E mesmo que precisasse, quando poderia marcar? O ministério não me dá folga.

Para provar seu ponto de vista, Lloyd começa a falar em inglês, e rápido, de propósito:

— Estou tentando lhe contar o que sei, filho. Só que não quero que se sinta mal. Mas o que está fazendo nesta espelunca? Meu Deus, é incrível como você se parece com meu pai. É estranho ver meu velho de novo. E sei que você não trabalha. Tive quatro filhos e você é o único que ainda quer falar comigo.

Jérôme não entendeu uma palavra. Tremendo de humilhação, o rapaz retruca, em francês:

— Como posso entender o que está dizendo? Fala depressa demais. É ridículo.

Lloyd volta a falar em francês:

— Eu queria lhe dizer algo. Na verdade, fazer uma pergunta. Sabe, estou pensando em me aposentar. Devo ter escrito, o quê?, em torno de uma matéria por dia desde que tinha 22 anos. E agora não consigo sequer pensar numa ideia de pauta. Nada. Não sei o que diabos anda acontecendo. Nem mesmo o jornal quer saber de publicar meu trabalho. Era a minha... a minha última alternativa. Sabia disso? Ninguém publica mais o que escrevo. Acho que vou ter que sair do meu apartamento, Jérôme. Não posso pagar o aluguel. Nem deveria estar lá agora. Mas não sei. Na verdade, não tem nada definitivo ainda. Estou perguntando, acho... Tentando adivinhar o próximo passo. Exatamente o que seria o melhor a fazer? O que você acha? Qual é a sua opinião? — Sente dificuldade ao indagar: — O que acha que eu deva fazer? Filho?

Jérôme abre a porta de acesso ao seu bloco.

— Entre — responde o rapaz. — Você vem morar comigo.

1953. Caffè Greco, Roma

Betty agitou o copo alto e deu uma espiada dentro, procurando um restinho de Campari sob os cubos de gelo. Seu marido, Leo, estava sentado ao outro lado da mesa de mármore do bistrô, ocultado pelo jornal italiano. Ela estendeu a mão e bateu na página, como se fosse a porta do escritório dele.

— Siiiim, minha querida — bradou ele.

A grande muralha de papel de jornal deixara-o alheio ao fato de que estava em público e de que outros ouviriam a lenga-lenga conjugal às alturas; depois de anos em Roma, ainda achava que ninguém fora de seu país entendia inglês.

— Nenhum sinal de Ott — comentou ela.

— É verdade, é verdade.

— Mais um drinque?

— Siiiim, minha querida. — Deu um beijo na própria mão em concha e o jogou na direção da esposa, como uma granada, acompanhando com o olhar o trajeto: a parábola formando-se, curvando-se no alto da mesa e indo até a maçã do rosto da mulher. — Acertei em cheio — comentou, e desapareceu atrás das páginas do jornal. — É todo mundo tão idiota! — comentou, atordoado com todas as sensacionais notícias de caos. — Todos tão incrivelmente idiotas!

Betty ergueu o braço para chamar o garçom e então viu Ott, sentado ao balcão do bar, observando-os. A mão pendeu na altura do pulso e ela inclinou a cabeça, movendo os lábios com a pergunta "O que está fazendo aí?"; diminutos músculos contraíram-se nas laterais da boca, levando-a a sorrir, a ficar séria, a dar outro sorriso.

Ott observou Betty e Leo por mais alguns instantes; em seguida, levantou-se do banco do bar e foi até as mesas, nos fundos.

A última vez que a vira fora vinte anos antes, em Nova York. Agora ela estava com 40 e poucos anos, casada, os cabelos negros um pouco mais curtos e os olhos verdes mais tênues. Ainda assim, Ott vislumbrou na inclinação da cabeça e no sorriso hesitante a mulher que conhecera. Ao esvaecer, o passado parecia apenas se avivar diante dele. Ott teve vontade de estender a mão sobre a mesa e tocar Betty.

Em vez disso, apertou a mão estendida do marido dela e pôs a outra no seu ombro, transmitindo para ele — a quem acabava de conhecer — o calor humano que não poderia transmitir devidamente para a mulher.

Sentou-se ao lado de Betty na banqueta de veludo, afagou de leve seu braço, como forma de saudação e, em seguida, ainda ágil aos 54 anos, acomodou-se atleticamente à mesa ao lado. Depois, apertou a parte posterior do pescoço grosso, passou a mão pelo cabelo à escovinha e tocou o cenho franzido, sob o qual fitou o casal, os olhos azul-claros mudando de expressão, como se ameaçasse brigar com todos os presentes ali, sorrir e desistir de tudo. Deu uns tapinhas na maçã do rosto de Leo.

— É um prazer estar aqui.

Com essas poucas palavras, Ott encheu o casal de satisfação — Betty esquecera como era ficar ao seu lado.

Cyrus Ott viera de sua sede em Atlanta, deixando os negócios, a esposa e o filho para comparecer àquele encontro. No navio, a caminho de lá, lera textos dos dois. Leo, o correspondente em Roma para um jornal de Chicago, dominava todos os clichês, suas matérias desdobrando-se em jargões jornalísticos, nos quais os refugiados estão sempre invadindo fronteiras, cidades aguardam tempestades e os eleitores vão às urnas.

Betty trabalhava como freelancer para uma revista feminina dos Estados Unidos, escrevendo matérias levemente cômicas, tratando da vida no exterior e das moças americanas seduzidas por canalhas italianos — textos que escrevia de forma admonitória. Antigamente, Betty tinha muitas ambições; Ott lamentava ver como não lhe haviam sido úteis.

— Então — disse Leo —, permita-me perguntar, por que exatamente quis se encontrar conosco?

— Quero falar sobre um jornal.

— Qual?

— O meu — respondeu Ott. — Pretendo fundar um. Um jornal internacional, de língua inglesa. Com sede em Roma, vendido no mundo todo.

— É mesmo? — disse Leo, inclinando-se para a frente e afrouxando a gravata de tecido marrom, que ele prendera diante do peito para disfarçar o botão ausente da camisa. — Muito interessante — acrescentou, a gravata oscilando como o pêndulo de um relógio, revelando uma flor de fiapos na qual o botão estivera. — Poderia dar certo. Com certeza. Hum, está procurando pessoal para trabalhar?

— Vocês dois. Vão administrá-lo.

Betty remexeu-se, endireitando-se na banqueta.

— Por que fundar um jornal?

— Quanto mais penso na ideia, mais gosto dela — interrompeu-a Leo. — Ninguém fez isso direito ainda. Ninguém está ganhando dinheiro com algo assim.

Só Ott estava sóbrio quando os três se despediram naquela noite. Trocou um aperto de mãos com o casal, deu uma afagada no braço de Leo e subiu os degraus da Scalinata della Trinità dei Monti, rumo ao hotel Hassler, onde estava hospedado. Betty e Leo percorreram cambaleantes a Via del Babuino, rumo a casa.

Com a boca colada ao ouvido da esposa, Leo sussurrou:

— Ele estava falando sério?

— Não costumava brincar.

Porém, o marido mal escutou.

— Esse foi o cara mais rico com quem já enchi a cara — comentou.

Chegaram ao prédio e subiram a duras penas até o quarto andar, usando o corrimão da escada como se fosse uma corda. O apartamento deles era de bom tamanho para um casal sem filhos, com pé-direito alto e vigas de madeira aparentes, e tinha apenas uma janela, o que não era tão ruim assim na hora das ressacas. Betty preparou café.

Subitamente séria, pediu:

— Seja bonzinho comigo.

Ela tocou na maçã do rosto dele, na parte em que Leo deixara, inadvertidamente, um pouco de barba, bem curtinha — Betty o notara a noite toda.

A alguns quarteirões dali, Ott estava sentado na cama do hotel. Não costumava ter dúvidas. Porém, naquela noite, não conseguia dormir. Talvez, pensou, fosse melhor não levar esse plano adiante. Talvez devesse deixar tudo tal como era. Talvez não seja bom fundar esse jornal.

“MENTIROSO MAIS VELHO DO MUNDO MORRE AOS 126 ANOS”

ARTHUR GOPAL, OBITUARISTA

ANTES, A BAIA DE ARTHUR COSTUMAVA FICAR PERTO DO BEbedouro, mas os chefes cansaram-se de ter que bater papo com ele toda vez que tinham sede. Então, o bebedouro continuou no mesmo lugar e Arthur foi realocado. Agora sua mesa situa-se num canto distante, o mais longe possível do centro de poder, porém perto do armário de canetas, o que já serve de consolo.

Arthur chega ao trabalho, desaba na cadeira de rodinhas e fica ali, imóvel, até que a inércia e a manutenção do emprego se tornam mutuamente excludentes. Nesse momento ele tira o sobretudo, se retorcendo todo, liga o computador e confere as últimas notícias.

Ninguém morreu. Ou melhor, 107 pessoas no último minuto, 154 mil ontem e 1.078.000 na semana passada. Mas ninguém importante, o que é bom — já faz nove dias desde seu último obituário, e ele torce para que esse período se prolongue ao máximo. Seu principal objetivo no jornal é acalentar a indolência, publicar o mínimo possível e ir embora de fininho, quando ninguém estiver olhando. Por enquanto ele vem cumprindo com louvor essas ambições profissionais.

Arthur abre uma pasta de papéis para que, caso alguém passe, ele tenha como folhear as anotações e documentos, buscar algo freneticamente e sussurrar "planejamento!", o que parece afugentar a maioria das pessoas. Não todas, infelizmente.

Clint Oakley surge atrás dele, e Arthur gira na cadeira como se torcido por um garrote.

— Clint. Oi. Bom-dia. Já dei uma olhada nas notícias das agências. Nada óbvio. Pelo menos não para mim. Não até agora. — Ele se despreza pela tendência a se justificar tão vilmente para seus superiores. Deveria calar a boca.

— Você não viu?

— O quê?

— Está brincando, né? — Clint é craque em perguntas a um só tempo intimidantes e incompreensíveis. — Não vê seu e-mail? Acorda, veado. — O sujeito dá umas batidinhas no monitor de Arthur, como se fosse seu crânio. — Alô? Tem alguém em casa? — Clint Oakley, o chefe de Arthur, é um cara do Alabama obcecado por beisebol, com rancores sexuais, bigode de escovão e total incapacidade de manter contato visual; além do quê, vive chovendo caspa do seu cabelo. Também é o editor de cultura — algo irônico, se formos pensar no assunto. — Ânus — exclama, aparentemente referindo-se a Arthur, e volta empertigado para sua sala.

Se a história nos ensinou algo, pensa Arthur, é que homens de bigode nunca devem galgar a posições de poder. Lamentavelmente, o jornal não deu atenção a esse truísmo, já que o escopo de Clint abrange todas as editorias, incluindo a de obituários. Nos últimos tempos, ele tem passado bastante trabalho para Arthur, mandando-o organizar as seções Hoje na História, Charadas e Enigmas, A Piada do Dia e O Clima no Mundo, além de suas obrigações necrológicas de sempre.

Arthur encontra o e-mail mencionado por Clint. É da editora-chefe, Kathleen Solson, que quer uma matéria de gaveta — ou seja, um obituário preparado antes do falecimento da pessoa — sobre Gerda Erzberger. Quem diabos é ela? Dá uma olhada na internet. Trata-se de uma intelectual austríaca, outrora aclamada por feministas, depois criticada e, em seguida, esquecida. Por que o jornal haveria de se importar com sua morte iminente? Bom, porque quando Kathleen estava na universidade ela por acaso leu a autobiografia de Gerda. E, como Arthur sabe, "notícia" é com frequência uma forma educada de dizer "caprichos dos editores".

Kathleen chega para tratar da matéria.

— Estou fazendo isso agora mesmo — já vai informando Arthur.

— Na de Gerda?

— Gerda? Você é amiga dela? — Se a resposta for afirmativa, a tarefa ficará ainda mais arriscada.

— Não muito. Estive com ela algumas vezes, em eventos.

— Não é amiga, então — ressalta ele, esperançoso. — Para quando é a matéria? — Uma forma sutil de perguntar: quando ela está planejando morrer?

— É uma incógnita — responde Kathleen. — Gerda não está se tratando.

— E isso é bom ou ruim?

— Olha, em casos de câncer não costuma ser bom. Escuta, eu gostaria que fizéssemos isso direitinho, pra variar um pouco: que você tivesse tempo suficiente para conseguir uma entrevista com ela, ir até lá e tudo o mais, em vez de só pesquisar no arquivo.

— Ir até lá onde?

— Ela mora nos arredores de Genebra. Fale com as secretárias, peça que façam as reservas.

Viajar significa mais esforço e dormir fora de casa. Desolador. E não há nada pior do que entrevistas para obituários. Nunca se pode revelar por que se está ali, para não afligir o entrevistado. Então, Arthur diz que está trabalhando em um "perfil". Arranca tudo que pode do moribundo, confirma os detalhes de que precisa e então fica lá sentado, fingindo tomar notas com enorme sentimento de culpa, fazendo comentários como "Incrível!" e "Sério?", e o tempo todo ciente de que pouco daquilo será publicado — décadas da vida da pessoa condensadas em alguns poucos parágrafos, em seu lugar de descanso final no rodapé da página 9, entre os Enigmas e Clima no Mundo.

Com esses pensamentos desanimadores, ele deixa sorrateiramente a redação para ir buscar a filha. Pickle, de 8 anos, sai pelo portão da escola sem direcionar os óculos a nada em especial; as alças da mochila passando à altura do pescoço, os braços largados ao lado do corpo, a barriguinha saliente, os cadarços dos tênis ricocheteando a cada passada.

— Antiguidades? — pergunta Arthur.

A filha segura a mão dele e a aperta, confirmando. Os dois caminham sem pressa, de mãos dadas, até a Via dei Coronari. Ele a observa do alto: os cabelos pretos emaranhados, as orelhas pequeninas, as lentes grossas que distorcem e aumentam as pedras da rua. Ela tagarela baixinho e seu nariz ronca quando ri. É uma nerdzinha maravilhosa, e Arthur torce para que isso não mude. Não ia gostar se ela se transformasse naquelas garotas descoladas — seria como se alguém de sua família adquirisse sangue azul.

— Esse seu jeito — comenta Arthur — me lembra um chimpanzé — comenta Arthur.

Pickle cantarola baixinho e não responde. Após uns instantes, ela diz:

— E você parece um orangotango.

— Não posso negar. Não mesmo. A propósito, eis um novo para você: Tina Pachootnik.

— Como é?

— Tina. Pachootnik.

Ela balança a cabeça.

— Impossível falar esse nome — comenta.

— Mas você gosta de Tina, pelo menos?

— Posso levar em conta a sugestão...

Pickle tem procurado um pseudônimo, e por nenhum motivo específico, só por apreciar a ideia.

— Que tal Zeus? — pergunta a menininha.

— Sinto muito, já tem dono. Embora ele já tenha partido há tanto tempo que nem dá mais pra confundir. Você usaria assim mesmo, só "Zeus"? Ou seria tipo "Zeus sei lá o quê"?

A filha abre a mão rechonchuda dentro da palma seca e fria do pai, e ele a solta. Ela caminha livre e desimpedida ao lado dele, porém distante e distraída. Então, volta a si subitamente, mete a mãozinha na do pai e olha para cima, as narinas dilatando-se por causa da brincadeira.

— O quê?

— Sapo.

— De jeito nenhum — diz Arthur. — Sapo é nome de menino.

Pickle dá de ombros, um gesto estranhamente adulto para uma garotinha.

Eles entram num dos antiquários da Via dei Coronari. Os vendedores observam os dois de perto. Ambos vão lá com frequência, mas sem nunca comprar nada, exceto na vez em que ela quebrou um relógio de mesa e Arthur teve que arcar com o prejuízo.

Pickle cutuca um telefone da década de 1920.

— Você coloca o fone no ouvido e fala ali — explica o pai.

— E como é que a gente liga?

Arthur põe o dedo no disco e o gira.

— Você nunca viu um telefone desses antes? Meu Deus, quando eu era pequeno, era só esse que existia. Imagina a luta! Tempos difíceis, minha querida, tempos difíceis.

Pickle faz um biquinho e vira-se para examinar um busto de Marco Aurélio.

Em casa, Arthur prepara um sanduíche de Nutella para a filha. Ela come um todas as tardes, as pernas pendendo na cadeira da cozinha, restos do creme de avelã melando a parte de baixo do nariz.

O pai tira um pedaço da casca do pão e o mete na boca.

— Imposto paterno — explica, mastigando. Pickle não protesta.

Quando o carro de Visantha estaciona lá fora, a menina engole depressa o último pedaço e Arthur corre para lavar o prato melado — é como se a professora estivesse chegando.

— Como foi o trabalho? — indaga ele à esposa.

— Bom. E vocês, o que andam aprontando?

— Nada de mais.

Pickle vai sem pressa para a sala e Arthur a segue automaticamente. Os dois batem papo e riem do programa na TV.

Visantha aparece logo depois.

— O que estão vendo?

— Ah, uma bobagem qualquer — responde o marido.

A menina entrega o controle remoto ao pai e vai para seu quarto. Ele a observa seguir pelo corredor e em seguida vira-se para Visantha.

— Sabe o que ela me disse hoje? Que não se lembra do século XX. Não é terrível?

— Não muito. O que vamos fazer para o jantar?

— Pickle! — grita Arthur, na direção do corredor. — Alguma ideia para o jantar?

As secretárias colocam Arthur no trem Roma-Genebra: uma viagem de dez horas, com conexões em Milão e Brig. Supostamente, saía mais barato que um voo comprado em cima da hora, embora fosse um grande transtorno para ele. Arthur pega o trem na Stazione Termini, compra folhados no vagão-restaurante e, espremido em meio à ralé da segunda classe, acomoda-se para ler o primeiro volume da autobiografia de Gerda, cujo modesto título é *No princípio*. Pela fotografia da autora, ela tem, ou tinha, uns 30 e poucos anos, é bonita e magérrima, com cabelos escuros na altura dos ombros e lábios curvados de um jeito irônico. A foto é de 1965, quando saiu o livro. Ela deve estar na casa dos 70, agora.

Quando o trem chega a Genebra, à tardinha, ele levanta o nariz do livro e encara o espaldar da poltrona à sua frente. Pelas críticas que tem na internet, esperava uma autobiografia cansativa e politicamente ultrapassada. Em vez disso, porém, a prosa de Gerda transmite coragem e humanidade. Arthur reexamina a fotografia dela e se sente totalmente despreparado.

Ao passar pela alfândega, ele compra francos suíços e encontra um taxista para levá-lo até a casa dela, que fica na fronteira com a França. O motorista o deixa numa estrada de interior molhada de chuva; as luzes vermelhas da parte de trás do veículo desaparecem colina abaixo. Arthur está suado, hesitante, atrasado. Não gosta de chegar tarde, mas é algo que sempre faz. Esfrega as mãos e solta uma baforada nelas. Seu destino é ali mesmo: o número está correto, os pinheiros são como ela descreveu. Depois de procurar um pouco, ele acha um portão na cerca rústica e entra. Na casa de Gerda, construída com vigas de madeira maciça, sincelos amontoam-se no beiral como chapéus de magos. Ele arranca um — nunca consegue resistir — e se vira para contemplar o crepúsculo. Nuvens envolvem os Alpes. O sincelo começa a respingar no pulso de Arthur.

Gerda abre a porta, atrás dele.

— Oi, oi, perdão pelo atraso — diz ele, e em seguida passa para o alemão: — Desculpe, eu estava apenas admirando a vista.

— Entre — convida ela. — Mas, por favor, deixe o sincelo aí fora.

A sala está iluminada com luzes instaladas em vasos, que salientam colunas de poeira no ar. Na mesa de centro, de ébano, há um cinzeiro excessivamente cheio e uma paisagem lunar de manchas circulares, típicas de canecas quentes cujo conteúdo fora derramado. Nas paredes, os olhares maldosos de máscaras de guerra africanas. Nas estantes, uma coleção de livros encaixada com perfeição de um lado a outro, como um condomínio que deixou de aceitar novos inquilinos. Sente-se naquele ambiente um forte odor de tabaco e também de hospital.

O cabelo de Gerda é branco e curto e, quando ela passa sob a luz, vislumbra-se seu couro cabeludo. Alta, ela traja um suéter de tricô longo, de gola bem solta, lembrando uma meia que perdeu o elástico. Veste a parte de baixo de um pijama de flanela, que faz as vezes de calça, e os chinelos são de pele de carneiro. Ao vê-la assim vestida, Arthur lembra que está frio; ele estremece.

— O que gostaria de beber? Estou tomando chá.

— Chá seria ótimo.

— Bem, posso supor — pergunta ela, parcialmente voltada para a cozinha — que está escrevendo meu obituário?

Ele é pego de surpresa.

— Ah — exclama. — Por quê? Por que pergunta isso?

— Então o que vai escrever? Você me disse ao telefone que seria um perfil.

Ela vai até a cozinha, sumindo de vista, e volta instantes depois com a caneca fumegante dele. Coloca-a na mesa de centro, indica uma poltrona de couro preto para o jornalista e senta-se no sofá do conjunto, o qual não afunda ao acomodá-la, como ele esperava, mas se mantém firme como se a apoiasse na palma da mão. Gerda estende o braço até a mesa para pegar o maço de cigarros e o isqueiro.

— Na verdade, sim — admite Arthur. — É para isso. Um obituário. É muito ruim ficar sabendo?

— Não, não. Até gosto muito. Dessa forma posso me certificar de que estará correto; não vou ter a chance de mandar uma carta de reclamação depois, não é mesmo? — Ela tosse e cobre a boca com o maço de cigarros. Em seguida, acende um. — Quer?

Ele recusa.

Um filete de fumaça escapa de sua boca, seu peito infla e o fio é inspirado.

— Seu alemão é excelente.

— Morei seis anos em Berlim quando era adolescente. Meu pai foi correspondente lá.

— Sei. Você é filho de R. P. Gopal, não é?

— Sou.

— E escreve obituários.

— Basicamente, sim.

— Abriu caminho com unhas e dentes até o fundo do poço, então?

Arthur dá um sorriso educado como resposta. Escrever para um jornal internacional sediado em Roma geralmente lhe confere certo respeito — até, claro, as pessoas descobrirem sua editoria.

Gerda prossegue:

— Gostei dos livros do seu pai. Qual é mesmo aquele que tem "elefante" no título? — Ela olha de soslaio para a estante.

— Ah, sim. Era um ótimo escritor.

— E você escreve tão bem quanto ele?

— Infelizmente, não. — Ele toma um gole do chá e pega um bloquinho e um gravador.

Gerda apaga o cigarro no cinzeiro e brinca com os fios do chinelo.

— Aceita mais chá?

— Não, estou satisfeito, obrigado.

Arthur liga o gravador e indaga sobre o início da carreira dela. A entrevistada responde com impaciência, acrescentando:

— Deveria me fazer outras perguntas.

— Sei que isto é básico. Mas preciso confirmar alguns fatos.

— Está tudo nos meus livros.

— Eu sei. Só...

— Pergunte o que quiser.

Ele ergue um exemplar da autobiografia.

— A propósito, gostei muito.

— É mesmo? — Seu rosto se ilumina e ela dá uma tragada no cigarro. — Sinto muito se foi obrigado a encarar esse troço monótono.

— Não foi monótono.

— Acho um tédio. Creio que esse é o problema de se escrever um livro sobre a própria vida. Quando você termina, não quer nem pensar em tratar do assunto de novo. Mas é difícil parar de falar da própria vida, ainda mais para alguém como eu! — Gerda inclina-se para a frente, solicitamente. — Diga-se de passagem, Sr. Gopal, gosto de obituários. Não quis dar a impressão de denegrir seu trabalho. Você não achou isso, achou?

— Não, não.

— Ótimo. Assim me sinto melhor. Agora, escute, quando vou poder ler seu texto?

— Infelizmente, a senhora não o lerá. É contra nossas regras. De outro modo, todo mundo exigiria tirar isso ou aquilo. Sinto muito.

— Que pena. Seria interessante saber como vou ser lembrada. A matéria que eu mais gostaria de ler é a que jamais lerei! O que se há de fazer? — Ela observa o maço de cigarros na mão. — As pessoas devem ficar muito bravas quando você aparece com um bloquinho, não é mesmo? Como o papa-defuntos chegando para avaliar a viúva.

— Espero que eu não seja tão ruim assim. Embora, para ser sincero, a maioria das pessoas não saiba o que estou pesquisando. Seja como for, eu me sinto aliviado por não ter que fingir hoje. Facilita muito minha vida.

— Mas será que facilita muito minha morte?

Arthur tenta sorrir.

— Pode me ignorar — diz Gerda. — Só estou fazendo um jogo de palavras. Não tenho medo de morrer mesmo. Nem um pouco. Não dá para temer o que não se pode vivenciar. A única morte que vivenciamos é a de outras pessoas. É o pior com que se tem de lidar. O que já pode ser considerado bastante ruim, claro. Eu lembro quando pela primeira vez perdi um grande amigo. Acho que deve ter sido, sei lá, em 1947? Foi o Walter; ele está na minha autobiografia, é o que sempre ia se deitar de colete, se você se recorda dessa parte. Esse meu amigo adoeceu; eu o abandonei em Viena e ele morreu. Eu tinha pavor de doença. Ficava petrificada com... com o quê? Não tinha medo de ficar doente e morrer. Até mesmo naquela época, de um jeito rudimentar, entendia o que era a morte em seu pior aspecto: algo que acontecia com as outras pessoas, difícil de suportar. Foi o que não consegui enfrentar, naquele período, com Walter; nunca fui boa nisso.

"Mas o que estou querendo dizer, sabe, é que a morte é mal interpretada. A perda da nossa vida não é a maior. Não chega nem a ser perda. Para os outros, talvez, mas para nós, não. Para quem morre, a vivência simplesmente cessa. Para quem morre, não há perda. Entende? E talvez esse seja um jogo de palavras também, já que não torna a morte menos assustadora, não é mesmo?"

Ele toma um gole do chá.

— O que realmente temo é o tempo — prossegue. — Ele é o verdadeiro demônio: fustiga-nos quando preferíamos ficar à toa, levando o presente a passar a toda velocidade, impossível de ser contido, e quando se vê, tudo se torna passado, um passado que não se aquieta, que flui, formando histórias espúrias. Meu passado... não parece nem um pouco real. A pessoa que o vivenciou não fui eu. É como se o meu eu atual estivesse sempre se dissolvendo. Tem aquela frase de Heráclito: "Ninguém se banha duas vezes no mesmo rio, pois as águas já não são as mesmas, nem a pessoa." Está certíssima. Gostamos dessa ilusão de continuidade e a chamamos de lembrança. O que explica, talvez, por que nosso maior temor não é o fim da vida, mas o fim das lembranças. — Gerda lança um olhar penetrante a Arthur. — Faz sentido? Parece razoável? Loucura?

— Não tinha pensado dessa forma antes — responde Arthur. — A senhora provavelmente tem razão.

Ela se recosta.

— É um fato incrível! — E volta a inclinar-se para a frente. — Não acha impressionante? A personalidade está sempre morrendo, mas passa a sensação de continuidade. Nesse ínterim, sentimos pânico em relação à morte, que nunca podemos vivenciar. E no entanto, é esse temor ilógico que motiva nossas vidas. Lutamos uns contra os outros e nos destruímos em prol da vitória e da fama, como se isso fosse ludibriar a mortalidade e, de alguma forma, prolongar nossa existência. Mas assim que a morte nos espreita, agonizamos ao nos dar conta do pouquíssimo que fizemos. No meu caso, por exemplo, não sinto que realizei muito. Mal serei lembrada por aí. Salvo, claro, no seu jornal excêntrico. Não vou perguntar por que vocês me escolheram; graças a Deus alguém pensou em mim! Prorroga o contrato de aluguel das minhas ilusões.

— Está sendo modesta demais.

— Não tem nada a ver com modéstia. Quem ainda lê meus livros? Quem ouviu falar de mim, a esta altura do campeonato?

— Bem, eu, por exemplo — mente Arthur.

— Minha nossa, olhe só o que estou dizendo. Afirmo que a ambição é ilógica mas mesmo assim continuo dominada por ela. É como se você fosse escravo a vida inteira e um dia descobrisse que nunca teve dono, mas ainda assim voltasse ao trabalho forçado. Dá para conceber uma força maior do que essa no universo? Não no meu. Sabe, até no início da minha infância ela me dominou. Eu queria realizar façanhas, ser influente; isso, em especial. Fascinar todo mundo. Essa tem sido minha religião: a crença de que mereço atenção, de que as pessoas estão erradas em não ouvir, de que os que me questionam são uns idiotas. Ainda assim, independentemente do que conquisto, o mundo continua, com desinteresse e insolência; e embora seja tudo óbvio para mim, não consigo meter isso na cabeça. Talvez por esse motivo tenha aceitado conversar com você. Até hoje, topo qualquer oportunidade de fazer vocês se calarem e me escutarem, como deveriam ter feito desde o princípio! — Ela tosse e estende a mão para pegar outro cigarro. — O fato é que a força mais produtiva de toda a civilização tem sido a ambição deslavada. Sejam quais tenham sido seus malefícios, nada criou mais. Catedrais, sonatas, enciclopédias: subjacente a elas não estava o amor a Deus, nem o amor à vida, e sim o desejo eterno do ser humano de ser idolatrado por seus semelhantes.

A entrevistada sai da sala sem dar explicações; Arthur escuta sua tosse forte, abafada pela porta fechada. Ela volta.

— Olhe só para mim — continua. — Sem filhos, jamais casada. Chego a este estágio da minha vida, Sr. Gopal, com uma constatação bizarra: que o único legado é o material genético. Sempre desdenhei os que tinham filhos. Era a válvula de escape dos medíocres, substituir suas vidas decadentes por novas. Mas, agora, bem que eu gostaria de ter tido um filho. Só tenho uma sobrinha, uma moça... nem posso chamá-la assim, seus cabelos já estão ficando grisalhos... uma moça intrometida que me olha como se observasse pelo lado errado do telescópio. Vem para cá toda semana e traz litros e mais litros de sopa, além de um monte de médicos e enfermeiras, bem como marido e filhos, para me examinar uma última vez. Sabe aquele ditado idiota, "Nascemos e morremos sozinhos"?

É uma besteira. Nascemos e morremos cercados. Somente nesse ínterim ficamos sós.

Gerda desviou tanto do assunto que Arthur não sabe bem como fazê-la voltar sem parecer grosseiro. Ela mesma, em meio ao fumo incessante, parece sentir que ele não viajou até ali para ouvir aquilo.

— Posso usar o banheiro?

Arthur tranca a porta, endireita os ombros, vê a hora no relógio. Já está bem mais tarde do que gostaria. Ele precisa de citações úteis. Nada do que ela disse pode ser aproveitado. Mas sua tarefa lhe parece hercúlea. Tudo o que ele quer é outra profissão, que o pague para fazer sanduíches de Nutella para Pickle e roubar no Banco Imobiliário com ela.

Dá uma olhada no celular, que está no modo vibratório. A tela mostra 26 chamadas perdidas. Vinte e seis? Não pode estar certo. Normalmente ele não chega a isso nem em uma semana. Ele confere outra vez: isso mesmo, 26 chamadas na última hora. As três primeiras são de sua casa; as restantes, do celular de Visantha.

Ele sai do banheiro.

— Sinto muito, tenho que dar um telefonema. Com licença.

Arthur vai até a varanda. Está um frio de rachar.

Gerda fuma no sofá de couro, entreouvindo a conversa sussurrada mas sem a discernir. O diálogo para, porém Arthur não regressa. Ela apaga um cigarro e acende outro. Abre a porta da frente.

— O que está acontecendo? Você já desligou o celular. Por que continua aqui? Vamos terminar esta entrevista ou não?

— Cadê minha mala?

— O quê?

Arthur passa por ela na sala.

— Sabe onde está minha mala?

— Não. Por quê? Você vai embora? O que está fazendo? — grita Gerda assim que ele se retira. Arthur nem se dá ao trabalho de fechar a porta ao sair.

Nos dias seguintes, ele não aparece na redação. Logo todos ficam cientes do motivo. Kathleen lhe telefona para dar os pêsames:

— Volte quando se sentir preparado.

Após algumas semanas, os colegas começam a reclamar.

— A presença dele não faz diferença — dizem.

— Os estagiários já estão se encarregando dos Enigmas.

— E até se saindo melhor.

— O Arthur saía cedo todos os dias. Sabem, sinto muito por ele e tudo o mais, mas querem saber? Ele já está tipo... indo longe demais. Não acham? Quanto tempo vai ficar fora?

O editor executivo Craig Menzies, acaba se tornando o maior aliado de Arthur nesse período. Defende o colega, alegando que o jornal deve lhe dar todo o tempo necessário. Porém, depois de dois meses o RH informa que ele precisa voltar ao trabalho no Ano-Novo ou perderá o emprego.

Craig sugere que Arthur vá à festa de Natal para preparar sua volta — uma forma relativamente indolor de rever todos de uma vez. O evento envolve uma grande quantidade de bebidas, dissimulação e paquera, o que significa que os demais funcionários estarão ocupados demais para prestar muita atenção nele.

O editor executivo cumprimenta Arthur e Visantha fora do prédio do jornal e os acompanha até lá dentro, onde de imediato se deparam com um grupo de colegas.

— Arthur. Oi.

— Você voltou.

— Cara, que bom ver você, Arthur.

Nenhum deles parece feliz; na verdade, aparentam ficar sóbrios de repente.

Craig intervém:

— Cadê a birita de graça? — E tira Arthur e Visantha dali.

De vez em quando um repórter se aproxima do obituarista, afirmando que é muito bom vê-lo. Um corajoso levanta o tema de sua ausência, porém Arthur o interrompe:

— Não posso falar sobre isso. Me desculpe. E como anda tudo por aqui? O mesmo de sempre?

No canto mais longínquo da sala de redação há uma árvore de Natal, cercada de laços dourados e papéis de embrulho vermelhos rasgados. Algumas crianças brincam com os presentes que acabaram de ganhar — faz parte da tradição do jornal presentear os filhos dos funcionários no Natal. Craig e Arthur tinham se esquecido disso, mas lembram nesse exato momento. O editor executivo se coloca na frente do casal, com o corpo esticado, falando alto para bloquear a visão e os barulhos das crianças no canto.

Clint Oakley rodeia o trio mantendo certa distância, olhando-os de esguelha e tomando o ponche de sua taça, cheia demais. Quando Visantha e Craig se afastam para pegar aperitivos, Clint se aproxima.

— Bom te ver, cara! — Dá um tapinha no ombro de Arthur, derramando ponche no tapete imundo. — Vai nos dar a honra da sua presença em período integral agora ou é só alarme falso? Sentimos sua falta, cara. Você precisa voltar. Os Enigmas não estão dando muito certo sem você. Quanto tempo faz que está fora? — Ele continua a metralhar Arthur, sem nunca deixá-lo responder. — Legal da nossa parte deixar você vir tomar a nossa birita. Não é não? Muita gentileza nossa, hein? Meus filhos já ganharam os presentes de Natal. Coisa boa esse ano. Pedi para me mostrarem. Só pra conferir o pão-durismo do Grupo Ott. Mas até que não foi nada mal. Tipo, armas de brinquedo e Barbies e tudo o mais. Eu não devia ter espiado. Não é para fazer isso antes que o Papai Noel desça pela chaminé, né? Mas eu nunca aguentei esperar. Sabe, na manhã de Natal, quando seus pais ficavam dormindo e coisa e tal, você não descia escondido e abria com cuidado os papéis de presente? Está me entendendo, né, meu colega hindu? Você fazia isso quando era pequeno, não fazia? Sei que fazia! Só não vai roubar um presente de Natal das crianças hoje. Esse ano você não vai ganhar, cara. Vou pegar bolo. — Clint se afasta, andando de forma empertigada.

Quando Craig vota com os aperitivos, Arthur pergunta:

— Clint está a par?

— A par do quê?

— Do que aconteceu?

— Como assim? Com a Pickle? Ah, sim, com certeza. Por quê?

— Por nada não. Mera curiosidade. Você viu Visantha?

No táxi, a caminho de casa, Arthur e a esposa ficam sem assunto. Ele mete a mão no bolso.

— Acho que estou sem trocado. Você tem algum aí?

Conforme combinado, Arthur volta à redação no Ano-Novo. Passa na sala de Kathleen para indicar que chegou, mas ela está ao telefone. Kathleen cobre o fone com a mão e movimenta os lábios: "Falo com você mais tarde."

Ele se senta em sua baia, no canto extremo da redação, e liga o computador. Enquanto o sistema volta à vida, barulhento, Arthur olha ao redor, para as salas dos editores ao longo das paredes, para o copidesque, com sua mesa em forma de ferradura no centro da redação, para o tapete branco respingado, que fede a café passado e a sopa desidratada de micro-ondas e que está com as pontas de acrílico curvadas, coladas com fita adesiva cinza. Várias baias estão vazias atualmente, já que seus ex-ocupantes se aposentaram há muito tempo, sem nunca terem sido substituídos, seus velhos Post-its oscilando ao vento assim que se abre a janela. Sob as mesas abandonadas, os técnicos empilharam impressoras matriciais e telas de tubos de raios catódicos, ao passo que no canto da redação jaz um cemitério de cadeiras quebradas, que caíam para trás quando alguém se sentava. Ninguém joga nada fora ali; ninguém faz ideia de quem deve se encarregar disso.

Arthur volta à rotina, preparando Hoje na História, Charadas, Enigmas, A Piada do Dia e O Clima no Mundo. Escuta o que Clint pede e obedece às suas ordens. Fora isso, não fala com ninguém, exceto Craig. E já não sai cedo, obedece ao horário.

Por fim, Kathleen vai vê-lo.

— Ainda não tomamos café. Me desculpe, uma reunião atrás da outra. Minha vida virou uma reunião interminável. Acredite se quiser, eu *era* repórter.

Continuam a conversa amena até Kathleen considerar que já dedicou tempo suficiente àquele subordinado desconsolado. Depois que ela sair dali, se tudo der certo só vai falar de novo com ele dali a meses.

— Um último detalhe — acrescenta a editora-chefe. — Dá para você ligar para a sobrinha da Gerda Erzberger? Ela já me telefonou milhares de vezes. Não é nada importante, a mulher só reclama que você não concluiu a entrevista. Mas se você der um jeito de fazê-la largar do meu pé, eu ficaria muito grata.

— Na verdade, eu gostaria de voltar lá e concluir aquela entrevista — diz Arthur.

— Não sei se nosso orçamento permite duas viagens a Genebra por um obituário. Não dá para você terminar daqui mesmo?

— Se você me der um dia de folga, eu mesmo arco com o custo.

— Essa é uma manobra para passar um dia longe de Clint? Só faz uma semana que você voltou. Mas eu bem que te entendo.

Desta vez Arthur vai de avião a Genebra e descobre que Gerda agora vive num asilo, na cidade. Ela está careca, com a tez amarelada. Ao vê-lo, tira a máscara de oxigênio.

— Como eu perco o fôlego, é melhor você anotar rápido.

Ele coloca o gravador no criado-mudo dela. Gerda o desliga.

— Francamente, não sei nem se vou conversar com você. Acabou desperdiçando meu tempo.

Arthur pega o gravador e o sobretudo e se levanta.

— Aonde você vai agora? — pergunta a entrevistada.

— A senhora concordou com este encontro. Se não quer colaborar, não me importa. Não estou interessado.

— Espere. O que foi que aconteceu? Minha sobrinha me contou que você foi embora por "motivos pessoais". O que significa isso? — Ela coloca a máscara de oxigênio para respirar.

— Não pretendo tratar desse assunto.

— Precisa me dar uma satisfação. Não sei se quero me expor mais para você. Vai que você sai para ir ao banheiro e não volta mais?

— Não vou tratar disso.

— Sente-se.

Ele obedece.

— Se não quer me contar nada interessante a seu respeito, ao menos me fale sobre seu pai. O famoso R. P. Gopal. Era um homem interessante, não era?

— Era.

— E?

— O que posso dizer? Sempre foi considerado um sujeito carismático.

— Sei disso. Mas me conte um pouco do que se recorda.

— Lembro que minha mãe costumava vesti-lo; não apenas escolhia as roupas dele, literalmente colocava cada peça. Só na minha adolescência percebi que aquilo não era normal nem comum. O que mais posso dizer? Ele era atraente, como a senhora sabe. Quando eu era mais novo, as mulheres com quem eu saía ficavam irritantemente impressionadas com minhas fotos de família. Meu pai sempre foi muito mais charmoso que eu. O que mais? Seus trabalhos na Índia sobre a guerra, claro. Eu me lembro dele escrevendo poesia: costumava se inspirar sentado no meu velho berço. Dizia que se sentia à vontade ali. Não me recordo de muito mais. A não ser que gostava de beber. Até o vício o levar, claro.

— Então você só escreve obituários? E o que seu pai achava disso?

— Acho que não se importava. Foi ele que conseguiu meu primeiro emprego na área, na Fleet Street. Depois disso, não pareceu dar a mínima. Mas nunca cheguei a ser fissurado por jornalismo. Tudo o que eu queria era uma cadeira confortável. Não sou um cara ambicioso.

— O que significa que você é, de certa forma, um fracassado.

— É muita gentileza de sua parte.

— Comparado com R. P. Gopal, ao menos.

— A senhora tem razão, não me comparo a ele. Meu pai não me deixou de herança sua mente, o sacana. — Arthur a fita. — Já que a senhora está me criticando, espero que não se importe se eu for sincero. Na verdade, nem sei se eu me importo. A senhora não faz jus à sua autobiografia, sabe? Quando a li, antes do nosso primeiro encontro, fiquei nervoso diante da perspectiva de entrevistá-la. Mas a senhora é bem menos admirável pessoalmente.

— Estou começando a gostar desta conversa. Isso vai sair no obituário? — Ela dá uma tossida sofrida, o pulmão chiando com a máscara de oxigênio. Quando volta a falar, sua voz sai áspera: — Este quarto é tranquilo. Tenho sorte de não precisar dividi-lo com alguém. Minha sobrinha vem me visitar todos os dias. Todo santo dia. Já lhe falei dela?

— Falou. A senhora se queixou dela. Disse que a atormentava com sopa quente e consolo frio.

— Não, não, não — retruca Gerda. — *Nunca* reclamei dela. Você não se lembra direito da história. Adoro minha sobrinha. É queridíssima. Eu lhe dei o apelido de Gerasim, mas ela se chama Julia. É um anjo. Eu a amo. Você nem imagina a bondade que ela tem tido nesses últimos meses. — A entrevistada tosse. — Estou começando a ficar sem palavras. Estou perdendo a voz. Vou me calar. Embora não tenha dito nada. Nada útil. — Ela pega um bloco e escreve: "Supostamente, tenho que me comunicar com isto". Senta-se e espera, porém Arthur não lhe faz nenhuma pergunta.

Os únicos ruídos vêm dos equipamentos médicos e de sua respiração sibilante.

Até Arthur falar:

— Veja que interessante. Na verdade, vou lhe contar algo. Não importa, mas... Esse fato que aconteceu. — Ele para, sem terminar.

Ela assente e rabisca no bloco: "Eu sei. Um acidente. Sua filha."

— Sim. Minha filha. Foi um acidente.

Gerda anota: "Já passou, agora."

— Não consigo conversar sobre isso. — Ele coloca o gravador e as canetas no bolso.

Gerda tira a máscara.

— Sinto muito — lamenta ela. — Eu não tinha nada a lhe dizer, no fim das contas.

Enquanto Arthur espera para embarcar no voo de volta a Roma, escreve tudo de que se recorda sobre Gerda. Continua o esboço no avião e, em casa, busca um lugar em que não seja incomodado. Só há um disponível, o antigo quarto de Pickle. Arthur se senta na cama dela e digita no laptop até as 4 da manhã, sorvendo uísque para manter o ritmo — o velho truque do pai. No dia seguinte, fica até tarde no jornal, reunindo material sobre a futura falecida. Empilha as obras dela na beirada da mesa, sua dedicação evidente para todos. Kathleen passa e repara nisso.

Pela forma como a própria Gerda se descreveu, ela não se deixa intimidar por sua época, é moralmente ousada, amável e até inspiradora. Pessoalmente, ela mal demonstrou essas qualidades; porém, quando Arthur escreve o obituário, aferra-se à autobiografia, à Gerda fictícia, ignorando a mulher que conheceu. Faz a matéria que lhe pediram. E, para dar um toque de autoridade, insere: "numa série de entrevistas realizadas antes de sua morte". Revisa o texto até não conseguir pensar em mais correções. Lê-o em voz alta para si, no ex-quarto de Pickle. Dessa vez ele se esforçou. A matéria está quase tão boa quanto se houvesse sido redigida pelo pai. Ele a envia direto para o e-mail de Kathleen, ignorando Clint. É uma conduta que foge ao procedimento de praxe, como a própria editora-chefe lhe ressalta. Na sala dela, Arthur se explica:

— Achei que você captaria melhor a essência dessa matéria. Não quero passar por cima de ninguém. Mas, se você puder dar uma olhada, seria ótimo. Se não der ou se não for conveniente, não tem problema, claro.

Kathleen lê e fica impressionada.

— Quando Gerda morrer, vamos publicar isso tal como está. Na íntegra, se possível. É desse tipo de texto que precisamos mais. Com uma voz verdadeira. Com algo a dizer. Muito bom mesmo. Você a captou perfeitamente. Quero que faça com que Clint lhe dê o espaço necessário. Está bom? E, se houver qualquer problema, diga que fui eu que mandei.

Arthur aproveita a oportunidade para sugerir outras pautas para Kathleen — não obituários, mas reportagens especiais. Como ela não se opõe, ele as prepara, com tranquilidade. Da mesma forma que antes, envia as matérias direto para ela, não simplesmente para que ela as revise, mas porque, como Arthur explica, "gostaria muito de sua opinião, quando tiver um tempinho". Depois que ela lê tudo e o elogia, ele as manda para Clint, com uma observação: "Revisto por KS." Com isso, seu chefe não pode tocar numa só palavra.

Aos poucos, Arthur transforma o ex-quarto de Pickle em escritório. Ao menos ele o denomina assim. Visantha não.

Certa noite, Arthur ergue os olhos de suas anotações.

— Oi. O que foi? — pergunta ele.

— Está ocupado? — quer saber a esposa.

— Um pouco. O que houve?

— Volto depois. Não quero interromper.

— O que foi?

— Nada não. Só queria conversar.

— Sobre? — Ele desliga a luminária da mesa. Fica sentado no escuro. A silhueta dela destaca-se sob o umbral. — Não posso conversar sobre isso.

— Mas eu nem expliquei sobre o que é.

— Já terminei aqui.

— Considerando a idade, é preciso agir rápido. Se quisermos — diz Visantha.

— Acho que adiantei bastante meu trabalho esta noite.

— Porque temos que pensar na minha idade. Só estou comentando.

— Não, não — salienta Arthur, levantando-se. — Por mim, não. Não. Eu não aguentaria. Já terminei aqui. Acabei por esta noite.

Ele se aproxima dela e toca em seu ombro. Ela corresponde, esperando um abraço. Em vez disso, ele a empurra com delicadeza para o lado e passa.

No dia seguinte morre um sujeito cubano que alegava ter 126 anos. Ninguém acredita nessa informação, mas o jornal precisa completar a página 9. Então, Arthur recebe a incumbência de escrever oitocentas palavras. Ele rouba o básico das agências de notícias e acrescenta uns floreios engenhosos. Relê tudo diversas vezes e então manda o material, por e-mail, para Clint. "Aí vai o cubano mentiroso", informa Arthur ao chefe no corpo da mensagem. Ele dá uma última olhada na caixa de entrada do e-mail antes de se dirigir à porta. Vê um e-mail enviado pela sobrinha de Gerda: Gerda morreu.

Ele vê a hora, para calcular se ainda consegue fazer mudanças no texto antes do fechamento da edição. Telefona para a sobrinha da falecida, dá-lhe os pêsames e pede umas informações básicas: quando exatamente Gerda morreu, qual foi a causa oficial, quando será o enterro. Acrescenta os novos dados ao obituário e entra na sala de Clint.

— Precisamos tirar uma matéria da página 9.

— Não a essa altura.

— Uma escritora austríaca, Gerda Erzberger, acaba de falecer. Já estou com a matéria de gaveta pronta para ser publicada.

— Está maluco! O maldito cubano já foi encaixado na 9.

— Você tem que tirar o sujeito e pôr a Gerda.

— *Tenho*? Kathleen não me disse isso.

— Kathleen queria incluir esta.

Cada um cita o nome de Kathleen como se empunhasse uma bandeira.

— Não. Ela queria o cubano de 126 anos. Falou isso na reunião de pauta — insiste Clint.

— Bom, *eu* quero incluir Gerda. Na íntegra.

— E alguém já ouviu falar nessa idiota dessa austríaca? Olha, cara, acho que podemos deixar sua obra-prima para amanhã, sem problemas.

— Kathleen disse de forma categórica que a matéria sairia assim que Gerda morresse. Claro que poderíamos incluir um breve obituário, embaixo do mentiroso mais velho do mundo, e isso talvez a satisfaça. Mas eu não quero isso. Este é um pedido pessoal meu, que nada tem a ver com Kathleen: descarte o cubano e coloque Gerda. E *não* enxugue o meu texto. Não quero abrir o jornal amanhã e ler um resumo embaixo da matéria sobre o cubano. Entendeu?

Clint sorri.

— Vou fazer o que eu tiver de fazer, cara.

Arthur dorme mal à noite — está impaciente demais. Quando o jornal chega, ele o abre na mesma hora, na página 9.

— Ótimo! — exclama. — Ah, Clint, meu querido, caro Clint!

Tal como Arthur havia esperado, o chefe estragou a matéria sobre Gerda, condensando a vida dela em cem palavras e publicando esse resumo embaixo da notícia sobre o falecido cubano.

— Perfeito! — diz Arthur.

Depois de se recompor, ele telefona para Kathleen de seu escritório, no ex-quarto de Pickle.

— Sinto muito incomodá-la tão cedo assim em casa, mas você viu os obituários de hoje?

— Obituários, plural? — Ele a ouve folhear as páginas. Sua voz se torna hostil. — Por que a matéria foi resumida?

— Pois é, viu como ela saiu? Não entendo por que simplesmente não esperamos um dia para publicá-la.

— Você não sabia que ia sair assim?

— Não fazia a menor ideia. Só estou vendo agora. O que me incomoda é... Bom, vários detalhes, na verdade. Em primeiro lugar, todo o dinheiro gasto pelo jornal para me mandar lá. Em segundo, o esforço que eu fiz de voltar lá. Ainda por cima depois de tudo o que aconteceu. — Dá um chute para fechar a porta do escritório, de modo que Visantha não escute.

— Certo.

— Mas, acima de tudo, parece um desserviço a Gerda: a meu ver, uma escritora importante do século XX, uma intelectual séria, que já vinha sendo bastante negligenciada. E o que fazemos? Clint a transforma num resumo. E a coloca embaixo de um mentiroso qualquer de Cuba. Não quero criar problemas com ninguém, mas acho um absurdo. E não fica bem para o jornal. Faz com que a gente pareça uns ignorantes, quando bastava Clint segurar a matéria por um dia e publicá-la na íntegra, como pedi. Como expliquei que *você* queria. Avisei a ele: "Não publique nada hoje. Kathleen ia querer que você esperasse até amanhã." Bom. Sinto muito, estou me lamentando aqui. Não quero falar mal do Clint, mas...

— Não, você tem toda a razão de estar furioso. Eu mesma estou bastante irritada.

— Será que podemos publicar a matéria na íntegra hoje? — Ele já sabe a resposta.

— Não podemos comunicar a morte dela duas vezes.

— O que me surpreende é que eu fiz questão de mencionar seu nome quando eu e Clint falamos sobre isso.

— Sério?

— Fui bastante claro.

— Sabe de uma coisa? — comenta Kathleen, cada vez mais aborrecida. — Não quero que suas matérias passem mais pelo crivo do Clint. Isso é ridículo.

— Mas politicamente? Sabe, eu tenho que continuar subordinado a ele. Estou na página 9. Que é dele.

— Nada é *dele*.

— E as minhas incumbências? Os enigmas e tudo o mais?

— Você nem deveria fazer essa porcaria. Um estagiário pode se encarregar disso.

— Clint vai infernizar sua vida por causa dessa mudança.

— Não estou nem um pouco preocupada.

— Não quero meter a carroça na frente dos bois — ele começa a dizer, mexendo na fita adesiva que prende um dos velhos recortes de Pickle na parede —, mas faz um tempo que quero conversar com você sobre uma coisa.

Quando Arthur é nomeado o novo editor de cultura, muda-se para a ex-sala de Clint. Como não se considerou de bom-tom obrigar Clint a ocupar a antiga baia de Arthur, ele se instala em uma outra, no fim da seção de esportes, voltado para uma pilastra.

Em casa, o clima entre Arthur e Visantha anda tenso. Ela está abertamente procurando um emprego que lhe permita voltar para os Estados Unidos, mas não comentam se ele vai junto com ela. Na verdade, Arthur ficará aliviado quando ela for embora — de qualquer forma, a velha Visantha já se foi há muito tempo, tal como o antigo Arthur.

Agora, ele prefere ficar até tarde no trabalho. Depois do expediente, admira o novo escritório. Tudo bem que é menor que o dos outros editores. E que o armário das canetas agora fica mais longe. Por outro lado, o bebedouro está bem mais perto. O que já é um consolo.

1954. Corso Vittorio, Roma

O jornal foi instalado na Corso Vittorio Emanuele II, uma ampla rua no sentido leste-oeste ladeada por igrejas de travertino branco e palazzi *renascentistas laranja-avermelhados. Muitas das construções no centro de Roma foram pintadas como se uma caixa de lápis de cera houvesse sido usada: tons de vermelho-adaga, amarelo-trombeta, azul-nimbo. Mas o sombrio prédio do século XVII em que se instalou o jornal parecia ter sido traçado com a ponta de um lápis: era cinza-garrancho, realçado por uma porta imponente de carvalho, grande o bastante para engolir uma escuna, embora as pessoas passassem por uma portinhola articulada.*

Um porteiro avaliava de sua cabine de vidro os novos visitantes, apontando para o longo corredor, em que se via a passadeira vinho reluzente, que quase chegava ao elevador, a porta metálica entreaberta e o ascensorista sentado em um banquinho forrado de veludo.

— Che piano, signore? *Que andar, senhor?*

Para Cyrus Ott, era o terceiro, anteriormente a sede de uma revista fascista sobre filmes que falira após a queda de Mussolini. Ele retirou os móveis empoeirados do local e mandou derrubar as paredes divisórias, criando assim uma redação totalmente aberta, rodeada de saletas arrumadas voltadas para o centro, como camarotes virados para o palco. Comprou cadeiras giratórias de madeira, mesas envernizadas, luminárias, uma mesa em forma de ferradura feita sob encomenda para os redatores, telefones pretos brilhantes para os repórteres, 38 máquinas de escrever Underwood, importadas de Nova York, cinzeiros de cris-

tal grossos e tapete branco felpudo e ainda instalou um discreto bar em uma das paredes.

Seis meses depois, visitante que saísse do elevador no terceiro andar se veria direto numa redação agitada, com a mesa da secretária em primeiro plano, um punhado de repórteres datilografando à esquerda e à direita e meia dúzia de redatores mutilando provas tipográficas na mesa em forma de ferradura. Nas saletas ao longo das paredes, vendedores empenhavam espaços de anúncios, um estenógrafo anotava os classificados, um contador preenchia o livro contábil. Num dos cantos ficava a sala de Ott, com "Diretor" gravado na porta de vidro fosco; em outro, a de Leopold T. Marsh, editor-chefe, e Betty Lieb, editora executiva. Espalhados nessa área havia jornalistas veteranos especializados em economia e esportes, além de agências de notícias, fotografia, diagramação. Os revisores iam pra lá e pra cá, como abelhas polinizando.

A gráfica ocupava o segundo subsolo, mas parecia mais um outro país. Embora trabalhadores italianos sindicalizados operassem o ensurdecedor sistema de impressão ali, poucos conheciam algum dos jornalistas que escreviam para o jornal apenas alguns andares acima. No fim da tarde, um caminhão chegava com um enorme rolo de papel-jornal, que os carregadores transportavam até a rampa nos fundos do edifício, atirando-o no túnel de carga e fazendo o prédio estremecer até o terceiro andar. Os jornalistas que estivessem à toa lá em cima — caçoando uns dos outros, as pernas em cima das mesas, os chapéus de aba pendendo na ponta dos pés, os cigarros queimando nos cinzeiros — levantavam-se de supetão, tomados de pânico. "Porra, já está na hora?"

Milagrosamente, quando dava a hora do fechamento da edição, às 10 da noite, o jornal já ocupara cada linha de cada colu-

na, independentemente das taquicardias e blasfêmias de último minuto. Os editores deixavam suas mesas pela primeira vez em horas, alongando os músculos torturados dos ombros, tentando suspirar fundo.

A maioria dos repórteres era do sexo masculino e proveniente dos EUA, embora houvesse alguns ingleses, canadenses e australianos. Todos já viviam na Itália quando foram contratados e dominavam o italiano. Ainda assim, na redação só se falava inglês. Alguém chegou a pendurar na porta do elevador uma placa que dizia: "Lasciate ogni speranza, voi ch'uscite — outside is Italy."

E quando os funcionários desciam para comprar sanduíches, informavam: "Vou à Itália, alguém quer alguma coisa?"

Em 1954, o primeiro ano completo de funcionamento do jornal a todo vapor, as notícias pululavam: as audiências de McCarthy, soviéticos testando a bomba atômica, Dow Jones fechando em alta recorde de 382 pontos. No início, o jornal sofreu por suspeitarem de que seria um porta-voz do império empresarial de Ott, porém não foi o que aconteceu. O que mais influenciava o conteúdo era a necessidade — com buracos a serem preenchidos em todas as páginas, qualquer sequência de palavras ligeiramente noticiável podia ser inserida, desde que não contivesse imprecações, as quais, pelo visto, reservavam para uso próprio na redação.

Betty e Leo encarregavam-se juntos do gerenciamento da redação. Ele gostava de dizer que cuidava da operação. Porém, era ela que escrevia — ou reescrevia — a maior parte das matérias; tinha o dom da prosa. Já Ott lidava com o aspecto financeiro e dava conselhos quando solicitado, o que ocorria com frequência. Betty e Leo atravessavam depressa a redação rumo ao escritório dele, cada qual tentando chegar primeiro. Ott escutava, sé-

rio, olhando fixamente para o carpete. Então, erguia a cabeça, os olhos azul-claros alternando-se entre ele e ela, e dava sua opinião.

Os três se entendiam, esplendidamente bem. Aliás, os únicos momentos estranhos surgiam quando Ott se retirava, ocasiões em que Betty e Leo conversavam como se tivessem acabado de ser apresentados, olhando o tempo todo a porta e aguardando a volta do diretor.

Normalmente, Ott era implacável no tocante aos lucros. Porém, o jornal podia ser considerado uma anomalia: no âmbito financeiro, não rendia. Nos Estados Unidos, os concorrentes de Ott em seus outros negócios acompanharam aquele empreendimento arriscado com desconfiança, concluindo que devia ser alguma negociata.

Mas, se realmente fosse isso, o propósito não estava nada claro.

Ott nunca explicou seus planos de negócios para Betty e Leo, sendo ainda mais reservado no que tangia aos assuntos pessoais. Embora tivesse uma esposa, Jeanne, e um filho jovem, Boyd, nunca explicara por que sua família ficara em Atlanta. Leo tentou arrancar detalhes, sem sucesso — Ott dava hábeis pontos finais às conversas, sempre e quando bem entendesse.

“PESQUISA APONTA QUE EUROPEUS SÃO PREGUIÇOSOS”

HARDY BENJAMIN, REPÓRTER DE ECONOMIA

HARDY PASSA A MANHÃ DANDO TELEFONEMAS PARA LONdres, Paris e Frankfurt, arrancando opiniões de analistas financeiros mal-humorados.

— O aumento da taxa de juros é iminente? — pergunta ela. — Bruxelas aumentará as taxas sobre sapatos? E quanto ao déficit na balança comercial?

Ela é sempre educada, mesmo quando suas fontes não o são.

— Hardy, estou ocupado. Do que é que você precisa?

— Posso te ligar depois.

— Estou ocupado agora e estarei depois também.

— Sinto muito incomodá-lo. Só queria saber se recebeu minha mensagem de voz.

— Recebi sim, e já estou sabendo: você vai escrever mais uma matéria sobre a China.

— Vou ser rápida, prometo.

— Já conhece meu lema sobre o assunto: "Todos deveríamos começar a aprender mandarim etc." Posso desligar agora?

Entre as 14 e as 16 horas, Hardy já escrevera mil palavras, mais do que a quantidade de calorias que ela consumira desde o dia anterior. Está fazendo uma dieta desde mais ou menos os 12 anos. Agora está com 36 e continua sonhando com biscoitos amanteigados.

Faz uma pausa na cafeteria embaixo, onde se encontra com a amiga Annika, que está desempregada e, portanto, geralmente à disposição para tomar um cafezinho. Hardy derrama o conteúdo do saquinho de adoçante no cappuccino.

— Nada simboliza melhor a futilidade da luta humana que o aspartame — comenta ela, dando um gole. — Ah, mas que delícia isto.

Nesse ínterim, Annika inunda de açúcar mascavo seu *macchiato*.

As duas formam uma dupla peculiar na cafeteria: uma é corada, nerd e baixinha (Hardy), e a outra, peituda, estilosa e alta (Annika). A baixinha acena para o atendente, mas ele não a vê; então a peituda acena com a cabeça e o sujeito dispara na direção delas.

— Chega a ser irritante a facilidade com que você atrai os caras — diz Hardy. — Embora a forma como eles babam em cima de você seja degradante.

— Não me sinto humilhada.

— Mas *eu* sim. Queria que os atendentes *me* tratassem como objeto. Por falar nisso, já contei que tive outro pesadelo com o meu cabelo?

Annika sorri.

— Você é doente, Hardy.

— No meu sonho, eu olhava para o espelho e via um espectro me encarando de volta, com uma coroa de cabelos ruivos e crespos. Medonho. — Ela vê de esguelha seu reflexo no espelho, atrás do balcão, e desvia os olhos. — Grotesco.

— Só queria deixar registrado que eu adoro o seu cabelo — salienta Annika, puxando um dos cachos da amiga. — Olha só como volta com um *tóim*. Adoro esse seu tom acobreado.

— Acobreado? — repete ela, arqueando a sobrancelha. — Se o meu cabelo é desse tom, sopa de cenoura é acobreada! — Seu celular toca, e ela toma o restinho do cappuccino. — Aposto como é a Kathleen perguntando coisas sobre a minha matéria. — Hardy adota um tom profissional e atende. Mas, após escutar por um momento, sua voz se alarma. Ela responde em italiano, anota um endereço e desliga. — Era a polícia. Meu apartamento foi assaltado. Ao que tudo indica, pegaram dois drogados *punkabbestia* saindo com as minhas coisas.

Em casa, ela encontra as gavetas abertas e comida jogada no chão. No lugar do pequeno equipamento de som e da diminuta TV de tela plana só há fios. Felizmente, o laptop estava na redação. Seu apartamento fica no térreo, e a janela da cozinha, que dá para uma aleia, foi quebrada. A polícia afirma que foi por ali que os ladrões entraram. Pelo visto, os dois suspeitos meteram tudo o que puderam em sacolas de plástico e fugiram. Porém, as bolsas — já cheias de mercadoria roubada de outro apartamento em Trastevere — rasgaram com o peso e o saque caiu todo na rua, lá fora. Os bandidos tentaram guardar tudo de novo, mas o alvoroço chamou a atenção das autoridades.

Na delegacia, estão expostos, numa mesa longa, seus CDs, seu pequeno som, sua diminuta TV de tela plana, seus DVDs, seus perfumes e suas joias, juntamente com os pertences de outra vítima, não presente no momento: uma gravata de náilon do início da década de 1960, alguns romances de espionagem em inglês, um livro de catecismo e, estranhamente, uma pilha de cuecas samba-canção esfarrapadas.

Hardy declara oficialmente que seus pertences encontram-se entre os que foram recuperados; no entanto, os policiais não a deixam pegar nada — a outra vítima tem que estar presente para que se evitem conflitos a respeito de propriedade. Ocorre, porém, que os policiais não conseguem encontrar o sujeito.

À noite, Hardy telefona para Annika com a intenção de persuadi-la a dar um pulo em sua casa.

— É assustador ficar aqui com a janela quebrada. Você não quer vir me proteger? Vou cozinhar algo.

— Bem que eu gostaria, mas ainda estou esperando meu companheiro chegar — explica Annika, referindo-se a Craig Menzies, o editor executivo do jornal. — Por que você não vem ficar com a gente?

— Não quero exagerar. Tudo bem.

Hardy dá uma conferida na tranca da porta e se acomoda no sofá, com um cobertor nas pernas, os pés bem agasalhados e uma faca de trinchar ao alcance. Então levanta-se e confere a fechadura outra vez. Ao passar pelo espelho, ergue a mão para não ver o próprio reflexo.

Ela inspeciona a janela da cozinha — uma brisa passa por baixo do papelão que serve de substituto improvisado para o vidro quebrado. Hardy dá uma cutucada no papelão. Está firme, porém não é nada seguro. Ela se acomoda sob o cobertor e abre o livro. Depois de oitenta páginas — lê rápido —, levanta-se para ir à cozinha ver o que há para jantar. Opta por biscoitos salgados de arroz e uma lata de sopa de galinha, que está no alto do armário. Como é baixinha demais para alcançá-la, usa uma concha para puxá-la até a beirada da prateleira. A latinha oscila e cai, e ela a pega com a mão livre.

— Sou um gênio — comenta consigo mesma.

Passam-se os dias e a polícia não consegue encontrar a outra vítima, o que impede Hardy de reaver seus pertences.

— No início — reclama ela com Annika — imaginei o cara como uma espécie de monge inglês amável e ingênuo, por causa dos livros de espionagem e catecismo. Mas estou começando a odiá-lo. Agora visualizo um padre pervertido, sabe, babão, com cilício e tudo, escondendo-se num instituto pontifício qualquer para evitar acusações criminais nos Estados Unidos. Infelizmente, vi as cuecas samba-canção dele.

Quase duas semanas depois, a polícia por fim o localiza. Quando Hardy chega à delegacia, ele já está fuçando os pertences dos dois. Ela reclama, furiosa, com um policial:

— Não acredito que nem me esperaram — diz, em italiano. — A ideia era eu e ele separarmos nossas coisas juntos.

O policial desaparece e a outra vítima se vira, animada, para ela. Não é um padre, mas um riponga de 20 e poucos anos com tranças rastafári louras.

— *Buongiorno*! — cumprimenta o sujeito, expressando com uma palavra sua total inaptidão para o italiano.

— Você não tinha que ter me esperado? — pergunta Hardy, em inglês.

— Ah, você é americana! — diz ele, com sotaque irlandês. — Adoro os Estados Unidos!

— Bom, obrigada, mas não sou exatamente a embaixadora. Então, como vamos separar tudo? Melhor começar pelos CDs, não?

— Vá em frente. É preciso ter muita paciência para fazer isso. E Rory não tem muita paciência.

— Rory é você?

— Aham.

— Você fala de si mesmo na terceira pessoa?

— Em que pessoa?

— Esquece. Está bem, vou pegar minhas coisas. — Ela enche a mochila, depois examina os demais itens. — Espere, está faltando uma coisa aqui. — Tudo o que resta na mesa são os CDs, os livros, as cuecas e a gravata dele.

— O que está faltando?

— Algo pessoal. Droga. Não vale nada, só tem valor sentimental. Um cubo mágico, se quer saber. Foi um presente. Bom... — Hardy solta um suspiro. — Você vai pedir reembolso ao seguro?

— Não pretendia, para ser sincero. — Ele espia o corredor, dobrando o pescoço para a porta. Então endireita-se e sussurra: — Não estou morando no meu apê legalmente. É uma zona comercial, no sentido restrito. Posso trabalhar lá, mas não morar.

— E o que você faz?

— Trabalho com ensino.

— De que tipo?

— Foi meio que um pesadelo lidar com esses policiais, já que eu não moro lá oficialmente, no sentido formal, sabe? Cheguei até a pensar em deixar tudo aqui. Mas preciso disso. — Ele toca a pilha de cuecas, sorrindo.

— Tudo bem, mas meu seguro não tem nada a ver com o fato de você morar numa zona comercial.

— Podem farejar algo, não acha?

— Sinto muito. Você dá aulas de quê, Rory?

— De improvisação. E malabarismo — responde o rapaz.

— Espero que não ao mesmo tempo.

— Hein?

— Esquece. Você é de que parte da Irlanda? Do condado de Cork, por acaso? Parece que todo irlandês que eu conheço vem de Cork. Não deve ter sobrado ninguém por lá a essa altura.

— Que nada, tem gente à beça lá — corrige ele, ingenuamente. — Foi o que te disseram? Que a cidade está esvaziando?

— É brincadeira. Bom, vamos voltar ao que interessa: meu seguro não vai se interessar por você, então vou ter que pedir reembolso. Os ladrões quebraram minha janela, e aqui em Roma vai me custar uma fortuna.

— Uma janela? Só isso? Poxa, eu posso dar um jeito.

— Você vai consertá-la para mim?

— Claro.

— Como?

— Colocando vidro.

— Você mesmo vai fazer isso?

— Com certeza.

— Está bem, mas quando?

— Agora, se quiser.

— Não posso, tenho que voltar para o trabalho. Além do mais, você não precisa de material?

— Tipo o quê?

— Vidro, por exemplo.

— Ah, tem razão.

— Não quero criar dificuldades, mas a polícia levou quase duas semanas para encontrá-lo. Não posso passar o tempo todo atrás de você para que conserte a minha janela.

— Por acaso não confia em mim?

— Não é que eu *des*confie de você. Eu simplesmente não o conheço.

— Tome, este é o meu cartão de visita. — Ele o entrega a Hardy e, em seguida, tira o relógio. — Pode ficar com isto também, como garantia até eu consertar a sua janela.

— Seu relógio digital?

— Se não quiser, escolha o que preferir; qualquer coisa da mesa.

A tralha dele está espalhada ali: os CDs, os romances de espionagem cheios de dobras nas orelhas, o livro de catecismo, as cuecas samba-canção.

Hardy esboça um sorriso. Olha de esguelha para Rory. Então, coloca as cuecas dele na mochila.

— Pronto, *isto* vai ser a garantia.

— Você não pode pegar as minhas cuecas. O que eu vou usar?

— O que usou nas últimas semanas?

Na cafeteria, ela fala do irlandês para Annika.

— Fiquei com as cuecas dele.

— Por que pegar a roupa íntima de um homem?

— É um rapaz, na verdade. Da Irlanda. Com tranças rastafári louras.

— Um cara branco de trança rastafári? Que tristeza!

— Eu sei, mas ele é alto, o que torna o penteado um pouco menos abominável. Não? Mas sou uma completa idiota: fui embora sem deixar meu endereço com ele.

— Bom, você está com as cuecas do sujeito; ele vai aparecer.

Mas Rory não aparece. Hardy liga para o número de telefone do cartão de visita dele e deixa uma mensagem. Ele não entra em contato. Ela deixa outra mensagem. Mais uma vez, nenhuma resposta. Por fim, Hardy decide ir até o endereço dele, onde encontra o que parece ser uma garagem de tábuas de madeira.

Rory atende a porta, pestanejando ante a luz do dia.

— Oi, e aí! — Ele se inclina para perto dela e lhe dá um beijo no rosto. Hardy recua, surpresa. — Esqueci totalmente. Você sabe: esqueci por completo da sua janela. Não sou terrível? Sinto muito. Vou resolver isso para você agora.

— Na verdade, vou ter que fazer aquele pedido de reembolso para o seguro.

Ele brinca com uma trança.

— Eu deveria me livrar dessas tranças idiotas. Não acha?

— Não sei.

— Elas têm certa tradição. São um dos meus pecúlios.

— Pecúlios?

— É, tipo marca registrada.

— Quer dizer peculiaridades?

— Mas são bobas, não são? Vem, quero que corte tudo para mim. Pode ser? — Ele faz sinal para que ela entre.

— Do que é que você está falando?

— Vou te dar a tesoura. Você corta as tranças.

É óbvio que aquele lugar não foi concebido para ser uma moradia. Não tem janela, e a única fonte de iluminação é uma lâmpada incandescente, no canto. Um colchão amarelado está apoiado na parede, com uma mochila velha ao lado, uma pilha de roupas, umas bolas e uns pinos de malabarismo, uma caixa de ferramentas e os romances de espionagem, junto com o livro de catecismo. Há uma pia e um vaso sanitário na parede, sem qualquer divisória em nome da privacidade. O ambiente cheira a pizza velha. Ele remexe na caixa de ferramentas e encontra uma tesoura industrial.

— Está falando sério? Essa tesoura é do tamanho do meu torso — diz Hardy.

— Como assim "torso"?

— Só estou dizendo que é enorme.

— Vai dar tudo certo! Esquenta não.

Rory se senta na tampa fechada do vaso sanitário. Fica quase da mesma altura que ela de pé. Hardy se põe na ponta dos pés e corta, entregando-lhe o primeiro cacho amputado.

— Na verdade, até que isso é divertido — comenta ela, tirando outro.

As tranças descartadas se amontoam como gravetos. As orelhas dele, agora expostas, são ligeiramente curvas, como as de um coelho. Rory ergue um espelho. Os reflexos de ambos ficam visíveis: ele examinando o cabelo tosado, Hardy analisando-o. Ele sorri e ela dá uma risada; em seguida, Hardy capta o próprio reflexo e recua, pondo-se a tirar os cabelos dos sapatos.

— Ficou legal?

— Está fantástico. Valeu. Minha cabeça está superleve agora. — Rory a sacode, como um cachorro molhado. — Sabe, estou começando a achar que ser roubado não foi tão ruim assim, no fim das contas; recuperei meus troços *e* ainda ganhei um corte de cabelo de graça.

— Bom para você, talvez. Só que eu não recuperei *tudo.*

Na manhã seguinte, Hardy acorda pensando em Rory. Ao meio-dia, envia-lhe uma mensagem de texto. Dali em diante, sempre que um celular toca ela verifica o seu. Mas nunca é ele. Hardy se arrepende de ter mandado a mensagem patética ("Ainda estou com as suas cuecas") e torce para que ele não a tenha recebido. Algumas horas depois, não aguenta mais esperar e liga para o rapaz. Ele atende e promete "dar um pulo" lá mais tarde.

À meia-noite, Rory ainda não chegou. Hardy telefona de novo, mas ninguém atende. Já é quase 1 hora quando ele finalmente dá as caras, sorrindo. Ela olha para o relógio de forma enfática.

— Vou pegar suas coisas — comenta Hardy. — Se a porta ficar aberta vamos congelar.

— Melhor eu entrar?

— Acho que sim. — Ela pega a sacola com as cuecas dele. — Espero que não sejam as únicas que você tem.

— Claro que não. — Rory pega a sacola. — Fiquei pensando antes por que cargas d'água um ladrão ia querer minhas cuecas. Mas agora deu para ver que elas são bem populares.

— Bom, então acho que é isso. Ou, hã, você quer uma bebida ou algo?

— Ah, sim, claro. Seria ótimo.

— Tenho umas coisas de comer. Se quiser.

— Beleza, beleza. — Ele a segue até a cozinha.

Hardy abre uma garrafa de Valpolicella e esquenta um pirex de lasanha, que planejara levar para a redação. (Embora cozinhe bem, e muito, não consome nada do que faz — já viu as toneladas de manteiga, os sacos de açúcar, os litros de creme de leite que desapareceram do prato prontos para reaparecer nas suas coxas. Então suas criações — a torre inclinada de batata, os biscoitos enrolados de Seattle, os bolinhos de salmão com crosta de gergelim ao molho de limão e estragão — vão parar na redação, compartilhadas pelo pessoal, beliscadas por editores distraídos, derramadas no tapete, enquanto ela observa de sua mesa, alimentando-se apenas dos elogios.)

Rory devora a lasanha, toma quase todo o vinho e conversa, tudo ao mesmo tempo.

— Delícia. Ótimo.

Ele fala com Hardy sobre o pai, um sujeito dono de uma empresa de instalações hidráulicas nas cercanias de Dublin, e também da mãe, secretária em uma fornecedora de material hospitalar. Ele chegou a estudar numa universidade irlandesa, mas abandonou os estudos antes de se formar e resolveu ir para Austrália, Tailândia e Nepal. Depois foi para Nova York, onde trabalhou em pubs. Lá fez um curso de stand-up comedy e apresentou-se num espetáculo ao vivo, do tipo em que a plateia pode participar, no East Village. Depois disso, viajou pela Europa, pegou um navio de Marselha para Nápoles, passou alguns meses no sul da Itália e, então, foi para Roma.

Hardy enche novamente a taça dele.

— Eu nunca ousaria ensinar. Quer dizer, não que eu tenha as qualificações. Muito menos num outro país. É muita coragem.

— Ou muita idiotice.

— Coragem — insiste ela.

Rory pergunta o que ela faz.

— Odeio admitir isso — comenta ele —, mas nunca li um jornal na vida. Sai tudo tão pequenininho, né?

— Pequenininho?

— As letras. Seria melhor se fossem maiores.

— Hum — resmunga Hardy. — Talvez.

— Sobre o que você escreve, Hardy?

— Economia. — Ela toma um gole de sua taça. — Desculpe, não estou conseguindo acompanhá-lo no vinho.

— Não vai conseguir — ressalta ele, bem-humorado.

— Quer mais? — Hardy serve mais bebida para o rapaz. — Bom, na verdade me contrataram para escrever sobre finanças pessoais e bens de luxo. Mas acabei me encarregando da seção inteira sozinha. Antes tinha um velho em Paris, Lloyd Burko, que escrevia umas matérias sobre economia na Europa. Mas agora sou só eu, basicamente.

— É isso aí, Hardy. — Rory nota algo na expressão dela. — Qual é a graça?

— Nada não. Só gosto do seu jeito de dizer "Hardy".

— Não é o seu nome?

— É. Mas me refiro à sua forma de falar.

— Que seria?

— Repita.

— Hardy.

Ela sorri e prossegue:

— Basicamente, os informes financeiros são um escoadouro no trabalho jornalístico. Você começa a nadar ao redor dele, com relutância, e quando dá por si não consegue resistir mais à força centrípeta e acaba indo parar no ralo, nas páginas de economia.

— É tão ruim assim?

— Na verdade, não. Eu costumo fazer drama. A triste realidade é que, no fundo, eu gosto do tema: sou o tipo de pessoa que consulta regularmente as cotações da bolsa da Morningstar, mesmo de férias. Para mim toda matéria é, no fundo, um texto de economia.

— Ah, tá.

— Mas eu sou esquisita assim.

Rory leva o prato sujo até a pia. Hardy se levanta de supetão.

— Não, não, não precisa fazer isso. — Ela tropeça. — Iiih, acho que estou meio alta. — No espaço apertado da cozinha dela, os dois estão próximos. Hardy ergue os olhos. — Você é irritantemente alto. Parece uma crítica a tudo o que eu represento.

— Você não é tão baixinha assim.

— E quem disse que eu sou baixinha? Sou é minimalista.

Rory se inclina e a beija.

— Seu nariz está gelado, Hardy.

Ela toca o próprio nariz. Já não tenta parecer inteligente.

— Pode fazer isso outra vez?

— O quê?

— Isso que acabou de fazer.

— Chamar você de "Hardy"?

— Não, depois disso. Esse último gesto.

— Que gesto?

Hardy o beija.

— *Isto*. Continua, vai — pede ela.

As atividades continuam no quarto. Depois do ato, os dois ficam deitados no escuro, lado a lado, na cama.

— Quer alguma coisa?

— Não, não, Hardy, estou ótimo.

— Eu também. Não topa tomar o restinho do vinho?

— Até que uma tacinha não cairia mal.

Ela enche uma taça e volta correndo para a cama, descalça. Antes de se deitar, comenta:

— Eu não estava com frio, antes. Só nervosa. — Passa-lhe o vinho. — No nariz, quero dizer.

Rory sorve a bebida.

— Que delícia.

— Você parece estar meio de porre. Mas no bom sentido. Um bêbado charmoso. — Ela se apoia nele. — Que tatuagem é essa, por sinal?

— Um lobo. Fiz lá em Sydney. Gostou?

— É isso, é? Achei que fosse uma foca. Uivando para a lua cheia. Mas é bonita. — Hardy beija o ombro dele. — Como é bom ter alguém aqui.

No dia seguinte, na cafeteria, Annika quer saber os detalhes.

— Seu irlandês consertou a janela?

— Na verdade, a gente meio que encheu a cara.

— Ah, é? Continue.

— Não, nada.

— Não, alguma coisa.

— Está bem, alguma coisa.

— E a janela?

Hardy contrata um vidraceiro — não quer que Rory se sinta pressionado toda vez que for lá. Mas, passada uma semana, ele ainda não apareceu de novo, nem ligou, nem respondeu às mensagens dela. Hardy vai à casa dele, esperando uma cena triste. Porém, quando Rory abre a porta, beija-a na boca e pergunta-lhe onde esteve. Hardy acaba levando-o para casa, dando-lhe de comer e beber e acomodando-o lá, como antes.

— Gosto de vir para cá — comenta ele na manhã seguinte, instalado na cama de Hardy, enquanto ela se arruma para ir ao trabalho. — Você tem uma banheira decente.

— Meu atrativo se reduz a isso? Você está negligenciando o meu chuveiro.

— Prefiro banheiras.

— Você não vai sumir, vai?

— Como assim?

— Desaparecer. Tipo: ausência de Rory. Déficit de Rory. Casa de Hardy sem Rory.

— Não seja maluca. Vou te ligar.

— Quando?

— Que tal amanhã?

— Você quer dizer daqui a duas semanas, né?

— Estou falando de amanhã. Amanhã mesmo.

— Tipo, dois dias depois de ontem?

Rory não telefona. Hardy tem vontade de gritar. Mas ele é assim: descomplicado, o que significa complicado para todos os demais. Ela já nem se surpreende, a essa altura. Vai pegá-lo na espelunca em que vive, em Trastevere, como se ele fosse um filhotinho que, retirado do canil pela enésima vez, abana o rabo ao vê-la mas que com certeza está destinado a correr em disparada assim que ela se ausentar. Pelo que Hardy sabe, o tempo que Rory passa longe dela é preenchido com a leitura de livros sobre a CIA e o consumo de vinho barato, na companhia de amigos ripongas italianos. As aulas de improvisação dele acabam se revelando mais hipotéticas do que reais. Mas todos precisam ocupar o tempo, conclui Hardy, principalmente quando não fazem nada.

Como qualquer dinheiro que Rory tenha é provido por seu pai, em doses fortuitas, ele fica cheio da grana numa semana e liso na outra. Gasta o que recebe de um jeito estranho: num despertador verde-limão, por exemplo, embora não tenha nenhum motivo para acordar cedo. Quando Rory está sem nem um tostão, Hardy esconde dinheiro no bolso da jaqueta dele. De vez em quando, encoraja-o a começar a dar as aulas de improvisação ou a procurar algum emprego: ensinando inglês, talvez. Mas ele sonha em se tornar comediante e está convencido de que em breve ficará famoso, embora Hardy não entenda como ele conseguirá fazer isso na Itália. E há outro detalhe: apesar de ele ser um cara alegre, não é notoriamente engraçado. Ela se nega a ouvir sua rotina de comediante stand-up. E o faz de um jeito educado porém firme.

Certa tarde, Annika lhe pergunta:

— E se eu conseguisse uma apresentação solo para o Rory?

— Como faria isso?

— Você não ficou muito entusiasmada.

— Não, fiquei sim. Conte.

Annika viu um folheto anunciando um evento beneficente em prol do time de futebol da Rádio Vaticano, num pub local. Os organizadores já tinham conseguido uma banda, mas procuravam outras apresentações.

— Ele não ganharia nada, mas seria uma forma de praticar. E sem pressão: só um bando de bêbados simpáticos — ressalta Annika.

— Você está mais decidida a impulsionar a carreira do Rory do que ele.

— Eu reparei.

Hardy e Rory encontram-se com Annika e Craig no pub. A plateia é grande e ruidosa. Nos fundos do palco há uma bateria, e na frente, um microfone.

— Que fantástico isso — diz Rory, sumindo dali para avaliar a plateia.

Hardy agarra a perna de Annika debaixo da mesa.

— Estou tão nervosa.

— Está? Nem é você que vai subir no palco... — comenta a amiga.

— Eu sei, mas...

Rory volta, radiante.

— Está animado, então? — pergunta Craig.

— Com certeza. Aqui na Itália não aparece muita oportunidade de fazer stand-up em inglês.

— Quase nunca, eu diria.

— Tem razão.

— Que tipo de humor você faz?

— Como assim?

— De que forma você descreveria sua apresentação?

— Vocês vão adorar.

Hardy se inclina para Rory e sussurra:

— Acho que está na hora de pagar uma rodada. — Ela passa uma nota de 50 euros para ele sob a mesa.

Rory dá uns tapinhas no ombro de Craig.

— Minha vez, gente. O mesmo para beber, meninas?

O mestre de cerimônias — o inglês que normalmente transmite notícias sombrias na Rádio Vaticano mas que essa noite está fantasiado de arlequim — fica andando de um lado para o outro no palco.

— Vocês estão prontos?

— Acho que é a minha vez agora — informa Rory aos presentes. Em seguida, faz um gesto para Hardy e vai até o palco. O público abre caminho para que ele passe, e estranhos dão batidinhas nas suas costas.

Annika diz a Hardy:

— Não precisa se preocupar. Vai ser divertido.

Há um burburinho enquanto Rory sobe no palco. Ele encaixa o microfone com força e protege a vista dos holofotes.

— É isso aí — diz Rory.

— Quem é esse cara? — grita um bêbado.

O irlandês se identifica.

Surgem alguns ois sarcásticos.

Hardy aperta a perna de Annika outra vez.

— Não vou aguentar isso.

— Está com medo de quê?

Rory inicia seu número.

— A internet é incrível, não é não? — Ele pigarreia. — Já perceberam que foram os militares americanos que inventaram esse troço? É verdade. Eu li isso. Queriam ter certeza de que, se acontecesse uma guerra nuclear, a galera ainda teria pornografia. — Faz uma pausa, aguardando os risos.

Ninguém ri.

— E — prossegue Rory —, pensando bem, se o mundo estivesse à beira da destruição, com a batalha final entre o bem e o mal e tudo o mais, talvez uma punheta fosse uma boa.

Alguns resmungos incertos.

Hardy fecha os olhos e solta a perna da amiga.

— Já que essa é uma galera do Vaticano — continua ele, corajosamente —, pensei em falar de religião. Eu sou católico. Tem uma parte na Bíblia em que Deus mata todo mundo em

Sodoma e Gomorra. Mas eu não entendo. A gente sabe que todo mundo de Sodoma foi castigado. Mas por acaso o pessoal de Gomorra tinha feito alguma coisa contra alguém?

Mais uma vez, silêncio no pub.

— Isso é o que se conhece no meio humorístico como "estar morrendo" — sussurra Craig.

— Seu comentário não ajuda em nada — reclama Annika.

— Acho que vou passar mal — diz Hardy. — Preciso sair daqui. Será que vai ficar óbvio demais? Não quero ofender o Rory.

— Talvez as coisas melhorem.

Rory muda de assunto:

— Deixa eu falar pra vocês da minha namorada. Essa mulher... Vocês já ouviram falar de relógio biológico? Bom, no dela já é meia-noite e meia. Ela está tão desesperada que vocês nem imaginam.

— Talvez — sugere Annika na mesma hora — fosse melhor você aproveitar para ir de uma vez ao banheiro.

Hardy vai depressa.

Ao passar pelas pias, ela ergue os dedos com o intuito de bloquear seu reflexo. Hardy entra numa cabine, senta-se e apoia a cabeça nas mãos. O eco da voz de Rory chega até ela. Hardy tapa os ouvidos. Depois de dez minutos, Annika bate à porta da cabine.

— Já pode voltar agora.

— Bebi demais; essa vai ser a história, se ele notar.

— Tudo bem.

— Você está meio estranha — comenta Hardy.

— Não ouviu o número dele?

— Não. Por quê?

— Foi totalmente impróprio. Todo tipo de detalhes pessoais sobre você. Estou puta da vida, agora.

— Nem quero saber.

— A vontade que eu tenho é de dar um soco na cara dele.

— O que devo fazer? — pergunta Hardy.

— Não sei. — Sua expressão, contudo, é bastante clara.

Rory está no bar, procurando o garçom.

— E aí? — diz Hardy, tentando parecer animada. — Como acha que se saiu? Gostou?

— Foi fantástico. Bem legal. — Fica óbvio que ele não reparou na ausência dela.

— Vamos pegar aquela mesa ali no canto — sugere ela.

— A gente não vai ficar com os seus amigos?

— Estão tendo uma conversa. Vamos dar um tempo para eles.

Uma banda cover do U2 começa a se apresentar. No intervalo, Annika e Craig, ambos já de sobretudo, vão à mesa de Hardy e Rory.

— Estamos indo.

Hardy se levanta e abraça a amiga.

— Tudo bem? — pergunta Annika.

Hardy não responde.

Durante o resto da semana, Hardy dá um jeito de evitar o encontro da tarde com Annika na cafeteria.

— Kathleen está arrancando o meu couro com um suplemento enorme — explica ela à amiga pelo telefone.

— É sobre o quê?

— O título deve ser "Europeus são preguiçosos".

— Não acredito.

— Estou falando sério. Que tipo de louco mentiria a respeito da variação entre índices de produtividade no trabalho?

— Você, na certa. Quero café. Você tem que ir comigo. É uma ordem.

— Não vai dar. Me desculpe. — E acrescenta: — A propósito, sei que você não gosta dele.

— O que isso tem a ver? E eu não desgosto dele. Eu só... Ele está acabando com o seu lado divertido.

— Eu continuo divertida. Só que não divertida ha-ha. Mais divertida sombria.

— Nenhuma novidade até aí.

— Não quero falar da minha relação com o Rory. Está tudo indo bem. Estou feliz com ele.

— Você não parece mais feliz que antes.

— Bom, é aí que você se engana.

— Por que está ficando brava? — pergunta Annika.

— Não estou ficando brava.

— Só acho que você deveria ter critério.

— Obrigada.

— Não foi isso o que eu quis dizer.

— O que eu deveria fazer? — pergunta Hardy. — Ficar furiosa? A indignação nunca me levou a lugar nenhum, nunca.

— Você está apaixonada por esse cara?

— Olha, parei de esperar esse sentimento por volta de 1998. A essa altura, já me dou por satisfeita se o sujeito alcançar a prateleira mais alta sem ter que usar a minha concha.

— Mas logo *esse* cara?

— Você tem que entender, Annika, que eu me resignei com a solteirice desde, sei lá, acho que a vida inteira. Mas só porque aparento estar sempre para cima não significa que esteja. Você tem o Craig. E eu? Detesto os fins de semana. Como é deprimente... Nem queria tirar férias, pois fico sem saber o que fazer com o tempo livre. Mais parecem um lembrete de quatro semanas de duração de que sou uma tremenda fracassada. Não tenho ninguém com quem ir a lugar nenhum. Olhe só para mim: já estou com quase 40 anos e ainda pareço a Píppi Meialonga.

— Por que não termina?

— Está sugerindo que eu dê o fora nele? Que fique esperando o verdadeiro amor? E se isso não acontecer? Não posso contar com as minhas amigas. Todas vocês têm mais o que fazer: maridos, famílias. Além do quê, o *seu* namorado também não chega a ser um deslumbre.

— Craig é Craig. Pelo menos inteligência ele tem.

— Capacidades intelectuais não me aquecem à noite.

— Esse sujeito está se aproveitando de você.

— Ninguém faz isso comigo. Não sem a minha permissão.

Depois disso, o tradicional encontro das duas na cafeteria acaba.

Porém, Hardy mal nota, já que está ocupada demais. Rory vai se mudar para seu apartamento.

Quando o dia chega, os amigos italianos ripongas dele aparecem, para ajudar a carregar as caixas. Ela prometeu preparar uma comida substancial, em troca de mão de obra, e o trabalho é feito em um clima alegre, regado a vinho tinto barato. Felizmente, Rory não tem nada de valor, e seus poucos pertences sobrevivem aos carregadores cada vez mais bêbados.

— É só isso? — pergunta Hardy.

— Acho que sim. — Ele passa a mão de leve na cabeça dela.

— Por que fez isso? — Ela o puxa pelos ombros para baixo, até sua altura, e o beija, exercendo a maior pressão possível; então recua, as mãos no rosto dele. Por fim, solta-o. — Vou fazer uma faxina na sua casa já que você está saindo de lá.

— Não precisa — diz ele.

— Eu sei que não, mas é uma questão de gentileza.

O ar noturno está gelado e a sombria Trastevere encontra-se excepcionalmente tranquila. Hardy solta um suspiro, satisfeita, e entra no apartamento de Rory. A bagunça chega a impressionar. Ela balança a cabeça, condescendente.

Limpa a pia cheia de restos de comida, cata a lâmina de barbear e um pedaço de fio dental. Há embalagens velhas de pizza por todos os lados, dobradas. Hardy varre o local e abre o closet, repleto de cabides de metal.

Ela nota algo: largado no canto está seu velho cubo mágico, que os ladrões roubaram.

Hardy fica imóvel por alguns instantes.

Sob o jogo estão alguns dos CDs que nunca foram recuperados, bem como alguns anéis — Rory deve ter pegado esses itens antes de ela chegar à delegacia. Nas peças do cubo estão letras escritas por seu pai. Ele o deu de presente a Hardy quando ela fez 14 anos, e anotou seus votos nos quadradinhos, com um marcador; em seguida, embaralhou-os para que quando ela encontrasse a combinação certa descobrisse a mensagem. Mas o cubo está fora de ordem agora, formando coisas sem sentido: ELI e RFE e ZEL. Como uma autômata, Hardy gira as partes, para colocá-las na posição correta e formar outra vez a mensagem, que foi escrita horizontalmente de um lado ao outro das quatro laterais:

UMF	ELI	Z14	PAR
AAQ	UER	IDA	HAR
DYC	OMA	MOR	PAI

Até hoje seu pai, lá em Boston, é a única pessoa que Hardy *sabe* que gosta dela. Com todas as demais, ela precisa ser inteligente, cozinhar maravilhosamente. Mas a afeição do pai é incondicional. Ainda assim, faz anos que não vai visitá-lo; não consegue mais ficar ao lado dele. Toda vez que se encontram, a expressão do pai pergunta o tempo todo: como é possível que você ainda esteja sozinha?

Quando Hardy chega em casa, Rory e os amigos estão debatendo qual é a melhor agência secreta: o MI6, a CIA ou o Mossad. Ela passa por eles, o cubo mágico roubado pesando no bolso do sobretudo. Deixa o casaco numa cadeira da cozinha e termina de preparar uma refeição.

Os homens bebem muito e devoram tudo o que ela lhes leva, enchendo os garfos com a boca ainda fumegante de comida quente. A própria Hardy não come; em vez disso, faz barulho na cozinha com as panelas sujas, abrindo as portas dos armários só para que alguém olhe para ela. Será que deve mencionar o que encontrou?

— Rory — diz ela —, que idiota eu sou. Esqueci uma coisa na sua casa.

Na escuridão do apartamento dele, Hardy mete as unhas por baixo dos adesivos colados no cubo mágico. Arranca um por um, de cada um dos quadrados. O cubo está agora totalmente preto. Ela vai até a extremidade do closet e joga o brinquedo. Ele cai com um baque em cima dos CDs e dos anéis que Rory roubou.

De volta ao seu apartamento, Hardy encontra os homens debatendo, bêbados, sobre a Baía de Guantánamo, inclinando-se para a frente a fim de expressar suas opiniões e recostando-se para escutar os demais. Ela pergunta se todos estão satisfeitos e pede licença para ir até a cozinha. Ali, lava as mãos, arranca uma folha de papel toalha e as seca. Deveria ir até a sala e confrontar Rory.

— Hardy! — grita ele, feliz. — Hardy, cadê você?

— Já vou.

Ela vê o próprio reflexo na chaleira de prata e o analisa, desta vez sem recuar. Prende os cabelos cor de cenoura atrás da orelha e pega outra garrafa de Valpolicella.

Senta-se no braço da cadeira dele, observando-o tirar a rolha com esforço.

— Pou — diz ele por fim, servindo a primeira dose na própria taça.

— Pou! — exclama ela, dando um beijo no ombro dele.

Não tem por que mencionar nada.

1957. CORSO VITTORIO, ROMA

O jornal passou a sair todo dia com 12 páginas, agora também com uma editoria de cultura, com enigmas e obituários. A tiragem ultrapassou os 15 mil exemplares, dos quais a maior parte era vendida na Europa e alguns no Magrebe ou no Extremo Oriente. Apesar de todos os prognósticos, Ott continuava ali, mantendo tudo sob controle.

Fora do jornal, levava uma vida solitária, no monte Aventino, em uma mansão do século XVI que comprara de uma família real destituída. Era uma construção de pedra de quatro andares, com fachada em tons de laranja e marrom e longas persianas amarelas, o que a fazia parecer um marzipã habitável. Uma grade com pontas de ferro circundava a propriedade, e criadas da limpeza, cozinheiras e biscateiros entravam e saíam pela rangente porta principal. Dentro da mansão, o teto era coberto de afrescos de natureza extremamente romântica: querubins insolentes e amantes rechonchudos divertindo-se perto de cachoeiras. Ott não gostava dessas pinturas e tinha vontade de mandar cobri-las de tinta.

No entanto, ele quase nunca olhava para cima, concentrando-se, em vez disso, nas paredes, que vinha enchendo de quadros. Seu maior interesse era, supostamente, financeiro — a Europa estava cheia de barganhas após a guerra, dizia. Mas Betty adorava arte. Ao longo daqueles anos em Roma, ela apaixonara-se por quadros: ia com frequência a igrejas renascentistas para contemplar as obras-primas cheias de sombras usava a credencial de jornalista para entrar sorrateiramente em exposições de arte. Então Ott fez dela sua conselheira: o que quer que Betty admirasse, ele comprava.

Iam muito a uma galeria particular perto de Quattro Fontane, administrada por Petros, um imigrante armênio extravagante cuja principal preocupação era a origem das obras, e não seus méritos artísticos. Ele enumerava os ex-donos ilustres e recontava histórias pouco críveis sobre como os trabalhos tinham ido parar em suas mãos: desastres de trem em Chongqing, duelos de alfanje na Crimeia, malas postais com rubis falsos. Como raramente se dignava a identificar os artistas, Betty se encarregava de transmitir esses detalhes para Ott:

— É Léger, acho. Não tenho certeza. Mas este outro se trata de um Modigliani, com certeza. E este é de Turner.

Ela até decidia em que parte da mansão de Ott as obras seriam penduradas. Empurrava a moldura mais para a direita, depois mais para a esquerda.

— Está reto, agora?

Ott retrocedia, analisando o navio naufragado de Turner, os marinheiros afundando e a destruição em torvelinho.

— Me explique os méritos dessa obra — pedira Ott.

Betty dera um passo para trás e, com as mãos no quadril, esforçara-se para traduzi-lo. Sua resposta confusa, que ele escutara com um meio sorriso, fora se tornando cada vez mais fervorosa conforme a clareza lhe escapava.

— Bom, se você não o capta — concluíra —, simplesmente não o capta.

— Quem disse que eu não capto? — respondera ele, com uma piscadela. — Talvez eu só goste de ver você me explicar.

No térreo, onde tinha ido almoçar, Betty colocou um pedaço generoso de mozzarella di bufala *no prato e pegou talheres. Já preparada para comer, parou, sem erguer os olhos.*

— O que está fazendo aqui? — perguntou ela.

— O jornal — respondeu ele.

— Eu sei, mas...

Betty deu uma garfada: uma poça leitosa espalhou-se no prato.

Ott tirou os talheres da mão dela, espetou um pedaço de queijo na ponta da faca e colocou-o na boca de Betty.

"AQUECIMENTO GLOBAL É BOM PARA SORVETES"

HERMAN COHEN, CHEFE DE REDAÇÃO

HERMAN ESTÁ PARADO AO MESÃO DO COPIDESQUE, O olhar fulminante observando os três redatores de serviço. Eles param de digitar.

— E eu ainda nem acusei ninguém — comenta ele, sombriamente, abrindo o jornal desta manhã como se contivesse uma arma mortal. Ocorre que há algo pior ali: um erro. Herman toca no equívoco com desprezo, bate na sigla desprezível com a ponta do dedo, como se para arrancá-la da página e colocá-la em outra publicação. — GGCT! — exclama. Dá um tapa na página e a balança na direção deles. — GGCT!

— G o quê?

— GGCT! — repete. — GGCT não consta da Bíblia. No entanto, foi incluído aqui! — Ele esmurra o papel, percorrendo com o dedo gorducho a página 3.

Os redatores negam a autoria. Mas Herman tem infinitamente menos tempo para perdoar do que para culpar.

— Se nenhum de vocês tapados conhece o significado de GGCT, então por que isso saiu no jornal?

Um silêncio glacial domina o ambiente.

— Já *leram* a Bíblia? — pergunta Herman. — Algum de vocês?

Ele passa os olhos pelo trio de redatores à sua frente: Dave Belling, um cara bobo e alegre demais para escrever uma manchete que se preze; Ed Rance, que vive com os cabelos brancos presos num rabo de cavalo (precisa dizer mais alguma coisa?); e Ruby Zaga, eternamente convencida, e com razão, de que todos os jornalistas dali conspiram contra ela. Que diferença faz reclamar com um triunvirato tão imprestável quanto esse?

— Mais cedo ou mais tarde... — diz Herman, deixando a ameaça inconclusa pairar no ar. Vira-se, socando o ar. — Credibilidade! Credibilidade!

Ele volta para sua sala esbarrando em tudo, e sua barriga em movimento derruba uma pilha de livros — é preciso caminhar com cautela ali, pois se trata de um ambiente muito abarrotado para um homem abarrotado como ele. Obras de referência entulham a sala; clássicos como *Webster's New World College Dictionary*, *Bartlett's Familiar Quotations*, *The National Geographic Atlas*, além de livros idiossincráticos como o *Dicionário do gourmet pedante*, *Dicionário Oxford de papas*, *Manual e dicionário técnicos do balé clássico*, *Dicionário visual do cavalo*, *O livro completo de sopas e guisados*, *Dicionário de latim de Cassell*, *Dicionário padrão de inglês-albanês/albanês-inglês* e *Conciso dicionário de nórdico antigo*.

Herman repara que há um espaço na estante e procura a obra nos arranha-céus de livros que se estendem piso acima. Localiza-a (*Dicionário de aves, Volume IV: de pomba-antártica a zigodátilos*), coloca-a de volta no lugar, ajeita o cinto, puxando-o para o alto, põe-se diante da cadeira e mete o traseiro no assento — mais uma volumosa obra de referência colocada no devido lugar. Puxa o teclado para perto da grande pança e, olhando a tela com desprezo, digita um novo verbete na Bíblia:

GGCT: Ninguém sabe o que quer dizer, muito menos os que usam o termo. Tecnicamente, a sigla significa Guerra Global Contra o Terrorismo. Mas como é difícil, para dizer o mínimo, travar uma batalha contra algo abstrato, o termo deve ser entendido como uma palhaçada de marketing. Nossos repórteres adoram esse tipo de embromação; e cabe ao redator excluí-la. *Ver* também **Osama bin Laden**; **Siglas**; *e* **Tapados.**

Herman clica em salvar. É o verbete nº 18.238. Tempos atrás, "A Bíblia" — o nome que ele deu ao manual de estilo do jornal — foi impressa, encadernada e distribuída, tendo sido colocado um exemplar em cada uma das mesas da redação. Agora, porém, a Bíblia só existe na rede de computadores do jornal, sobretudo porque o texto ficou quase do tamanho da área metropolitana de Liechtenstein. O objetivo da Bíblia de Herman é estabelecer regras: informar se um "cessar-fogo" é, no sentido restrito, um "fogo suspenso" ou de fato um "cessar-fogo"; decidir quando os redatores devem ou não usar vírgula após o "que", de acordo com as orações adjetivas restritivas ou explicativas; dar um basta nas discussões a respeito de preposições, do uso incorreto de apóstrofo, de orações reduzidas de particípio sem sujeito — no mesão do copidesque, o pessoal já saiu no tapa por muito menos.

Kathleen bate à porta de Herman.

— Quanta diversão — comenta ela, fatigada.

— O que há de tão divertido?

— Tentar publicar diariamente, com apenas cinco por cento dos recursos que seriam necessários, um jornal que não me envergonhe.

— Ah, sim — diz ele. — As diversões do jornal.

— E você? Acabou com a autoestima de quem hoje?

Herman massageia os dedos e os mete no bolso da calça, que está cheio, como se contivesse pedras. Então retira um bolo de balas que derreteram e grudaram umas nas outras.

— Você vai adorar saber — informa ele, metendo as balinhas na boca — que já estou com um novo texto do *Por quê?* pronto.

Ele se refere ao boletim interno mensal, em que decanta suas gafes favoritas cometidas na redação. Como é de se esperar, os jornalistas não ficam eufóricos quando surge outro número do *Por quê?*.

Kathleen suspira.

— Infelizmente, o dever me chama — diz Herman. — Mas o que posso fazer por você, minha querida?

Ela vai muitas vezes à sala dele, em busca de conselhos. Embora Craig Menzies seja seu subordinado direto, Herman é seu verdadeiro conselheiro. Trabalha no jornal há mais de trinta anos, tendo exercido quase todas as funções editoriais (nunca foi repórter), e chegou a ser editor-chefe interino durante interregnos em 1994, 2000 e 2004. Os funcionários ainda sentem calafrios ao se lembrar desse tempo. Não obstante, apesar de toda a sua bazófia, ele não é malquisto. Sua intuição para as notícias é invejada, sua memória, uma fonte infalível, e sua gentileza, visível para os que permanecem por tempo suficiente.

— O que achou da reestruturação que fiz na editoria de cultura? — pergunta ela.

— Você conseguiu tirar Clint Oakley, finalmente.

— O que me enche de orgulho. E você tinha razão: Arthur Gopal não deve ser dispensado. Mas a situação dos correspondentes não é nada boa. Continuamos sem ninguém no Cairo. E Paris segue ao deus-dará.

— Por que o RH se recusa a substituir Lloyd?

— É uma loucura.

— Um absurdo.

— Vai estar aqui amanhã?

— Dia de folga, minha querida. Espere, espere; antes que você vá embora, queria avisar que teremos uma nova e fantástica errata.

Ela suspira; ele sorri.

As erratas proliferaram nos últimos tempos. Um punhado delas até foi parar no mural de cortiça de Herman: a inclusão de Tony Blair numa lista de "dignitários japoneses recém-falecidos"; a descrição dos alemães como padecedores de um "desconforto genital na economia"; e as ocorrências quase diárias de "Estrados Unidos". Herman digita a última retificação a ser publicada: "Em uma matéria de Hardy Benjamin na editoria de economia, na terça-feira, o ex-ditador do Iraque foi citado erroneamente como Satã Hussein. A grafia correta é Saddam. Embora duvidemos de que nosso erro tipográfico afete sua credibilidade, lamentamos..." Herman dá uma olhada no relógio. Miriam parte hoje à noite e Jimmy chega amanhã. Ele ainda tem muito o que fazer. Veste o sobretudo e ergue o dedo em riste.

— Credibilidade! — exclama.

Como Herman não consegue abrir a porta da frente de seu apartamento em Monteverde, ele a golpeia para entreabri-la e, com um resmungo, entra, espremendo-se pela pequena abertura. A mala da esposa bloqueia a passagem. Miriam deve embarcar no voo noturno de Roma para Filadélfia, a fim de visitar a filha e os netos deles. O toque-toque dos saltos dela ressoa no corredor.

— Amorzinho — chama Herman, passando com cuidado pelas bagagens. — Sinto muito, mas acabei esbarrando numa das suas malas. A vermelha.

— Bordô.

— Não é vermelha? — Herman faz correções no trabalho, não em casa. — Espero não ter quebrado nada. Foi nessa que você colocou os presentes? Não é melhor a gente abrir para dar uma olhada? O que acha?

Enquanto aguarda a decisão dela, Herman faz uma careta, como se estivesse diante de um vaso oscilante.

— Tudo foi muito bem embalado — diz Miriam.

— Lamento mesmo.

— Demorei séculos nisso.

— Eu bem sei. Sou um desastrado mesmo. Posso ajudar? — Assim que Miriam se ajoelha para abrir a mala, ele ergue o dedo: dessa vez, não para espicaçar, mas para pedir permissão. — Querida, quer que prepare um drinque para você? Vai cair bem?

— Posso dar uma olhada na mala primeiro?

— Pode, pode, claro. — Ele vai até a cozinha, onde pica cenouras e aipo em cubos. Ao ouvir o eco dos saltos dela, vira-se. — Uma sopa deliciosa e nutritiva para você ficar bem alimentada durante a viagem.

— Do jeito que você fala, parece até que eu sou gado.

Ele recomeça a picar a cenoura e o aipo.

— Estes legumes estão uma delícia; quer que eu corte uns pedacinhos para você?

— Uma pena você não poder ir. Mas acho que prefere Jimmy.

— Não diga isso.

— Me desculpe — diz Miriam. — Estou sendo terrível. — Ela rouba um cubinho de cenoura.

— Está preocupada com o voo?

Miriam pestaneja, confirmando, e então examina a sopa.

— Precisa de sal.

— Como é que você sabe? — protesta Herman, provando. Ela tem razão. Ele põe mais sal, mexe a sopa e dá um beijo no rosto da esposa.

Depois do jantar, Herman a leva até o aeroporto, despede-se dela e volta depressa para casa no Mazda azul amassado deles — um modelo pequeno que com ele dentro parece um carrinho de bate-bate. Herman troca os lençóis da cama do quarto de hóspedes e põe-se a organizar tudo. Mas, ao contrário do que imaginava, não há muito o que fazer. Passa o dedo ao redor da panela de sopa fria (*acquacotta di Talamone*: cenoura e aipo cortados, pancetta picada, abóbora, abobrinha, feijão, feijão-de-lima, alcachofra, pecorino ralado, pimenta-do-reino, oito ovos cozidos, 14 fatias de torrada). Ele e Jimmy se conheceram em Baltimore, no final da década de 1950, os únicos garotos judeus de uma escola particular presbiteriana. Foi o pai quem matriculou Herman ali: tratava-se de um sionista genioso, parecidíssimo com Karl Marx, que acreditava que a melhor escola do bairro deveria ser obrigada a aceitar um judeuzinho gorducho, a saber, seu filho. Já o menino não viu a menor vantagem em ser o saco de pancada dos outros. Mas felizmente Jimmy Pepp, outro garoto judeu, precedera-o na escola e desfrutava de fama lendária por ter subido na biblioteca da igreja e fumado cachimbo no telhado. Diziam que ele descera pelos canos de esgoto, o fumo soltando fumaça até ele chegar lá embaixo. E olha que estava ventando. A história era duvidosa, porém não havia como negar que, quando jovem, Jimmy tivera um cachimbo, um objeto maravilhoso, curvo, com tubo de mogno e fornilho de espuma do mar, que ele fumava na colina atrás da escola, geralmente debruçado sobre um livro de poesia — de e.e. Cummings, por exemplo, ou Baudelaire. Também era famoso por ser o único aluno a não usar o blazer da escola, obrigação da qual se esquivara com um atestado médico falso alegando "dermatite seborreica". Nenhum dos professores ousara perguntar em que consistia aquela doença, uma atitude auspiciosa, já que o próprio Jimmy não fazia a menor ideia. O motivo desse subterfúgio era sua mera preferência pelo uso de uma elegante jaqueta de tweed, com remendos nos cotovelos; no bolso esquerdo guardava um exemplar de *Ulysses* — uma edição da Modern Library sem a sobrecapa — e, no direito, o cachimbo com fornilho em forma de cabaça e uma lata de fumo Club Blend, da Mac Baren. Os dois bolsos mostravam-se desiguais; como o livro era uma obra pesada, tentava compensá-la enchendo o mais leve de canetas-tinteiro, que muitas vezes estouravam, deixando uma constelação de manchas azul-escuras no bolso direito. Por algum motivo que Herman desconhecia, Jimmy o protegera na escola desde o dia em que se conheceram.

O amigo é um dos últimos a sair do voo vespertino de Frankfurt.

— Bem-vindo — diz Herman, dando um largo sorriso, estendendo a mão para pegar a mala de Jimmy e mudando de ideia; em vez disso, cinge o amigo com o braço gorducho. — Você veio.

Ele conduz o recém-chegado ao carro e ambos se dirigem ao apartamento.

— Como não sei em que condições seu relógio biológico estará — explica Herman, no carro —, vou lhe oferecer quatro opções de pratos para o jantar. Ovos mexidos com azeite trufado; é uma delícia, recomendo. Ou pizza caseira. Ou uma ótima *bresaola*, com queijo e salada: comprei um *taleggio* delicioso. E sobrou um pouco de *acquacotta di Talamone*, que é uma sopa. Também podemos jantar fora. Foram quatro opções?

Jimmy sorri.

— O que foi? — pergunta Herman, arreganhando os dentes. — Preciso engordar você, não é? Sinto muito, vou ter que me concentrar agora, senão vamos bater. — Dirige em silêncio por alguns instantes. — Bom ver você.

Jimmy foi de Los Angeles até lá via Frankfurt, levando quase 24 horas no total. Ficou acordado o máximo que conseguiu, mas agora cai no sono no quarto de hóspedes. Na manhã seguinte, à alvorada, já caminha pesadamente pela sala, apenas com a cueca samba-canção com estampa de beijos de batom. Os pelos do seu peito são brancos. Herman aparece de pijama, estalando as costas.

— Quer café? — pergunta, entregando o jornal para Jimmy. Durante o café da manhã, os dois conversam sobre política: quem realmente manda nos Estados Unidos, quem realmente manda na Itália. Logo chega a hora de Herman ir trabalhar. — Você acabou de chegar e já estou te abandonando; sou um anfitrião e tanto, hein? Tem tudo de que precisa? Quer usar o computador? É um modelo ultrapassado, mas temos internet. E tem um técnico no meu trabalho que vai instalar o processador de textos para você poder trabalhar no livro enquanto estiver aqui. Olha, vou deixar a internet conectada.

Com o exemplar amassado do jornal debaixo do braço, Herman entra na redação, andando a passos largos e lançando olhares acusatórios. Jornalistas sussurram "Bom-dia", ao passo que editores comprimem os lábios e acenam com a cabeça, encarando o chão. Ele entra esbarrando em tudo na sua sala, pega uma bala e abre o jornal do dia, com o marcador de texto amarelo a postos, para assinalar quaisquer pecados. Uma pilha de cartas ao editor já está na beirada da mesa dele. Às vezes parece que os leitores só querem reclamar. Costumam já ter certa idade — Herman nota pela letra trêmula e pelo jeito de emitir sua opinião ("Prezado senhor: suponho que receba muitas cartas; não obstante, gostaria de expressar minha indignação quanto a..."). Sabe-se que atualmente, o público leitor do jornal consiste em apenas 10 mil pessoas, mas pelo menos podem todas ser consideradas empolgadas. E os carimbos postais das cartas que chegam são de todas as partes do mundo, o que é alentador. Para muitos leitores, sobretudo os de lugares remotos, o jornal é a única ligação com o mundo metropolitano, com as grandes cidades que deixaram para trás ou que nunca viram, concebidas apenas em suas imaginações. Eles formam uma espécie de confraria que nunca se encontra, unida por matérias assinadas adoradas e odiadas, por legendas de fotografias equivocadas, pela incrível seção de erratas. E por falar nisso...

Herman vê Hardy Benjamin tagarelando no outro lado da redação. Ainda não terminou a errata do Satã Hussein. Da entrada da sala, ele grita:

— Srta. Benjamin, preciso falar com você depois.

— Algum problema?

— Sim, mas estou ocupado demais para conversar agora.

— É algo sério?

— A minha tarefa *neste exato momento* é que é séria. Vai ter que esperar, Nancy Drew.

Herman fecha a porta, irritado consigo mesmo. *Imagine se Jimmy me visse tiranizando o pessoal desse jeito*, pensa, e pega um livro ao acaso, na estante. *Dicionário internacional de gastronomia*. Folheia o exemplar e se detém em "churros". A primeira vez que dividiu um apartamento com Jimmy foi em Riverside Drive, na rua 103, ao norte de Manhattan. Herman cursava o primeiro ano na Universidade de Columbia e Jimmy acabara de voltar de uma estada de três meses no México, onde tivera um caso com uma mulher mais velha, uma escultora de monstros astecas cujo marido, em Houston, contratara um garoto para jogar um tijolo na cabeça de Jimmy; o menino acabara errando o alvo. Então, Jimmy contou que voltara aos Estados Unidos por causa desse incidente. Herman, porém, suspeitava, com sentimento de culpa, de que havia outro motivo: o amigo intuíra, ao ler suas cartas, que ele se sentia por demais desanimado e sozinho na universidade, em Nova York. Como só havia uma cama na quitinete de Herman, Jimmy dormia no chão, sem lençóis nem travesseiros, e alegava gostar. Em uma semana, o recém-chegado conseguira um séquito de amigos peculiares e o apartamento de Herman passara de cela monástica a sala de estar agitada, repleta de todo tipo de esquisitões da metrópole: Dyer, o garçom com cara de criança de New Orleans (um amor de pessoa até roubar todo mundo e morder o cavalo de um policial); a altíssima Lorraine, que fumava baseado e abria a bolsa para mostrar desenhos eróticos dela com aranhas; Nedra, a mulher de cê-cê e olhos escuros desconectados com a realidade que dizia ter nascido na Tailândia ou no Brooklyn e que podia transar com qualquer bêbado de rua (e, de fato, a maioria deles já tivera essa experiência); ainda assim, Jimmy a deixava dormir ao seu lado no chão, sem nunca tocar nela. Herman perguntou ao amigo o que acontecera quando o garoto do México atirara o tijolo e errara. Jimmy contou que ele e o assassino frustrado começaram a rir. E que acabara comprando uns churros para o garoto.

Herman fecha o *Dicionário internacional de gastronomia* e o recoloca na estante. Abre o jornal no caderno de cultura, que melhorou bastante sob o comando de Arthur Gopal. Ainda assim, encontra um erro: o uso da palavra "literalmente". Solta um resmungo, liga o computador e digita:

literalmente: Este termo deveria ser banido. Com demasiada frequência, atos descritos dessa forma nunca chegaram a acontecer. Como em "Ele morreu de susto, literalmente". Não, não foi o que aconteceu. Se tal fato houvesse ocorrido, eu sugeriria promover a matéria à primeira página. O uso indiscriminado de "literalmente" é prova de que tapados fora de si estão à espreita nesta redação. Elimine se encontrar algum — o termo, não os tapados. Os tapados devem ser capturados e encarcerados nas celas que instalei no segundo subsolo. *Ver também*: **Travessões, uso excessivo de**; **Pontos de exclamação** e **Tapados.**

A caminho de casa, Herman para na Enoteca Costantini, na Piazza Cavour, para comprar uma garrafa de Frascati Superiore. Esta noite ele vai preparar uma refeição romana tradicional para Jimmy: *fiori di zucca* e *carciofi alla giudia* fritos, *bucatini all'amatriciana* simples, *pizza bianca* feita em casa, para que aproveitem o molho, e *pangiallo* de sobremesa (este, infelizmente, comprado na confeitaria).

No apartamento, ele encontra Jimmy esparramado na cama de hóspedes, de bruços. O amigo se vira.

— Tudo bem? — pergunta Herman. — Ou está sentindo o fuso horário? — Enquanto Herman prepara o jantar, Jimmy lhe conta o que fez durante o dia. O amigo foi caminhar e se perdeu; alguém o seguiu por um tempo, provavelmente um ladrão, supôs ele, porém o sujeito acabou desistindo. — Parece melhor do que o meu dia. O manual de estilo que eu organizo está fora de controle. É ridículo. Os pobres cabeças-ocas com quem trabalho!

No jantar, o amigo come pouco e só toma água. Quanto ao fumo, largou o vício por completo — é estranho vê-lo sem a costumeira nuvem de fumaça. Herman pergunta o que ele acha de viver em Los Angeles e Jimmy diz que se mantém ocupado — o tempo voa, consumido por todas as atividades corriqueiras: fazer compras, assistir aos programas de TV, ir à lavanderia. E a criminalidade é uma preocupação.

Herman dá uns tapinhas na própria barriga, indo com ar decidido até o bar.

— Quer um digestivo? Infelizmente, acho que não tenho o seu favorito: rum Barbancourt, certo?

A antiga edição da Modern Library de *Ulisses* continuou no bolso do amigo ao longo dos anos 1960. Leopold Bloom era o herói de Jimmy, acima de tudo porque ambos compartilhavam o gosto por entranhas de animais: sobretudo rins de porco fritos. Mas, no apartamento que os dois dividiam em Nova York, o mau cheiro e o chiado de fritura sobrepujantes das comidas preparadas por Jimmy foram diminuindo ao longo da década conforme ele passava mais tempo no México, levando adiante seu drama com a escultora casada. Jimmy dizia que ela se parecia com Molly Bloom, o que divertia o amigo — quem diabos sabia qual era a aparência da personagem? Herman se formou em ciências políticas pela Columbia e conseguiu um emprego de office boy num jornal da cidade. A seu ver, os papéis estavam trocados: Jimmy, não ele, deveria ingressar no jornalismo, começando como cronista esportivo, por exemplo, ou cobrindo as ações policiais, para então escrever uma coluna ao estilo de Runyon sobre bebedeiras, apostas e todos os simpáticos lunáticos que gravitavam ao seu redor como insetos numa lâmpada. O passo seguinte seria ele cobrir uma guerra no exterior e talvez até participar do conflito, como Hemingway ou Orwell, para então lançar um livro contando a experiência. Seu primeiro romance seria publicado em seguida. Depois disso, sua carreira deslancharia. Muitos anos depois, Herman escreveria uma biografia — o relato definitivo, feito pelo melhor amigo, que conhecia Jimmy Pepp desde os tempos da escola, em Baltimore, passando pelas noites de loucura em Nova York e pela escultora no México até os primeiros sinais de sucesso editorial e a subsequente fama icônica. Mas quando Herman teve esse devaneio, já estava sozinho outra vez em Nova York, um moleque de recados de um jornal local, levando litros de uísque para editores ulcerados, comprando cigarros, pegando sanduíches de carne enlatada no pão de centeio na Nona Avenida — "Espere aí, rapaz, eu quero um de pastrami no pão integral com bastante mostarda, e não esqueça os guardanapos". Os outros office boys matavam o tempo metendo camundongos vivos nos tubos pneumáticos que interconectavam as diversas editorias, lançando as criaturas pela rede até elas saírem chiando na área das secretárias. Diante desse tipo de concorrência, foi fácil para Herman brilhar.

Os editores permitiram que passasse por um período de teste como redator, e ficou claro que o rapaz levava jeito para a coisa — finalmente o conhecimento latente e o pedantismo lhe eram úteis. No dia em que recebeu essa promoção, Herman conheceu Miriam, em uma festa na casa de um amigo, e, enfatuado pelo sucesso profissional, reuniu coragem para convidá-la para sair. Nos meses seguintes, apaixonou-se por ela. Mas a perspectiva de apresentá-la a Jimmy o preocupava, pois receava não ser páreo para o amigo. Não obstante, organizou bravamente um jantar numa época em que Jimmy estava na cidade, com o intuito de apresentá-lo a Miriam. Passou o dia todo nervoso. No fim das contas, o amigo deixou a desejar durante toda a refeição: suas proezas românticas no México pareceram imaturas, sua escrita pareceu simplória. Jimmy passou a maior parte do encontro elogiando Herman, alardeando a genialidade do amigo na escola presbiteriana de Baltimore (o que não era verdade), sua passagem brilhante pela universidade (um óbvio exagero) e o futuro triunfante que em breve o Sr. Herman Cohen teria (pouco plausível). Depois do jantar, os três se despediram. Herman sentiu-se estranho ao dar tchau para Jimmy e voltar para casa com Miriam — ele e seu amigo mais antigo ainda tinham muitas novidades para colocar em dia.

Miriam comentou que gostara de Jimmy, mas que não o achara tão maravilhoso quanto o namorado disse que era. Mas Herman sabia que Jimmy agira daquele jeito de propósito. Ele foi se despedir de Jimmy na estação de trem e sorriu ao ver o *Ulysses* em sua bagagem.

— É aquele mesmo exemplar da escola? — perguntou.

Jimmy abriu o livro. As páginas tinham sido removidas e dentro havia um cantil de couro.

— Não foi sempre assim, foi? — quis saber Herman.

O amigo ofereceu-lhe um trago e disse que era ótimo vê-lo feliz, com uma mulher. Herman corou.

— Que veneno é esse? — perguntou.

Jimmy tomou um gole, como que para conferir, e então informou que era sua bebida favorita, rum Barbancourt.

Herman examina A Bíblia na tela do computador, no trabalho, com uma bala entre os dentes. Desde a chegada de Jimmy, o chefe de redação voltou-se contra o manual. Não passa de uma lista de queixas — lamúrias organizadas alfabeticamente. Mas Herman não pode perder tempo se remoendo por causa disso. Tem trabalho a fazer. Dirige a atenção à errata de Satã Hussein. Pede que Hardy venha a sua sala.

— Achei que eu tinha escapado — comenta ela.

— Sente-se.

— Esse erro foi inserido no copidesque — A desculpa de todo repórter.

— Por quem, especificamente?

— Não vou dizer.

— Vai sim.

— Vou ter que enfrentar a tortura do afogamento simulado se não revelar?

— Provavelmente. Por acaso foi Ruby Zaga? Não importa. O responsável por esse erro nos fez passar por idiotas. Agora escute: suas matérias são sérias. Você escreve bem, e esse é o maior elogio possível para mim. Está entre os melhores repórteres daqui. Espero que isso tenha ficado bem claro. — Dá umas batidinhas na errata de Satã Hussein, na tela. — Mas tenho que zelar pela credibilidade.

— Sei disso. Acontece que...

— Espere, espere. Se nosso objetivo é a credibilidade, qualidade que, a esta altura, é praticamente tudo o que nos resta, então temos que nos esforçar para manter a reputação de funcionários dedicados. Por isso me pergunto se não devemos deixar o Satã Hussein morrer.

— Sério? Obrigada. Obrigada. Obrigada. Nunca mais vou usar o corretor ortográfico.

— Quer dizer então que *foi* você.

— E vou decorar o dicionário, prometo.

— Mirabolante.

— A Bíblia. — Corrige-se ela. — Vou decorar A Bíblia.

— Bem melhor.

Ele a dispensa e sai para almoçar com Jimmy no Casa Bleve, um restaurante dentro de um *palazzo* do século XVI, perto do largo Argentina.

— Eu o trouxe aqui da última vez que você veio, lembra? — comenta Herman. — Quando veio com Deb.

Jimmy franze o cenho, mas não recorda. Diz que já não se lembra bem de nada.

— Eu também. Tinha uma memória perfeita, mas agora anda péssima. Inventei uma técnica: anotar tudo. Fazer listas. É a solução. — Herman está mentindo. Sua memória continua infalível. — Listas longas, para tudo. Pense nisso. Dá certo. Anoto toda ideia que me ocorre. Ainda bem que não é nada tão complexo quanto o que você está fazendo. Admiro isso. Jamais conseguiria escrever um livro. — Ele estende o guardanapo no colo. — Você se importa se eu perguntar sobre o que é? Ando me questionando, embora evidentemente não queira me intrometer, se você trouxe os originais. Acho que a pergunta que não quer calar é: quando vou poder ler? Mas fique à vontade para trabalhar nele durante a sua visita, se quiser. Não precisa se sentir na obrigação de se encontrar comigo para almoçar. Posso deixá-lo no escritório, e lhe levar sopa ou qualquer outra coisa. Passei anos em Nova York levando comida e bebida para escritores; transito nessa área com a maior facilidade! Mas, falando sério, para mim seria ótimo se você conseguisse dar continuidade ao livro aqui. E, se eu puder ajudar dando uma olhada, seria uma honra. Mas, claro, não se sinta na obrigação. Desculpe, vou calar a boca.

Quando ofereceram a Herman um cargo naquele jornal, na década de 1970, ele hesitou: ir para a Europa antes que a carreira de Jimmy tivesse se consolidado parecia errado. Por outro lado, o amigo já saíra de Nova York — o caso que tivera no México acabara mal e, em vez de voltar para Manhattan, ele aceitara um emprego como fotógrafo do circuito equestre, trabalho que o levava a percorrer os Estados Unidos em caminhões, junto com os técnicos do evento. De vez em quando, Jimmy escrevia para o amigo contando seu paradeiro. As cartas eram cativantes; os acontecimentos, bizarros. Herman guardava as cartas numa caixa de cerejeira — seriam úteis um dia, para a biografia. Imaginava a vida levada por Jimmy: mudando-se quando bem entendesse, saindo dos empregos quando se aborrecia, passando a noite inteira acordado e despertando com mulheres desconhecidas. Herman se ressentia um pouco, como se, de certa forma, estivesse pagando a conta pela liberdade de Jimmy. Mas Miriam o encorajou a aceitar o emprego na Itália, sobretudo porque a filha ainda era pequena e assimilaria bem a mudança. Era tentador: o jornal tinha um apelo cosmopolita, e Herman o encarava como a publicação que um romancista calejado ou um espião levaria dobrada debaixo do braço. A década de 1970 foi emocionante no jornal, com Milton Berber, um diretor-executivo criativo, funcionários jovens e entusiasmados e um clima animado por todos os lados. Herman aceitou o cargo e encorajou Jimmy a aproveitar a hospedagem de graça em Roma — podia escrever seu livro lá, em período integral, ficando o quanto quisesse. (Dentro dos limites impostos por Miriam, evidentemente.)

Em vez disso, Jimmy instalou-se no Arizona com Deb, que tecia tapetes artesanais e tinha uma filhinha bebê. Acabou se casando com essa jovem, adotando a menina e tornando-se assistente jurídico, para ganhar dinheiro. Herman ficou desapontado quando por fim conheceu Deb — esperava uma mulher espetacular, coisa que ela não era. Irritou-se por Jimmy se deixar levar pela mediocridade no Arizona, quando tinha condições de brilhar em Roma. Poderia facilmente tê-lo contratado no jornal, oferta que lhe fez repetidas vezes.

Quando a conta do almoço na Casa Bleve chega, Jimmy pega o cartão de crédito.

— Não, não — diz Herman. — Deixe que eu pago. Eu é que tenho um emprego fixo.

Porém, Jimmy insiste.

— Está bem, mas vamos fazer um trato. Deixo que você pague com uma condição: escreva algo para mim, um artigo, sobre o que quiser, para que eu o publique no jornal. O que me diz? Claro que vou pagar, embora infelizmente o valor para freelancers esteja péssimo agora, com todos os cortes de gastos. Mas você pode escrever sobre o que bem entender. Uma crônica, algo engraçado, qualquer coisa. Seria uma honra publicar algo seu. O que acha?

À noite, Jimmy senta-se à frente do computador, inclinando o rosto esquelético voltado para a tela, os dedos magros pairando acima do teclado. Herman deixa-o ali, fecha a porta e dá um soco no ar, triunfante. Conforme as horas passam, ele caminha de um lado a outro na cozinha, comendo com nervosismo fatias de bolo caseiro de polenta, limão-siciliano e pistache. Aproxima-se do escritório, encosta o ouvido na porta, escuta os dedos digitando devagar no teclado. Já são quase 2 horas quando Jimmy por fim aparece. O artigo está na tela, mas ele não sabe como imprimi-lo. Está cansado, deseja boa-noite a Herman e vai se deitar.

Já no fim da década de 1980, Deb tinha se separado de Jimmy. Alguns anos depois, voltaram a se casar. Mas em pouco tempo, pela segunda e dolorosa vez, ela o deixou de novo, e ele se mudou para Los Angeles, com o intuito de fugir daquela situação. Trabalhou como freelancer na área de assistência jurídica, o que lhe permitia ter um sustento. Mas como não tinha plano de saúde, quando um molar apodreceu ele mesmo o arrancou com um alicate de ponta. Como estava bêbado naquele momento, fez um péssimo trabalho e acabou quebrando o dente e deixando pedaços na gengiva ensanguentada. Herman por acaso ligou alguns dias depois e ficou sabendo do incidente e da febre que se seguiu. Exigiu que Jimmy fosse ao hospital. Na emergência, informaram-lhe que a lesão infeccionara. Enquanto ele aguardava a chegada do dentista de plantão, teve um infarto. Embora tivesse apenas 56 anos, quando finalmente recebeu alta parecia um velho. Nos meses seguintes, envelheceu ainda mais, esquecendo-se de cada vez mais fatos e tornando-se cada vez mais ansioso, suspeitando de que o perseguiam. Checava o tempo todo as portas e as janelas, para se certificar de que estavam trancadas, e o gás, para ter certeza de que se encontrava desligado. Descumpria muitos dos seus compromissos para a firma de advocacia para a qual trabalhava como freelancer, até que por fim aposentou-se — algo que lhe foi imposto, na verdade. Na época, a notícia pareceu auspiciosa a Herman: finalmente Jimmy poderia se dedicar à escrita. Ele sempre disse que concluiria seu livro quando se aposentasse.

E agora está ali, no quarto de hóspedes, dormindo. Não há nenhum sinal ainda do manuscrito completo, mas ao menos Herman pode contar com uma amostra da produção de Jimmy. Ele imprime o artigo e aparecem duas páginas. Herman as pega na bandeja da impressora, corre para o sofá e se joga ali, para ler.

Somente após alguns instantes consegue se concentrar no texto, de tão empolgado que está. Há quantos anos espera por isso! Claro, são só algumas centenas de palavras, mas já é um começo. Será que Jimmy tem um manuscrito completo na mala, ali no canto? Embora Herman jamais bisbilhotasse, por mais que se sentisse tentado.

Ele se concentra nas páginas diante de si.

Lê tudo.

Herman trabalha como redator há quarenta anos. Não demora muito para perceber. O artigo não é bom.

Embora sem nenhum argumento claro, é uma espécie de editorial. Fala da vida em Los Angeles, da proliferação de armas nos Estados Unidos, da ausência cada vez maior de civilidade. Está cheio de erros gramaticais e chavões. É amador. Será que é o arquivo correto? Ou só um rascunho, talvez? Herman vai checar no computador. Perto do mouse encontra um pedaço de papel amassado; abre-o. Com a letra de Jimmy, há uma longa lista de observações, apontamentos, notas reescritas e riscadas, um monte de rabiscos, pontos de interrogação, traços, travessões e similares. Horas de esforço resultaram naquilo, num texto inútil.

Herman não consegue dormir. Senta-se na cama, liga a luminária, chupa um monte de balas, depois escova os dentes diversas vezes durante a noite. Às 6 horas levanta-se de supetão — quer sair antes que Jimmy acorde, para analisar o artigo na redação e ver o que pode fazer.

No entanto, o amigo logo sai do quarto de hóspedes, dizendo que quer falar com Herman antes que ele vá embora: há um erro de grafia no artigo.

— Não se preocupe, eu cuido disso — tranquiliza-o Herman.

Jimmy insiste em fazer ele mesmo a correção. Desaparece no escritório, mexe no que escreveu e entrega ao amigo um pen drive com o texto.

Na redação, Herman envia um e-mail para Kathleen informando que pode surgir um artigo de última hora na página do editorial. Dessa forma não fica obrigado a mandá-lo, mas ao menos deixa a opção em aberto. Será que ele precisa publicar o que o amigo escreveu? Pode dizer para Jimmy que está bom, mas que carece de objetividade. Francamente, há como aproveitar algo do texto? O jornal não pertence a Herman para que ele inclua o que bem entenda. Não seria desleal publicar o artigo, seria? E a credibilidade?

— Credibilidade — sussurra, como se hoje fosse uma palavra ardilosa e inexpressiva.

Herman decide publicar o artigo. Tem poder para tanto. E fará uso dele. Incluirá o texto numa única edição, em duas meias colunas, com título grande e intertítulo para preencher o espaço, na parte central das páginas internas. Mostrará o jornal para Jimmy amanhã, agradecerá ao amigo, cingirá o magricela com seu braço gorducho e dirá: "Depois de todos esses anos, finalmente trabalhamos juntos."

Herman insere o pen drive no computador e abre o arquivo de Jimmy. Mas o texto da noite anterior sumiu. Tudo o que aparece é uma observação: "Não se preocupe, meu amigo. Apaguei o troço. Sabia que esta será minha última noite na cidade? Quero levar você para jantar fora, e dessa vez eu é que vou bancar. Sem discussão. Jimmy."

Quando Kathleen indaga a respeito do artigo, Herman lhe diz que foi alarme falso. Ela chama atenção para uma manchete na página 7 — "Aquecimento global é bom para sorvetes" — e sugere que seja incluída em seu próximo número de *Por quê?*, acrescentando:

— Acho muito idiota, sob diversos aspectos.

— É, você tem toda razão — comenta Herman, embora não esteja escutando.

Jimmy escolhe um restaurante demasiado turístico perto do Vaticano para fazer sua última refeição na cidade. Herman pensa que ele mesmo deveria ter escolhido — pelo cardápio todo encrespado lá fora, nota-se que não se trata de um lugar sério. Claro que a comida não faz diferença, mas ele está tenso: o amigo amanhã já vai embora e nada foi realizado. Durante o jantar, Jimmy toma três taças de vinho, o máximo que já bebeu desde o infarto. Assim que o álcool surte efeito, ele começa a divagar encantadoramente, como nos velhos tempos, quando era famoso por filosofar bêbado, recitando de cor Yeats ou Yevtushenko, tagarelando a respeito de Joyce, alegando que "*rump*" — "anca", entre outras acepções — era um dos termos mais engraçados da língua inglesa. Herman relaciona essa conversa ébria do amigo aos seus momentos mais felizes.

No início, não mencionam o artigo. Mas a noite está transcorrendo tão bem que Herman comenta:

— Tudo isso pode servir de incentivo, não acha? Servir de lembrete, sabe? Para você realmente escrever algo agora.

Jimmy se endireita e pigarreia.

— Herman — diz, com calma —, não vou escrever nada. Não fiz isso até agora nem vou fazer. Nunca foi minha intenção. Eu já sabia disso desde os, sei lá, 20 anos. Você é que vivia insistindo nessa história.

— Eu não vivia insistindo — protesta Herman, surpreso. — Só achava, e acho, que você tem dom para algo grande, incrível. Sempre teve muito talento.

Jimmy dá umas batidinhas na orelha do colega, afetuosamente.

— Não existe essa história de talento, meu amigo.

Herman se afasta.

— Estou falando sério.

— E eu também. Deveria ter deixado claro quarenta anos atrás que você se equivocava a meu respeito. Mas sou vaidoso. Acho que tentava causar boa impressão. Só que agora estou velho demais para continuar tentando. Então, por favor, pare de falar sobre o que vou fazer. Isso só ressalta o que não fiz. Levei uma vida muito boa, normal. E pronto.

— Não foi nada normal.

— Não? Cadê a prova em contrário? Meus 65 anos estão aí para comprovar!

Herman começa a questionar a afirmação, mas o amigo o persuade:

— Sabe o que eu achei legal desse artigo que você me fez escrever? — prossegue Jimmy. — Gostei de trabalhar com você, disso sim. De ouvi-lo explicar como o texto seria publicado no jornal. Você realmente conhece o mundo do jornalismo, meu amigo. Veja só: quem faz o trabalho proveitoso, quem dá duro, é você. Nada a ver com as bobagens que eu fiz. O que você vem realizando é exemplar. E gostei de ter uma noção de como tudo funciona. Foi um grande prazer para mim. Ver aonde você chegou.

— Não seja doido. Você é que escreveu aquele artigo. Pense em como o desenvolveu rápido. Os escritores profissionais às vezes ficam dias debruçados num texto, às vezes até semanas ou meses. E se você realmente dedicasse mais tempo a escrever? Isso não o inspira? Trabalhar em algo um pouco mais duradouro quando voltar?

— Não levo jeito — insiste Jimmy. — E não gosto mais da ideia de depender de você. Já tiro proveito demais da sua pessoa. Sempre tirei. Da sua generosidade. Lembra quando eu dormia no chão na Riverside Drive? Nunca paguei um tostão em quantos anos?

— Você não era meu inquilino, era meu amigo. Não me devia nada.

Jimmy sorri.

— Você tem um ponto de vista maluco em certos aspectos, Sr. Herman Cohen.

Quando os dois saem, Herman pega um punhado de cartões de visita do restaurante e põe a mão no ombro do amigo. Assim que chegam à rua, ele se concentra em pegar um táxi, para disfarçar a emoção.

No aeroporto Fiumicino, no dia seguinte, Jimmy menciona que talvez vá voltar a morar no Arizona. Sua filha adotiva, agora na casa dos 30, vive em Tempe. Trabalha no setor imobiliário e mora sozinha. Ela gostaria de ter companhia.

Enquanto Herman o escuta, visualiza essa vida do amigo acabado. Ao contrário do que sempre acreditou, os dois não são gradações do mesmo homem, ele a versão medíocre, o amigo, a superlativa. São pessoas totalmente diferentes: Herman jamais moraria com a filha, jamais se deixaria cair na miséria aos 65 anos, jamais precisaria de um lugar para ficar. Até mesmo agora, a noção de aposentadoria lhe parece absurda — põe o dedo em riste sem a menor dificuldade, apontando-o sempre que necessário para a defesa da credibilidade do jornal.

Os dois se despedem antes de Jimmy passar pela segurança, e Herman se dirige à saída, mas para em frente às portas automáticas. Talvez Jimmy precise dele para algo. E se houver um problema?

Ele se vira e vê o velho amigo na fila. Jimmy arrasta a bagagem de mão, a jaqueta pendurada no antebraço. Boceja — nunca superou a fadiga de viagem. Leva um empurrão de trás e coça a fronte com irritação, resmungando. Restam-lhe pouquíssimos cabelos, apenas uns fiapos brancos sobre as orelhas.

As pálpebras mostram-se caídas, e as orelhas, longas. Como Herman adorou fazer aquele rosto sorrir ao longo dos anos! E como aquela face definhou. O pescoço alto e fino parece perder-se no colarinho e o abdome encolhe-se rumo à espinha dorsal. A fila para passar pela segurança avança devagar, até chegar a vez de Jimmy. Com dificuldade, ele põe a mala na esteira; os ombros de Herman tensionam involuntariamente, como se para ajudá-lo a levantar a bagagem. O amigo ergue os braços para ser examinado, pega a mala e some de vista.

Herman dirige devagar, no Mazda azul, de volta para casa. Começa a pensar em tudo — em Miriam (sorri), na filha (que maravilha de jovem), nos netos (cada um com uma personalidade tão diferente), nesses anos extraordinários em Roma (a esposa tinha razão quando o aconselhou a ir para lá), na sua satisfação no jornal (tenho sido útil). Tudo isso vem sendo uma grande surpresa — ele esperava uma vida infeliz, porém acabou justamente com o contrário. Mal acredita.

Quando Miriam volta, relata a viagem à Filadélfia com entusiasmo e mostra todas as fotografias da câmera digital. Ambos ficam tão absortos na conversa a respeito dos netos que mal falam da estada de Jimmy. Ela se vira para o marido, no sofá — estão sentados lado a lado.

— O que foi? — pergunta ele, com desconfiança.

— Estava pensando em como você é charmoso.

— Em como sou gordo, isso sim.

— Não, charmoso. — Ela dá um beijo no rosto dele, depois na boca. — É sim. E não sou a única que acha isso.

— Quer dizer então que agora tenho admiradoras?

— Não pense que vou contar, viu? Você pode fugir.

— A propósito, fiz sopa.

— É — diz Miriam. — Eu sei.

Alguns meses depois, Herman recebe um e-mail de Jimmy. É longo e incoerente, cheio de filosofias e citações poéticas. Outra forma de dizer que está ótimo com a filha em Tempe, no Arizona.

Sem que Herman saiba explicar por quê, o e-mail o aborrece. Talvez porque não encontre nenhum motivo para responder.

1960. Monte Aventino, Roma

Ott abriu seu exemplar do jornal sobre a mesa de jantar e umedeceu com a língua a ponta do dedo, que estava seco de tantos remédios que os médicos lhe haviam prescrito. Folheou as páginas: Eichmann capturado na Argentina, colônias africanas declarando independência, Kennedy candidato à presidência.

Ele se orgulhava do que o jornal se tornara, mas lamentava ter que lê-lo ali, na mansão, e não entre os funcionários, na redação. Fazia semanas que não ia a Corso Vittorio. Dissera a Betty e Leo que estava nos Estados Unidos e à família, em Atlanta, que estava excursionando pela Itália. As únicas viagens que fizera, no entanto, foram às clínicas em Londres e Genebra.

Fazia meses que os sintomas pioravam: sangue, dor, exaustão. Ott passou a sentir ojeriza do banheiro da mansão, de todas as revulsões que o aguardavam ali. Embora pedisse que os cozinheiros preparassem ovos, filé e patê de fígado, emagrecia cada vez mais.

Um cirurgião londrino tirara metade das entranhas cancerosas de Ott, porém a intervenção não lhe fizera bem. Ao voltar à mansão, mandara os empregados embora. Um entregador de jornais jogava um exemplar diariamente, do outro lado do portão, e uma empregada lhe deixava comida. Fora isso, permanecia sozinho.

Ott tomou banho na banheira, o sabonete ferindo-lhe a pele, esbarrando nos ossos sob ela. Saiu, os braços fazendo força para se apoiar na beirada da grande cuba. Ele se olhou no espelho embaçado, com a grossa toalha branca envolvendo o quadril esquelético. Estava morrendo.

Caminhou pela mansão, a água do banho escorrendo pelo corpo e pingando nas tábuas do assoalho e na escada, rumo ao segundo andar. Com cautela, sentou-se devagar à sua mesa — já não restava carne no traseiro para amortecê-lo — e pegou um bloco de anotações.

A primeira observação ele dirigiu à esposa e ao filho, que deixara em Atlanta anos antes. "Queridos Jeanne e Boyd", escreveu. "O importante a saber, e preciso deixar isso claro..."

A caneta pairou sobre a linha.

Ott olhou de relance para a parede, para um dos quadros escolhidos por Betty, o de Turner. Aproximou-se dele e estendeu a mão para trás, como se fosse pegar o punho dela, puxá-la para mais perto. "Me fale deste. Não o entendo. Explique-o para mim."

Voltou à mesa e começou uma nova carta. Chegara a hora, concluiu, de explicar o que ocorria.

Conforme os dias passaram, os exemplares de jornais foram se acumulando no lado de fora da mansão. A empregada que deixava as refeições de Ott notou que não estavam sendo consumidas. Então, abriu a porta da residência.

— Sr. Ott? — gritou. — Sr. Ott?

A família dele, em Atlanta, apesar de todos os indícios sempre alimentara a esperança de que ele voltaria. Agora, não podia nem recobrar seu corpo. Legalmente, não havia jeito: o testamento de Ott estipulava um enterro no cemitério protestante, em Roma. Como seus parentes se recusaram a acreditar que essa fora sua vontade, boicotaram o funeral em Roma e realizaram outra cerimônia em Atlanta.

O jornal foi publicado com uma tarja preta em torno da primeira página, com uma nota da redação em destaque, homenageando o diretor fundador. Leo enviou uma carta de pêsames ao irmão de Ott, Charles (que não lhe respondeu), e depois man-

dou um pedido cortês solicitando a continuidade do jornal. Mais uma vez o sujeito — hoje presidente do Conselho de Administração do Grupo Ott — não lhe deu retorno. Porém, tampouco cortou os recursos financeiros.

Seis tensos meses passaram-se antes de Charles anunciar que ia visitá-los. Na chegada, trocou um aperto de mãos com Leo e ignorou Betty por completo. Fez apenas uma exigência: que no cabeçalho do jornal sempre se colocasse, em negrito: "Fundado por Cyrus Ott (1899-1960)." Betty e Leo apoiaram a ideia.

— Este foi um empreendimento muito importante para meu irmão caçula — comentou Charles. — Fechá-lo agora seria, a meu ver, uma ofensa a sua memória.

— Concordo plenamente — disse Leo.

— Quantos exemplares vocês vendem?

— Em torno de 15 mil, num dia bom.

— Vamos aumentar isso. Quero o nome do meu irmão diante da maior quantidade possível de olhares. Pode não fazer diferença no quadro geral, porém faz toda para mim e para a minha família.

— Gostávamos muito dele — acrescentou Betty.

Por algum motivo, o comentário irritou-o. Ele deu a conversa por encerrada e foi para a redação conversar com os funcionários.

— Publicar o jornal diariamente é o negócio de todos vocês — disse-lhes Charles. — E fazer com que ele possa ser publicado é o meu. Considero esta empresa um memorial permanente ao meu irmão, e farei todo o possível para mantê-la funcionando.

Os repórteres, notando que ele havia terminado, começaram a aplaudir.

“GENERAL AMERICANO ENCARA GUERRA COM OTIMISMO”

KATHLEEN SOLSON, EDITORA-CHEFE

QUANDO ELA SE DÁ CONTA DE QUE NIGEL ESTÁ TENDO UM caso, sente, primeiro, satisfação por ter descoberto. Depois, parece-lhe que, apesar de toda a comoção que envolve a traição, não é tão ruim assim. Chega a ser agradável — sinal até de certa sofisticação. Ela se pergunta se essa aventura pode acabar lhe sendo útil. Teoricamente, poderia romper com ele sem remorsos agora mesmo, embora não queira. Também passa a ficar isenta de culpa se porventura quiser ser infiel. No fim das contas, o adultério de Nigel pode vir a calhar.

É nisso que Kathleen está pensando enquanto se encontra diante da plateia, numa palestra no Hilton Cavalieri, em Roma. O tema da mesa-redonda é "Como a imprensa internacional encara a Itália", uma preocupação constante no país. Ela se sente ressentida por ter que participar — a tarefa caberia, evidentemente, ao seu jovem diretor-presidente, Oliver Ott. Mas ele desapareceu de novo e tem ignorado seus telefonemas. Então coube a Kathleen ir; o jornal terá que se virar sem sua presença. Mas o pessoal não está se saindo muito bem, a julgar pelo fluxo contínuo de mensagens de texto em seu BlackBerry.

— A indústria jornalística sobreviverá? — pergunta o mediador.

— Com certeza — responde Kathleen, dirigindo-se à plateia. — Vamos continuar, isso eu lhes garanto. É claro que vivemos numa época em que a tecnologia caminha num ritmo inesperado. Não dá para dizer se em cinquenta anos estaremos publicando no mesmo formato. Na verdade, posso lhes afirmar que as publicações *não* terão a mesma forma, pois estaremos inovando, tal como agora. Mas de uma coisa tenho certeza: as notícias vão sobreviver e as coberturas de qualidade serão sempre valorizadas. Independentemente de como sejam chamadas, matérias, notícias ou texto, alguém tem que apurá-las, escrevê-las e editá-las. E quero que nos tornemos cada vez melhores, seja qual for o veículo. Somos *a* fonte de qualidade entre os jornais internacionais, e encorajo quem duvide dessa ousada afirmação a assinar o jornal por um mês. Melhor ainda — Kathleen fala de um jeito empolgante e dá um sorriso cúmplice para os espectadores; em seguida, faz uma pausa — Encorajo as pessoas a adquirir nossa assinatura por dois anos. Então poderão ver por que nossa circulação vem aumentando. — A plateia ri, educadamente. — Meu trabalho é administrar *a* publicação mais importante da categoria. Quando fazemos isso, os leitores aparecem. Os que acompanharam o progresso do jornal desde que me tornei editora-chefe, em 2004, verão as mudanças radicais que estão a caminho. E outras virão. Creio que é ótimo fazer parte disso, para falar a verdade.

Que verdade? O jornal está longe da vanguarda tecnológica — não tem sequer um site na rede. E a circulação não vem aumentando. O balanço patrimonial é um desastre, com perdas cada vez maiores ano após ano e leitores cada vez mais velhos morrendo. Mas Kathleen se saiu bem diante da plateia. Os espectadores aplaudem e saem depressa em busca do almoço de graça; ela pede licença aos organizadores.

— Bem que eu gostaria de ficar — informa-lhes Kathleen —, mas esse é o ritmo de vida num jornal diário.

Enquanto caminha rumo à chapelaria, um estudante sino-americano que estava na plateia aproxima-se. Ele se apresenta como Winston Cheung, enxuga o suor do rosto, limpa os óculos e começa a listar suas credenciais acadêmicas. Já que não vai direto ao assunto, Kathleen o faz por ele:

— Está bem — interrompe-o. — Você quer saber, em suma, se há uma vaga no meu jornal. Você disse que está estudando primatologia, certo? Então, suponho que estaria interessado na editoria de ciência e tecnologia, que não temos. Se você quiser trabalhar como repórter, muitas publicações buscam pessoas que falam vários idiomas. Domina algumas línguas asiáticas?

— Meus pais só falavam inglês comigo.

— Que pena. Idiomas são importantes. Você por acaso fala árabe com perfeição?

— Não falo árabe com perfeição, não.

— Quer dizer que fala árabe *mal*? — pergunta ela. Esse cara está é fadado ao fracasso: sem experiência, sem idioma estrangeiro e, ainda por cima, irrequieto. Kathleen precisa se livrar de Winston Cheung. — Olhe, se quiser nos enviar algo, sem compromisso, podemos dar uma olhada. — Ela diz depressa o e-mail de Craig e entra na chapelaria.

Ao rumar à saída, sente alguém tocar em seu ombro. Vira-se irritada, achando se tratar do rapaz, outra vez. Mas não é ele.

Dá um passo para trás, embasbacada.

— Meu Deus! — exclama. — Dario.

Dario de Monterecchi é o italiano com quem Kathleen morou em Roma quando tinha 20 e poucos anos. Quando deixou a cidade, em 1994, para trabalhar como repórter em Washington, deixou o rapaz também. Agora ali está ele, têmporas grisalhas, bolsas sob os olhos, meio charmoso porém meio queixudo, com aqueles ares modorrentos de homem de família.

— Desculpe por me aproximar de forma sorrateira — começa ele. — Assustei você?

— Teria que se esforçar muito mais para isso. Mas me pegou um pouco desprevenida. Meu Deus, é tão estranho ver você! Como tem andado?

— Bem. E você foi ótima hoje. Fiquei muito impressionado. Mas já está indo embora?

— Infelizmente, estou — responde Kathleen. — Tenho que ir. Precisam de mim na redação. Sinto muito, aliás, por não ter entrado em contato desde que voltei para Roma. Tem sido uma loucura. Você sabia que eu estava de volta, não sabia?

— Claro.

— Quem contou?

— Ouvi dizer; você sabe como Roma é pequena.

— Estranho ver minha vida particular vir à tona quando estou no modo profissional. Acaba me aturdindo. Você pode não acreditar, mas eu gostaria muito de não precisar ir agora.

— Não tem tempo nem para almoçar?

— Lamentavelmente, não almoçamos. A primeira edição tem que ser fechada daqui a algumas horas. Se eu não estiver lá, o mundo acaba. O que você está fazendo aqui, aliás?

Dario lhe entrega um cartão de visita.

— Essa não — exclama Kathleen, lendo o cartão. — Tinha ouvido um boato a esse respeito. Mas Berlusconi? *Tsc-tsc.*

— Sou assessor de imprensa do partido dele, não dele pessoalmente. — Ela arqueia a sobrancelha, desconfiada. Dario acrescenta: — Sempre *fui* de direita, lembra?

— Eu sei, eu sei. Me lembro de você.

— Bom, melhor eu deixar você ir. — Dario lhe dá um beijo no rosto. Ela afaga as costas dele. — Não precisa ficar me consolando — prossegue, sorrindo. — Não estou mais chateado.

Kathleen pega um táxi do lado de fora. Enquanto o taxista segue rápido rumo ao centro da cidade, ela checa o BlackBerry, que está vibrando com as mensagens de Craig: "Depoimento do general Abizaid no Senado sobre o Iraque. Como cobrir?? Ligue, por favor!" Nesse ínterim, Dario — que dormiu e acordou ao seu lado durante seis anos de sua vida — sumiu da mente dela. Kathleen não pode evitar: tem o temperamento típico de jornalista e o ex-companheiro já não está na sua primeira página. Ela se pergunta: quando as pessoas têm tempo de ficar meditando sobre o que quer que seja? No caso dela, não resta um minuto sequer para responder à questão.

Kathleen passa pelas várias editorias da redação para trocar ideias sobre a próxima edição. Sua chegada interrompe conversas, provoca expressões constrangidas e impulsiona uma série de telefonemas que deveriam ter sido feitos antes. A reunião de pauta da tarde é uma farsa. Os suspeitos de sempre vão chegando aos poucos e acomodando-se à mesa oval. Kathleen escuta. Depois, fala. Não de um jeito estridente — jamais desse jeito. Mas de forma pausada e aniquilante. Ordena ações, conclui com um "Está bem?" e sai da sala.

Seu maior aliado — a única pessoa que, a seu ver, equipara-se intelectualmente a ela — é Herman Cohen. Ele a está aguardando na sala dela. À porta, Kathleen cobre o rosto galhofeiramente, para bloquear a visão dele; em seguida, entra, formando uma cruz com os indicadores, como se estivesse diante de um vampiro.

— Por favor, não.

— Você sabe que quer isto — comenta ele, entregando-lhe o último número de *Por quê?*, o boletim interno no qual ele registra os erros do jornal. — Está tudo bem, minha querida?

— Basta eu passar uma manhã fora para esta redação virar um caos.

— Você está começando a ficar igual a mim.

— E estou sendo bombardeada de e-mails do setor de Contas a Pagar — diz ela, referindo-se à diretora financeira, Abbey Pinnola. — Ao que tudo indica, tenho que oferecer sacrifícios humanos.

— Ela quer que mande embora funcionários agora?

— Pelo visto, sim. Não sei direito quantos.

— Pessoal da área técnica ou editorial?

— Vamos ver. Quem você escolheria da editorial?

No topo da lista de Herman Cohen está Ruby Zaga, uma redatora famosa por inserir erros nas matérias.

— Ela é mesmo a pior? — pergunta Kathleen.

— Eu esqueci que Ruby é sua amiga.

— Uma colega, na verdade. Mas não podemos despedir Clint Oakley?

— Alguém tem que cuidar da seção de Enigmas, minha querida.

— Vou dizer a Abbey que só vou *considerar* a possibilidade de mandar funcionários embora se eu receber verba para um correspondente no Cairo, além de alguém para substituir Lloyd em Paris.

— É isso aí. Seja firme.

— Não consigo entender — comenta Kathleen — como Abbey pode dizer que ter correspondentes no Cairo e em Paris é luxo. Como assim? Trata-se de uma necessidade, isso sim. Luxo nessa altura do campeonato é ter uma conversa séria sobre o que acontece nesta redação. Vivo cobrindo buracos. Chega a ser deprimente.

— Aprenda a delegar.

— Quem?

— Como é?

— *A* quem — corrige-se ela. — Achei que tinha delegado a você. Não deveria estar me ajudando?

Kathleen falou sério, mas se expressou em tom de pilhéria: Herman Cohen é uma instituição ali, e ela não pode correr o risco de se indispor com ele.

— Alguém me encarregou disto. — Ele sacode um pacote de balas diante dela.

Quando Kathleen fecha a porta de vidro da sala, após a saída de Herman, alguns funcionários passam os olhos por ela e, em seguida, desviam o olhar. É estranho ser a chefe, sabendo que eles falam, duvidam, ressentem-se de você e — como são jornalistas — lamuriam-se, reclamando e queixando-se da sua pessoa.

O BlackBerry toca.

— Craig — atende Kathleen, soltando um suspiro —, por que está me ligando? Estou bem aqui, do outro lado da redação. — Ela ergue a mão.

— Desculpe, não a vi. Pode dar um pulo aqui? Precisamos de você.

Ela vai até lá.

À noite, Nigel prepara um *ossobuco* para o jantar.

— O cheiro está maravilhoso — comenta Kathleen, chegando mais tarde do que prometeu, como sempre.

O apartamento de ambos, perto da Via Nazionale, é espaçoso o bastante para uma família grande, embora abrigue apenas os dois. Não há quase nada, tal como Kathleen quis: cadeiras de cromo na sala, granito no banheiro, um fogão a gás e ventilador de teto combinando na cozinha. Em cada ambiente, a única decoração é uma enorme fotografia em preto e branco emoldurada, no meio da parede. Cada uma possui um tema diretamente ligado à respectiva parte da casa, de forma que na cozinha há uma foto imensa de cozinheiros recheando bolinhos de massa na casa de chá Luk Yu, em Hong Kong; na sala de jantar, uma imagem colossal de mesas vazias no El Bulli, em Costa Brava; na sala de estar, o interior do Skogaholm Manor, em Estocolmo; no banheiro, uma enorme fotografia de uma arrebentação, na Antártica.

— Quer um pouco? — Ele lhe serve o vinho.

— Qual é esse?

Nigel mostra a garrafa e em seguida lê o rótulo:

— "Montefalco. Caprai. 2001." — Sente o aroma da bebida, aproximando o nariz da taça.

Kathleen toma um gole sem seguir nenhum ritual.

— Nada mal, mas também não é lá grandes coisas — observa ela. — Você deve estar faminto. Desculpe por ter demorado. Melhor eu pegar água para a gente, não?

— Pode deixar que eu faço isso, paxá.

Nigel, um advogado aposentado desde que ambos deixaram Washington, há mais de dois anos, prospera nesse estilo de vida: lê baboseiras na internet, compra produtos alimentícios sofisticados, critica o governo Bush no jantar, usa o papel de dono de casa como um emblema em prol de políticas progressistas. A essa hora, geralmente está soltando o verbo: a CIA inventou o crack, Cheney é um criminoso de guerra, os ataques do 11 de Setembro foram concebidos por representantes das grandes petrolíferas. (Nigel diz um monte de idiotices quando trata da esfera política. Kathleen precisa lhe dar uma bofetada intelectual uma vez por semana, do contrário ele fica insuportável.) Essa noite, entretanto, ele age de forma comedida.

— Teve um bom dia? — pergunta.

— Hum, sim, até que não foi mal.

Ela se diverte por dentro — Nigel é tão transparente! É óbvio que fez algo e está penando internamente com a história. A tal inglesa. Nigel e ela vêm se encontrando toda semana para debater o fracasso da esquerda. Então, de repente, ele deixou de mencionar a mulher. Para Kathleen, a esquerda não deixou de desapontar. Ao que tudo indica, ocorreu algo.

Ainda assim, ao saborear seu *ossobuco*, achando graça da expressão falsa dele — disfarçada pela taça bojuda de vinho —, ela não consegue se importar muito. Mas se esse casinho *for* algo mais sério, aí sim ficará brava — tal situação comprometeria o relacionamento dos dois. No entanto, não parece ser esse o caso. Ele é mais um fornicador covarde do que um infiel destruidor de casamento. Se Kathleen ignorar o assunto, o que acontecerá? O caso morrerá aos poucos.

No trabalho, no dia seguinte, o telefone toca em sua mesa.

— Oi, sou eu de novo.

— Desculpe: quem é?

— Kath, sou eu.

— Meu Deus, Dario, não reconheci sua voz.

— Queria convidá-la para almoçar. A conta ficará a cargo do Forza Italia.

— Nesse caso, de jeito nenhum. Não, estou brincando, adoraria. Mas estou muito ocupada. Já expliquei para você, é uma tragédia, mas não almoço. — Entretanto, ela pensa melhor: um contato com o pessoal de Berlusconi pode vir a ser útil. O primeiro-ministro Prodi deverá cair, o que acabará antecipando a eleição, caso em que ter contato com Dario virá a calhar. — Mas seria legal sair com você. Que tal a gente se ver no happy hour?

Eles se encontram no restaurante externo do Hotel de Russie, em um pátio que parece uma *piazza* romana exclusiva para os hóspedes, com mesinhas cobertas instaladas sobre pedras *sampietrini.*

— Se você não se comportar — diz Kathleen, analisando a carta de bebidas —, vou pedir que lhe tragam o coquetel saudável de Punjab: iogurte, sal rosa do Himalaia, canela, água com gás e gelo.

— Ou que tal o Cohibatini? — sugere Dario. — Vodca, folhas de tabaco da Virgínia, rum Bacardi de 8 anos, suco de limão e mel de *corbezzolo.*

— Folhas de tabaco? Numa bebida? E o que diabos é mel de *corbezzolo*?

— Por mais tedioso que pareça, vou tomar o sauvignon.

— Por mais tedioso que pareça, eu também.

Fecham as cartas e fazem o pedido.

— Esse clima está esquisito. Quase tropical.

— Estamos aqui sentados, ao ar livre, em novembro: nada mal. Acho que apoio o aquecimento global. — Ela toma a decisão de parar de fazer essa observação insensata, que escapole de sua boca sempre que menciona o tempo. — Bom, não tem nada mais sacal do que falar do clima. Mas me conta, como você está?

Magro — é como ele está, agora que o observa melhor. Ele usa uma gravata violeta, com uma camisa de colarinho aberto que recai em seus ombros como se pendurada num cabide. Seu semblante — cândido e afetuoso — continua igual, o que o faz parecer mais jovem por algum motivo.

— Você já não é o mesmo — comenta ela.

— Não? Isso é bom. Imagine se tivesse continuado igual depois de todos esses anos...

Igual: é assim que Kathleen se sente. Mais vigorosa do que nunca aos 43 anos, com pernas longas e musculosas dentro da calça social, a meia-calça presa com firmeza na barriga tanquinho, cabelos sedosos de tom castanho, com poucos fios brancos. Orgulha-se injustificadamente de sua aparência.

— É tão engraçado vê-lo de novo — prossegue. — Parece até que estou me encontrando com uma versão antiga de mim mesma. — Kathleen lhe faz perguntas sobre os velhos amigos de ambos e sobre a família dele. Pelo visto a mãe dele, Ornella, continua fria como sempre. — Ela ainda lê o jornal?

— Não perde um exemplar há anos.

— Bom saber disso. E Filippo? — É o irmão caçula de Dario.

— Está com três filhos.

— Três? Que coisa mais atípica para um italiano. E você?

— Só um.

— Bem mais razoável.

— Um garoto. Massimiliano. Acabou de fazer 6 anos.

— Então está casado, obviamente.

— Massi? A gente quer esperar que ele faça 7.

Ela sorri.

— Perguntei se *você* estava casado.

— Estou, claro. E você?

Kathleen relata de forma galhofeira sua situação doméstica, descrevendo Nigel como um subalterno cômico, tal como sempre costuma retratá-lo.

— Ele me dá uvas na boca quase todas as noites. Faz parte de suas obrigações.

— Isso lhe cai bem.

— Depende da qualidade da uva. Mas, espere aí, ainda não tenho ideia de como você está.

— Bom, estou ótimo agora. Ano passado passei por momentos difíceis. Mas já ficaram para trás. O ponto fraco da minha família. — Ele se refere à depressão, de que o pai padecia, o que acabou com a carreira do velho na área diplomática. O colapso nervoso do embaixador em 1994 ocorreu na mesma semana em que Kathleen deixou Dario. — O pessoal foi compreensivo no meu trabalho. Diga-se o que for do Sr. Berlusconi.

— Por sinal, como vai seu pai?

— Bom, infelizmente, sinto informar que ele morreu há mais ou menos um ano. No dia 17 de novembro de 2005.

— Lamento ouvir isso. Gostava muito de Cosimo.

— Eu sei. Todos nós.

— Mas o seu problema não foi tão sério quanto o dele, foi?

— Não, não. Nem chegou perto. E os medicamentos são bem mais eficazes hoje em dia.

Os dois sorvem o vinho e passam os olhos pelos arredores do bar, os limoeiros em vasos de cerâmica, a fonte borbulhando com suavidade, a escarpa frondosa pela qual se sobe rumo ao parque Villa Borghese.

— Quis me encontrar com você por um motivo específico — comenta Dario.

— Ah, o objetivo implícito; agora vai tentar me convencer a gostar de Berlusconi desmanchando-se em elogios sobre ele?

— Não, não tem nada a ver com trabalho.

— Mas eu *quero* ouvir histórias sobre *Il Cavaliere* — salienta ela. — Estou louca para saber como é trabalhar para um homem tão refinado.

— Ele é um bom homem. Você não deveria desconsiderá-lo.

— E essa é a sua opinião pura e genuína. Pode repetir qual é a sua função? Relações-públicas, né?

— Não pode me culpar por tentar, Kathleen. Mas, não, queria lhe pedir outra coisa... Preciso do seu conselho.

— Sou toda ouvidos.

— Você ainda é amiga de Ruby Zaga?

Kathleen esquecera que Dario e Ruby se conheciam, pois os três estagiaram juntos no jornal por um breve período, em 1987. Aliás, foi Ruby quem lhe apresentou Dario.

— Ruby, a redatora? — pergunta Kathleen. — Nunca fui muito amiga dela. Por que pergunta?

— É só que tenho tido um probleminha com ela. Fazia anos que não a via, daí há alguns meses, não muito tempo após a morte do meu pai, esbarrei com ela na rua. A gente combinou de se encontrar para tomar algo, dei o número do meu telefone para ela e me esqueci da história. Mas Ruby ligou, e nós saímos. Uma noite normal, sem nada de especial. Só que desde então ela fica ligando para o meu celular e batendo o telefone na minha cara.

— Que estranho.

— Isso vem se repetindo há semanas. Deve ter ligado umas cinquenta vezes. Minha esposa está achando que estou tendo um caso.

— E você não está.

Ele pega uma azeitona.

— Não.

— Hum. Suspeito — acrescenta Kathleen.

Dario ergue os olhos, sorrindo.

— Não estou não. Sério. Bom, que tal a gente mudar de assunto? Berlusconi, você queria falar dele, não queria? — sugere.

— Você está fora de perigo, por enquanto.

— O que quer saber a respeito do homem?

— Primeiro, como pode trabalhar para esse sujeito? As cirurgias plásticas no rosto, os transplantes de cabelo: ele é um tremendo palhaço.

— Não a meu ver.

— Ah, tenha a santa paciência!

— Não esqueça, Kath: sou de direita.

— É o que está me dizendo o tempo todo. Como foi que aguentei você?

— Você era de esquerda?

— Claro — responde ela. — Mas você não poderia ter escolhido alguém melhor do que Berlusconi?

— Não poderia ter escolhido um lugar melhor do que o jornal?

— Como assim?

— Deixa pra lá. Mas, por favor, se não se importar, tente não me menosprezar. Você faz isso bem demais.

— Não o menosprezo. — Kathleen faz uma pausa. — E que história é essa de que faço isso bem demais? É assim que se lembra de mim?

— Não na maior parte do tempo.

— Bom, se eu agia assim, sinto muito.

— A gente recebe umas cestas maravilhosas no Natal — comenta Dario, mudando de assunto de novo. — Berlusconi não se compara nessa área: torrone, champanhe, foie gras.

Ótimo, então é para isso que Kathleen está ali: as informações privilegiadas sobre a vida sob as ordens de Berlusconi, o bobo da corte da Europa. No mínimo, Dario pode lhe passar uma história divertida para contar nas festas. Talvez até lhe renda uma reportagem. Ninguém resiste a uma matéria na linha do Berlusconi-é-ridículo. Mas, espere, espere — ela não acabou de falar.

— Espero não ter sido terrível com você.

— Não seja maluca.

— Acho que talvez tenha sido.

— Você sabe como eu era perdidamente apaixonado por você.

Ela pega uma azeitona, mas só a segura.

— Está sendo bem franco.

— Você era uma doçura. — Parece até um termo equivocado, porém ele domina o idioma com perfeição.

— Agora estou realmente me sentindo uma bosta. — Kathleen come a azeitona.

— Eu não disse que você *não era* uma bosta.

Ela ri.

— Cuidado. Talvez eu esteja pior agora.

— Imagino que sim. Mas isso é normal, não é? As pessoas pioram quando envelhecem. Eu, por exemplo, e você vai ficar chocada, cometi uma pequena violação de meu casamento.

— É mesmo?

— E olha que sempre odiei a infidelidade.

— Eu sei. Lembro bem.

— Mas nunca me senti culpado. Jamais contei a ela. Só fiquei irritado, irritado com Ruby. Foi ela a mulher em questão.

— Você teve um caso com Ruby Zaga? — Ela faz uma careta. — Nossa freira redatora?

— Não cheguei a dormir com ela. Só a beijei.

— E isso conta como caso?

— Sei lá. De qualquer forma, foi ridículo. Foi na vez que a gente saiu para tomar um drinque. Uma noite sacal, para ser sincero. Discordamos por causa de uma bobagem qualquer, nem lembro o quê. Ruby ficou toda melindrada. Paguei a conta e saí para esperar por ela lá fora. Ruby saiu chorando. Tentei acalmá-la e, não sei por que, acabei lhe dando o beijo. Ficamos assim por um momento, numa ruela em Trastevere, perto da casa dela. Lembro que cheirava a lixo. — Dario se mexe, constrangido. — Bom, mas não aconteceu nada depois disso. Como contei a você, quando ela me liga jamais conversa, nunca diz nada. Mas está começando a me causar problemas. Ruby ainda não caiu na real.

— Ora, ora.

— Hum — resmunga ele.

— Nunca teria imaginado essa. — Ela deixa escapar uma risada irônica. — Ruby Zaga!

— Estou morrendo de vergonha de admitir isso. Você é a única que sabe.

— O que posso sugerir? Mude o número do seu telefone.

— Não posso. Dei para ela o número do meu celular do trabalho, que é o que todo jornalista tem. Se eu mudar, ninguém vai me encontrar. E o meu trabalho gira em torno justamente de manutenção desses contatos.

— Eu mal troquei dez palavras com Ruby desde que voltei para Roma. Poderia tentar levantar o assunto com ela, mas seria bastante estranho. Agora fico me perguntando se você fez isso quando a gente estava junto.

— Claro que não. A gente não mentia um para o outro naquela época.

— Eu menti para você. Nunca cheguei a lhe contar que me candidatei para o emprego em Washington. Você não sabia que eu ia embora.

— Tem razão, é verdade.

— Sinto muito.

— Esquece, vai. Faz séculos que isso aconteceu.

Eles ficam ali sentados, comendo as azeitonas.

Uma expressão peculiar surge no rosto de Kathleen.

— Olha, você gostaria de fazer algo diferente? — indaga ela.

— Não sei. O quê?

— Bom, você estaria disposto a contar *toda* a verdade a meu respeito, revelando exatamente o que achava de mim? Eu me refiro aos velhos tempos, ao que pensava de mim naquela época. E posso fazer o mesmo com você.

— Para quê?

— Para ouvir todos os detalhes que não se diz a uma pessoa quando ainda se está com ela. Não tem curiosidade?

— Tenho medo de ouvir.

— Eu gostaria. Sou curiosa. Queria me entender melhor. Até mesmo melhorar, se é que possível! E confio em você. Na sua opinião. Você é inteligente.

— Você e a inteligência!

– O que é que tem eu e a inteligência?

— Sempre tão obcecada com isso, em classificar as mentes. A sua, em relação à dos outros.

— Não é verdade.

— Não vai dar para a gente ter uma conversa aberta se você se puser na defensiva.

— E se eu prometer não fazer isso?

— É uma bobagem, não é? Nos dissecarmos dessa forma? Se somos bons ou ruins de cama, esse tipo de detalhe vulnerável. Sórdido, não?

— Olha, é por isso que você deixou o jornalismo e eu não: não sei diferenciar interessante de sórdido. Ah, vamos! Vai ser divertido. Pode me criticar. Seja cruel. Diga o que quiser.

Dario se remexe na cadeira e concorda.

— Está bem. Se você insiste.

Ela dá uma palmada nas próprias coxas, satisfeita.

— Sempre quis uma oportunidade dessas. Vou até pedir outra bebida para me preparar para sua crítica implacável.

Enquanto aguarda a segunda taça de sauvignon, Kathleen telefona para Craig a fim de comunicar que ficará fora de contato por 15 minutos. Então desliga o BlackBerry.

— Um quarto de hora? — questiona Dario. — É só disso que precisamos para arrasar um ao outro?

— Não se trata de arrasarmos ninguém, mas de fazer um comentário honesto. É o que eu quero. E seja cruel. Pode dizer que tenho uma bunda horrível, que sou péssima de cama ou o que quer que seja. Sério.

— Quer algo sexual, então?

— Por quê, *tem* algum problema sexual?

— Não necessariamente.

— Tem.

— Deixa eu pensar em alguma coisa. — Ele faz uma pausa. — Não é nada muito importante. Mas acho que você era meio agressiva.

— Como? Sexualmente?

— É. Eu me sentia meio intimidado.

— Durante seis anos você se sentiu assim?

— É patético, eu sei. Difícil de explicar. Era meio como ser comido em vez de...

— Em vez de comer — conclui Kathleen, pouco à vontade. — Vai em frente.

— Mas, ao mesmo tempo, você nunca pareceu ter muito desejo sexual. Fazer amor com você me dava uma sensação diferente. Sabe, sei lá, de outro ato.

— Essa sua repugnância não foi nada óbvia na época.

— Viu? Já está na defensiva.

— Não estou não.

— Vamos continuar com isso, Kath? Está ficando meio desagradável.

— Sim, sim. Estou interessada.

— Sou só um cara que...

— Queria uma mulher mais submissa.

— Talvez menos agressiva. É tão ruim assim?

— Deveria ter optado por Ruby desde o início.

— Sei que você está brincando, mas foi isso, na certa, o que me atraiu nela.

— Você se sente atraído por mulheres que caem no choro quando paga um drinque para elas?

Dario não responde.

— Desculpe — diz Kathleen. — Mas é engraçado. Você odiou a forma como eu o tornei submisso. E eu detestava a sua passividade, detestava ter que tomar a iniciativa o tempo todo. Sabe? Mas, meu Deus, do jeito que você fala, parece até que eu o obrigava, acorrentando você à cama.

— Você bem que me acorrentou mesmo uma vez.

Kathleen ri.

— Pronto — comenta ela, dando um suspiro. — Não foi tão difícil. Mais algum comentário a meu respeito?

— Na verdade, não — responde Dario, hesitando. — Bom, uma coisinha; não sexual. Só que sempre achei que você era meio manipuladora. Dá para usar essa palavra nesse sentido neste idioma? Sabe, você sempre tentava ganhar algo. Eu me lembro de observá-la conhecendo gente nova; podia até ver sua mente maquinando. Fazendo cálculos.

— Está me descrevendo como uma péssima pessoa. Sou a mulher que você... — ela hesita em dizer "amava" — que você dizia que adorava.

— Não quero dar a impressão de estar criticando você.

— Não, imagine, é mesmo um enorme elogio — comenta Kathleen, com sarcasmo. — É possível supor que essa sua visão esteja sendo influenciada pela forma como eu fui embora?

— Não dou a mínima para isso agora. Me sinto até feliz por ter me deixado. Se você tivesse ficado, eu não teria conhecido minha esposa, nem tido Massi. Realmente a amei, Kathleen. Acontece que você, naquela época, vivia impondo condições.

— Ainda bem que eu impunha condições e não era uma bobalhona. Toda atitude inteligente impõe restrições.

— Que estranho pensar assim.

— Então, resumindo: sou castradora, calculista e nada afetuosa. Que belo retrato. Se cheguei a ser assim, foi por causa da inexperiência. Tinha 20 e poucos anos. Mas será que você não está sendo meio ingênuo? Sabe, afirmando que não quer *nada* das pessoas? Que não tem um motivo oculto? Todos têm um. Mostre a pessoa e as circunstâncias e eu indicarei o motivo. Até os santos têm: para se sentir mais santos, na certa.

— Um pensamento bastante cínico.

— Realista.

— É o que os cínicos sempre dizem. Mas fale a verdade, Kath, você planeja tudo? Até mesmo na sua vida pessoal?

— Acho que não. Não como antes. Admito que, nesse aspecto, fui um tanto má com você. Mas o objetivo de qualquer relação é obter algo da outra pessoa.

— Não encaro os relacionamentos dessa forma.

— Então, para quê você beija alguém? Para dar ou receber prazer? — pergunta Kathleen.

No jantar, à noite, Nigel a irrita. Ele se queixa de que o jornal já publicou uma notícia sobre o Fórum Econômico Mundial em Davos, embora ainda faltem semanas para o evento, ao passo que não se mencionou uma palavra sequer sobre o Fórum Social Mundial, em Nairóbi. Reclama também que os meios de comunicação dominantes só se importam com os brancos e ricos. Kathleen ressalta que, como o jornal não tem correspondentes na África, ela não tem como cobrir o fórum daquela região. Nigel abre a boca para protestar, mas em seguida muda de ideia.

— Você *pode* discordar — salienta ela.

— Eu sei.

— Só vai dizer isso? Que tal "O fato de você nem se dar ao trabalho de contratar alguém na África já comprova o que estou dizendo" ou "Uma notícia introdutória não precisa ter sido escrita no Quênia". Ambos seriam ótimos argumentos. Você poderia até incrementar com seu discurso sobre a relação entre africanos e europeus. Qual é mesmo? "Um branco morto equivale a vinte africanos mortos"? Não vai usar nenhum desses argumentos hoje? Só porque está se sentindo culpado não significa que precisa dar uma de incauto, Nigel.

— Estou me sentindo culpado?

— Por causa da sua namorada, talvez.

— Do que você está falando?

— A inglesa. Certo?

Ele vai ao banheiro. Após alguns minutos de silêncio, ouve-se a torneira sendo aberta. Mas mesmo depois de ela ser fechada Nigel continua lá, escondido. Para Kathleen, essa atitude só confirma sua teoria. Quando ele sair, terão uma conversinha. Nigel deve estar sentado na beira da banheira, tentando encontrar uma forma de dar um jeito nessa situação. O que aconteceria após o confronto? E se Nigel estiver envolvido seriamente com aquela mulher? Kathleen se aborrece consigo mesma — ainda magoada em virtude das críticas de Dario, acabou não lidando direito com a situação.

Ele sai e faz café. Ela observa seus movimentos pouco naturais na cozinha. Nigel age como se não estivesse na própria casa, mas invadindo a dela. É preguiçoso, pensa Kathleen. Tem mais ojeriza a trabalho do que a humilhação. Vai se aferrar a esse casamento.

— Eu sei. Eu sei — comenta ele.

— Sabe o quê?

Nigel não olha para ela.

Antes de se unirem, eles estabeleceram uma norma a respeito do adultério, uma alternativa madura como os dois se julgavam ser. Segundo as estatísticas, era bastante provável que pelo menos um deles cometesse adultério. Então ambos decidiram que a parte culpada ficaria expressamente proibida de revelar o segredo.

— Isto é o que não deveria acontecer — diz Kathleen. — Na verdade, eu me sinto mais magoada com essa história do que deveria. Uma bobagem.

— Não. Você não é boba.

Passa pela mente dela a descrição que Dario fez de sua sexualidade. Kathleen não vai se rebaixar exigindo que Nigel lhe conte os pormenores.

— Quero perguntar os detalhes — acrescenta ela.

— Não faça isso.

— Não vou fazer. Mas vou continuar com essa vontade.

— Não vá por esse caminho. É uma estupidez. Da minha parte, quero dizer. Não da sua.

— Concordamos que isso não deveria acontecer, mas não chegamos a decidir o que faríamos se ocorresse. A menos, claro, que você queira tornar o caso importante. A ponto de pôr fim ao nosso casamento.

— Não seja maluca. — Ele abre e fecha a porta da geladeira, sem motivo aparente. — Não sei. Me desculpe. Sou um babaca. Mas não significou nada. Se você me deixasse contar os detalhes, ia se sentir melhor? Para ver como foi uma bobagem?

— Eu me sentiria pior.

— Então, o que vamos fazer?

Ela dá de ombros.

Nigel tenta aliviar o clima.

— Agora você pode ter uma aventura e estaremos quites.

Kathleen não acha divertido.

— Eu, transar com outra pessoa?

— Estou brincando.

— Por que brincar com isso? Talvez seja uma boa ideia.

— Eu falei sério.

— Olha só, eu não quero ter um caso. Caramba! Só estou mais magoada do que esperava que ficaria.

— Mais do que esperava? Você achava que isso ia acontecer?

— Sabia que estava acontecendo. Você é muito transparente. E, quem sabe: talvez eu aceite a sua ideia de um caso gratuito, talvez não. Você pode ficar se perguntando, às vezes.

— Está brincando?

— Não.

— O que posso dizer? Se quer agir assim, tudo bem. Não posso impedi-la, mas lamento muito.

— *Você* lamenta muito? — diz Kathleen, levantando a voz. — *Eu* é que lamento, porra! Não causei isso. *Eu* é que lamento, ora!

Nos dias que se seguem, ela é grosseira com os estagiários — sempre uma prova definitiva do seu estado de ânimo — e confronta os repórteres para depois aniquilá-los. Telefona para o diretor, Oliver Ott, e deixa outra mensagem na secretária eletrônica, exigindo um aumento da verba e dando a entender que sua demissão não está fora de cogitação. Envia um e-mail ao Conselho de Administração do Grupo Ott, em Atlanta, com um aviso similar.

A forma como a questão foi tratada com Nigel a repugna. Um caso gratuito — que tipo de pessoas nós somos?

Mais tarde, ainda essa semana, Kathleen vai ao trabalho de Dario, que é sede do partido de Berlusconi, na Via dell'Umiltà. Ele se encontra com ela no térreo. Está mais autoritário e confiante do que antes; é evidente que seus colegas o respeitam. Conduz a visitante até sua sala, que é forrada com carpete carmesim e que tem um afresco retratando um combate de cavalaria napoleônica no teto e uma TV de tela plana na parede. A TV transmite um canal só de notícias, mas o som está desligado.

— Talvez você tenha razão quanto a Berlusconi, se ele fornece um escritório como este — comenta Kathleen, observando a vista quatro andares abaixo, no pátio, pela persiana aberta.

— Quer um café?

Ela se senta.

— Infelizmente, não tenho tempo.

— Veio só para um breve oi?

— Um rapidinho. Engraçado, né? Trabalhamos tão perto um do outro, mas nunca nos encontramos nesta área.

— Como eu sabia que você ficava em Corso Vittorio, evitei ir até lá.

— Não deveria ter feito isso.

— Eu sei, uma bobagem.

— Bom... — Kathleen se levanta.

— Nossa, foi rápido mesmo. — Dario também fica de pé e contorna a mesa.

Ela coloca a mão no pescoço dele e faz menção de beijá-lo.

— Na verdade, não é uma boa ideia. — Ele afaga a mão dela, e não a afasta de seu pescoço.

— Um beijo. Para eu me lembrar de como é. — Kathleen está brincando; tira a mão de sua nuca.

— É legal ser irresistível.

— Então é não?

— Não é uma boa ideia.

— E se fecharmos as persianas? — Ela dá umas batidas provocativas na mesa com acabamento de couro.

Dario ri:

— Você enlouqueceu.

— A que horas você sai?

— Hoje temos um jantar para discutir diretrizes, depois do expediente.

— Que vai terminar que horas?

Kathleen diminui a distância entre ambos e coloca as mãos nos ombros dele. Dario segura as dela. Enquanto se beijam, ela o observa. Ele está de olhos fechados. Os dois se afastam, dando um passo para trás, as mãos descendo até encontrarem o quadril um do outro.

— Isso foi...

— Estranho.

— Muito estranho.

— Você. De novo.

— É. Você, outra vez.

Kathleen abotoa o sobretudo.

— Vou voltar depois do trabalho, à noite. Um pouco depois das 10?

— Vou estar no tal jantar.

— Então volte aqui, invente algum motivo. Estarei esperando lá embaixo.

Kathleen chega como planejado e Dario escapole do jantar. Ele a leva até sua sala.

— Tenho um pedido a fazer — informa ela. Dario não sabe ao certo se senta atrás, à mesa, ou se fica de pé. — Não quero agir como antes. Sua descrição me pareceu terrível.

— Não sou mais o mesmo — diz ele, sentando-se. — E é por esse motivo que isso não faz sentido.

— Então, vamos só conversar. Mas podemos pelo menos trocar ideias do mesmo lado da mesa? Ou está com medo de se atirar em cima de mim? — Ela dá a volta, inclina-se e o beija. Senta-se no colo dele.

Kathleen o analisa, avalia sua face vulnerável. Olhe só para ele: quer transar com ela. Ao se dar conta disso, ela se sente saciada. Afasta uma mecha de cabelo da testa e suspira.

— Que horas são? — pergunta Kathleen. — Acho melhor eu ir.

Ela checa o BlackBerry a caminho de casa. Recebe um e-mail de Abbey informando que o Conselho de Administração do Grupo Ott está analisando seu pedido de mais investimentos. A única condição é o jornal cortar custos de mão de obra. Se mandar alguns funcionários embora, Kathleen poderá obter verba para contratar correspondentes no exterior. Vai valer a pena.

Ela dá uma gorjeta generosa ao taxista e pega o elevador até seu apartamento, imaginando todas as novas possibilidades que o jornal terá. Um bom correspondente em Paris, finalmente. Um em período integral no Cairo — Meu Deus, como vai fazer diferença! Ela entra com os costumeiros pedidos de desculpas para Nigel, que lhe entrega uma taça de vermentino. Kathleen o afaga e toma um gole.

— Hum, delicioso. Ótimo.

— Não é tão especial assim — diz ele, com modéstia, embora esteja claramente animado com sua aprovação.

— Você acertou em cheio. Sério. Excelente escolha. Queria algo assim. Aliás, tenho uma boa notícia.

Com satisfação, ela lhe conta a vitória obtida com o mesquinho Conselho de Administração do Grupo Ott. Ele fica cada vez mais animado e, sem nunca deixarem as taças esvaziarem, os dois discutem o que o jornal deve fazer com o dinheiro.

Kathleen deixa que ele comece. Nigel se exalta, os olhos brilhando, como se essa modesta quantia pudesse transformar a publicação. Ela lhe dá corda emocionada com sua empolgação. Então o companheiro a observa e diz:

— Não sei, talvez seja uma idiotice.

Ele é engraçado, pensa Kathleen: adota esses posicionamentos controversos e depois recua quando nos entreolhamos, como se cada incursão intelectual dele equivalesse a ser pego cantando no chuveiro.

Na redação, ela deixa vazar informações sobre os possíveis novos recursos, sabiamente omitindo detalhes específicos, para que cada editoria fique empolgada e esperançosa. Espalham-se boatos a respeito de aumentos de salário por mérito. Ela reprime as fantasias mais mirabolantes, porém permite que um pouco desses agradáveis sonhos permeie a redação.

Recebe um e-mail de Dario, mas não o abre na hora. Será que deveria responder-lhe de imediato? Talvez deva ignorar a mensagem. O que dizer de uma relação casual? Seria totalmente antiético. O jornal vive publicando notícias sobre o chefe de Dario. E Berlusconi é muito ridículo. Se as pessoas soubessem que ela está envolvida com um assessor dele, não seria nada bom. São dois pesos e duas medidas, pensa ela; todo mundo critica quando executivas têm seus casos amorosos: não prestam atenção no trabalho, suas opiniões são afetadas e estão sob o domínio dos amantes, alegam. Por outro lado, quando um editor do sexo masculino seduz alguma relações-públicas gostosa, é ele quem está no controle, ele é que está se aproveitando dela. Uma tremenda sacanagem. Mas Kathleen já viu mulheres serem arruinadas por menos. Um dia ela voltará para os Estados Unidos, num cargo ainda melhor. Precisa manter a reputação intacta. Esse emprego, por mais falhas que tenha, deve fazê-la subir — Kathleen pretende sair dali como alta executiva. Não pode se arriscar a manchar sua reputação.

Ou seja, não pode se envolver com quem? Bem, com Dario. Um cara agradável, mas fraco. Ele andou mal uns tempos, o coitado. Não é de todo surpreendente. Talvez tenha acabado na área de RP porque é a isso que ele se resume, relações públicas: um amor de pessoa, porém um sujeito nada fora do comum. Provavelmente encontrou seu lugar na sociedade.

Kathleen lê o e-mail. Trata-se apenas de uma recordação da viagem que fizeram no mar Adriático em 1988, quando alugaram um veleiro que nenhum dos dois conseguia manejar. Ela sorri diante da menção de *ajvar*, a pasta de legumes iugoslava que ambos comeram ao longo das férias, para economizar. Belisca-se, aborrecida consigo mesma — a avaliação que fez de Dario foi uma tremenda traição. Kathleen relê o e-mail e responde: "E aí, vamos tomar um drinque depois do trabalho?"

Eles se encontram no 'Gusto. A hostess os leva até um canto apertado, uma mesinha perto da janela. Uma banda de jazz toca nos fundos, e os dois precisam se sentar juntos para conseguir conversar.

— Você já provou caipirosca? — pergunta Dario. — Aqui tem de morango. Vou pedir uma para você.

— O que é?

— Parece uma caipirinha, mas é feita com vodca em vez de cachaça.

Ela ri.

— Não faço a menor ideia do que você está falando.

— Não gosta de coquetéis?

— Quase sempre tomo vinho. Já vi que você começou a curtir os coquetéis depois que eu fui embora.

Dario dá uma piscadela.

— Afogando as lágrimas — diz ele.

— As pessoas não usam bebidas tipo uísque para afogar as mágoas? Com certeza não essa sei-lá-o-quê de morango.

— Caipirosca. Vou pedir uma para você. Toma, vai.

Essa situação não é inocente, pensa Kathleen, é um flerte. Ela desencadeou algo em Dario lá no escritório dele. Ela vai ao banheiro e na volta encontra as bebidas na mesa: uma caipirosca de morango para ela e uma taça de pinot grigio para ele.

— Depois de toda essa discussão, acabei eu com a bebida de mulher e você, com o vinho! Não vale! — exclama Kathleen ao se sentar. Em seguida prova a sua. — Hum. Tem pedaços de morango de verdade!

— Eu falei.

Kathleen toma outro gole. É uma dessas misturas com frutas em que a substância alcoólica vai direto para as pernas.

— Podia tomar isso direto. — Ela sente vontade de tocá-lo, no outro lado da mesa. Mas não vai fazer isso. Seria irresponsável. Kathleen precisa deixar claro que o que estão fazendo não vai chegar a lugar nenhum. Precisa deixar de lado a sei-lá-o-quê de morango e se concentrar. — Escute... — começa, pegando o pulso dele.

Dario coloca a mão dela na sua e aperta-lhe os dedos.

Kathleen prossegue:

— É tão bom ficar ao seu lado de novo.

O que ele está fazendo? Chega a ser cruel. Evidentemente, ainda está apaixonado por ela.

— Foi muito difícil depois que você foi embora — comenta Dario.

— Eu sei. Sinto muito mesmo.

— E é difícil vê-la de novo.

Kathleen pensa em beijá-lo.

Ele coloca a mão dela na mesa.

— Preciso dizer alguma coisa.

— Eu sei, eu sei.

A mente dela busca febrilmente uma forma de fazer com que ele pare: ele está prestes a se declarar, e ela vai ter que dar outro fora nele. Precisa interrompê-lo.

Ele continua:

— Tenho que deixar claro, Kath, antes que a gente prossiga, que só podemos ser amigos.

Ela se recosta. Em seguida inclina-se, e depois recosta-se de novo.

— Sei. — Kathleen toma outro gole da caipiroska.

— Sabe, não voltar à relação que tivemos antes. Você também pensa assim?

— Esse troço é enjoativo, tem um gosto forte. Doce demais. — Ela solta o canudo. — Claro, concordo plenamente. Eu mesma ia dizer isso. — Kathleen olha ao redor. A banda de jazz toca alto demais. Ela toma outro gole. — Hum.

— Por que está fazendo hum?

— Nada não. — Kathleen faz uma pausa. — Mas como é possível? Sabe, eu concordo, não estou tentando fazer com que mude de ideia. Só me sinto meio confusa. Alguns dias atrás, se não me engano, você queria transar comigo no seu escritório.

— Não, não queria.

Ela o fita, boquiaberta.

— Aquilo não aconteceu? Eu estava tendo alucinações?

— Não ia acontecer mais nada.

— Mas quase aconteceu, Dario.

— Não. E nem teria acontecido.

— Ah, fala sério.

— Não teria acontecido — insiste ele. — Já não me sinto atraído por você.

— Como assim? — É óbvio o que ele quis dizer, mas ela tergiversa até poder se recompor.

— Não me sinto mais atraído sexualmente por você. Espero não estar sendo grosseiro.

Ela junta os cabelos num dos lados.

— Pelo visto, preciso começar a tingir os fios brancos.

— Não é a idade.

— É, tem razão. A Ruby é mais velha que eu e isso não o impediu de dar continuidade à relação com ela.

— Eu já disse: no seu caso, é como se você fosse a agressora. Sabe, às vezes não a entendo. Até mesmo lá na minha sala, parecia estar a fim, mas quando dei trela, você simplesmente se afastou.

— Você está com a ideia fixa em como a nossa relação *era*. Mas concordamos que não traríamos os velhos hábitos de volta, não é mesmo? Já não sou assim, se é que fui.

Ele toma o restinho do vinho. Ela também já acabou a caipirosca. Mas nenhum dos dois está pronto para ir embora. Esse encontro está sendo muito amargo.

— Mais uma?

— Vou tomar outra.

Ele a pega sorrindo.

— O quê? Qual é a graça?

— Nós. Tivemos a minha sessão idiota de honestidade antes; supostamente para eu me livrar de todos os maus hábitos. Mas, em vez disso... — Ela balança a cabeça. — Você é muito esperto, sabe? Eu não vinha lhe dando o devido crédito. — Kathleen passa o indicador no alto do nariz dele.

— Você sabe que não.

Ela cobre o rosto com as mãos, espiando-o dramaticamente por entre os dedos.

— Pareço tão terrível pela sua descrição... E nem posso discordar. Bom, posso. Mas não honestamente.

Dario aproxima seu banco do dela e, quando Kathleen descobre o rosto, ele acaricia seus cabelos. Toca em sua testa.

— Você. De novo. Continuo sentindo carinho por você, minha doçura. — Ele sorri. — Já lhe disse isso antes.

Kathleen se afasta.

— Como? Do que é que está falando?

— Você é tão determinada. Como uma toupeira cavando a terra, simplesmente indo em frente. Mas eu me lembro de você. Acordando. Dormindo. Tendo uma crise de soluços no cinema.

Ela não consegue dizer nada.

— Mas isso me deixa triste. Você me entristece um pouco. Ainda a adoro, mas não vamos começar nada.

Os olhos dela ficam marejados.

Baixinho, ela diz:

— Obrigada. — Em seguida, limpa o nariz. — Quando eu estiver velha, corcunda, sentada numa cadeira de balanço, você vai segurar minha mão, está bem? Esse será o seu trabalho.

Dario pega a mão dela e a beija.

— Não. Quando você estiver velha e corcunda, já terei partido. Vou segurar sua mão agora. No futuro, você vai ter que se lembrar desse momento

1962. Corso Vittorio, Roma

O burburinho na redação penetrava na sala de Betty: gargalhadas e fofocas sussurradas, os estalidos e tlins *das máquinas de escrever, os redatores esvaziando os cinzeiros de cristal na lata de lixo. Ela estava sentada à mesa, sem conseguir trabalhar, totalmente desanimada.*

Ridícula — era assim que se sentia. Digna de riso. Não tinha o direito de ainda estar de luto. De haver cultivado a ilusão de que ela e Ott compartilhavam de uma ligação especial. Contemplar quadros um com o outro. E os velhos tempos em Nova York, juntos?

Todos se sentiam assim em relação a Ott, pensou ela *— aquela sensação de que sua importância na vida do diretor era maior do que de fato era. Ele exercia esse efeito. Sua atenção era um holofote: tudo o mais se ofuscava.*

Entretanto, Betty não lhe provocara esse efeito. Ele a deixara em Nova York, voltara para Atlanta, batalhara pela vida de lucros e crescimento. Casara-se, tivera um filho. Betty deveria tê-lo esquecido: sua ausência não poderia ter importado daquela forma, por tanto tempo. Por fim, ela deixara Nova York rumo à Europa com o intuito de cobrir a guerra de Hitler. Em Londres, conhecera um jornalista também americano, Leo, e casara-se com ele. Depois da guerra, os dois se instalaram em Roma, ela tomando mais Campari do que imaginara ao provar a bebida pela primeira vez e escrevendo menos do que planejara.

Então Ott apareceu e sua presença de imediato trouxe à tona todas as concessões que ela fizera ao longo dos anos, embora ao mesmo tempo tenha atuado como uma válvula de escape em re-

lação a tais concessões. Betty sentiu vontade de escrever de novo e achou que podia. Ott a transformou na voz do jornal. Embora o cargo de editor-chefe fosse de Leo, todos sabiam que Betty era o cérebro de tudo. Ela voltou à vida com Ott no outro lado da redação. Mas e fora do jornal?

Ott nunca procurou retomar nada com ela. Os passeios dos dois para comprar obras de arte, seus almoços na mansão dele — inexpressivos. Ele nem me contou que estava doente, pensou Betty. Nunca pediu ajuda. Jamais entrou em contato comigo quando estava morrendo. Não exerci esse papel na vida dele. Não tenho direito de sentir esta dor.

Certa noite, quando Leo havia saído para beber com o pessoal, Betty pegou um táxi até o monte Aventino e ficou parada diante da grade com pontas de ferro que circundava a antiga mansão de Ott. Não havia mais nada ali. Somente os quadros que os dois compraram juntos: a cigana com pescoço de cisne de Modigliani; os chapéus de feltro e as garrafas de vinho de Léger; as galinhas azuis acrobáticas e os rabequistas cor de esmeralda de Chagall; o aconchegante presbitério inglês de Pissarro, com a fumaça saindo em espiral da chaminé; o mar agitado no naufrágio de Turner — todos eles pendurados na escuridão, sem sentido. Tocou a campainha, fazendo-a ressoar na casa vazia, sabendo que seria inútil, mas apertando-a até o dedo ficar branco, sem sangue. Então, soltou-a; a mansão caiu no silêncio.

Sem Ott por perto, Betty e Leo discordavam cada vez mais a respeito de como conduzir o jornal. Procuravam disfarçar seu desentendimento na redação, mas sem muito sucesso. Então, receberam com apreensão a notícia de que viria alguém da sede em Atlanta: Boyd, o filho de Ott, que passaria o verão de 1962 em Roma antes de voltar à Universidade de Yale, onde estava no terceiro ano.

Leo, ansiando bajular o rapaz, mandou as empregadas fazerem uma faxina na mansão do monte Aventino e planejou uma série de eventos glamorosos, com o intuito de impressionar o jovem.

Quando adolescente, Boyd visitava Roma no verão, para passar algumas semanas com o pai. Para ele, o auge dessas visitas era quando conversava com Ott sozinho. Até mesmo seus comentários mais superficiais lhe pareciam fatos certeiros, tão garantidos quanto os planetas. Quando as férias terminavam, Boyd ansiava ficar, disposto a abandonar a escola em Atlanta para morar com Ott em Roma. Porém, o pai nunca o convidou a fazê-lo. No voo de volta, o adolescente zombava de si mesmo sem piedade, relembrando comentários incorretos e sentindo remorso ante a lembrança, considerando-se um idiota, uma desgraça.

Naquele momento, dois anos após a morte do pai, Boyd voltava à cidade, já rapaz. Para surpresa de todos, recusou-se a ficar na velha mansão de Ott, preferindo hospedar-se em um hotel. E não demonstrou o menor interesse em farrear com Leo e o pessoal da redação. Desdenhava bebidas alcoólicas, não apreciava comida, não demonstrava ter nenhum senso de humor. Seu objetivo em Roma, informou, era aprender a conduzir o jornal. Mostrava-se mais interessado em aprender a administrar os negócios de Ott.

"O que meu pai achava disso?", perguntava. "E o que dizia a esse respeito? Quais eram seus planos para o jornal?"

— Tenho a impressão de que o rapaz está meio zangado — observou Betty. — Você não acha?

— Bom, eu gosto dele — respondeu Leo, quase a repreendendo.

— Não foi isso o que eu quis dizer.

Somente depois que Boyd voltou para Atlanta é que Leo e Betty se separaram. Ela gostava de dizer que ficara com o toca-discos e ele, com o jornal.

Betty voltou para Nova York e conseguiu um emprego, editando matérias especiais numa revista feminina especializada em receitas com sopa de cogumelo enlatada. Alugou um conjugado no Brooklyn, com vista para o pátio de uma escola primária, e todas as manhãs dos dias úteis acordava com os gritos da criançada. Pegava o roupão pendurado no prego atrás da porta e se sentava à janela, observando: garotos brigando, examinando os joelhos ensanguentados, reiniciando o combate; meninas novas procurando amigas, as mãos nos bolsos dos aventais.

Ela nunca voltou a Roma.

“A VIDA SEXUAL DE MUÇULMANOS EXTREMISTAS”

WINSTON CHEUNG, COLABORADOR NO CAIRO

WINSTON ESTÁ DEITADO SOB O VENTILADOR DE TETO, perguntando-se por onde começar. Acontecimentos noticiáveis ocorrem diariamente no Cairo. Mas onde? A que horas? Liga o laptop e lê o jornal local on-line, porém continua intrigado. As tais entrevistas coletivas — como a pessoa consegue ter acesso a elas? E onde se pode obter as declarações oficiais? Winston perambula por Zamalek, seu bairro, meio que esperando que uma bomba exploda — não perto demais, claro, mas a uma distância segura, que lhe permita tomar notas. Sua matéria sairia na primeira página do jornal, com seu nome e tudo, o que nunca aconteceu.

No entanto, nenhuma bomba explode naquele nem nos dias seguintes. Winston checa o e-mail a todo momento, já prevendo uma mensagem encolerizada de Craig, querendo saber o que diabos ele anda fazendo. Em vez disso, encontra um e-mail de outro sujeito aspirando à função de colaborador no Cairo, Rich Snyder, que anuncia sua chegada iminente, terminando com a frase: "Mal posso esperar para ver você!"

Bem simpático, pensa Winston. Mas será que devemos nos encontrar? Redige uma resposta cordial: "Espero que faça boa viagem. Um abraço, Winston."

Recebe imediatamente outra mensagem: "Tomara que possa me pegar! Até mais!" Rich inclui o número do voo e o horário de chegada.

Estão esperando que Winston o pegue no aeroporto? Os dois não são rivais? Talvez por cortesia profissional. Ninguém na redação mencionou isso. Se bem que ele não faz a mínima ideia de como funciona a imprensa. Como não tem mais nada para fazer, pega um táxi até o Aeroporto Internacional do Cairo.

— Puxa, você veio até aqui, tão longe. Que legal — comenta Rich.

Ele segura os ombros de Winston e deixa uma maleta cair do seu próprio. O recém-chegado tem quase 50 anos, usa uma jaqueta militar folgada e uma camiseta branca, com plaquinhas de identificação de cachorros, penduradas no pescoço. Uma coroa de cabelos grossos e ondulados circunda sua cabeça e olhos pequeninos movimentam-se rápida e bruscamente, sob sobrancelhas grossas. É difícil para Winston ignorar: Rich parece um babuíno.

— Legal voltar para o Oriente Médio — diz Rich. — Você não faz ideia de como estou exausto. Acabei de chegar da "confe" de Aids.

— De onde?

— Da conferência sobre Aids, em Bucareste. É tanta bobagem; odeio receber prêmios. E o jornalismo não é uma competição. Não é essa a ideia, sabe? Mas deixa pra lá.

— Você ganhou um prêmio?

— Nada de mais. Só pela série que fiz para o jornal a respeito dos bebês de ciganas portadores do vírus da Aids. Você leu, não leu?

— Hum, acho que sim. Provavelmente.

— Cara, onde é que você tem andado? Até sugeriram o Pulitzer para essa reportagem.

— Você foi indicado para receber o Pulitzer?

— Fizeram essa sugestão — explica Rich. — Sugeriram a indicação. O que me deixa puto da vida é a comunidade internacional se recusar a agir. É como se ninguém se importasse com os bebês ciganos portadores de Aids. Em termos do Pulitzer. — Aponta para a maleta. — Você se importa de colocá-la no carro? Tenho problemas sérios na coluna. Valeu. — Em seguida, ele abre bruscamente o celular para dar uma olhada na tela. — Sou paranoico. Fico achando que vou telefonar para uma pessoa sem querer na hora em que estiver falando dela. Esse troço está desligado, não está? — Rich volta a fechá-lo, de forma ruidosa. — Adoro a Kathleen. Você não? Ela é ótima. Quando eu trabalhava num outro jornal, Kath vivia tentando me contratar como, sei lá, principal colunista de política em Washington. Mas como eu estava enfurnado no Afeganistão na época, respondi a ela: "Valeu pelo convite, mas você escolheu um péssimo momento." Kath está furiosa com ela mesma até hoje. Com as operações militares perdidas. Mas deixa pra lá. Você curte ela?

— Kathleen? Não a conheço muito bem; só estive com ela uma vez, numa palestra em Roma.

Rich continua a abrir e fechar o celular.

— *Entre nous* — confidencia —, é uma piranha. E essas não são as minhas palavras. É o que a galera diz, *entre nous*. Eu mesmo odeio a palavra "piranha". Sou feminista. — Checa o celular. — Que isso fique *entre nous*, tá?

— O quê? Que você é feminista?

— Não, não; isso você pode espalhar por aí. Estou dizendo, *entre nous*, que Kathleen não é lá essas coisas, pelo que comentam. Algumas pessoas falam em "ação afirmativa", apesar de eu, pessoalmente, achar o termo ofensivo. — Rich se dirige ao estacionamento do aeroporto. — Sente só este calor, mano! Cadê nosso carro?

— Pensei que a gente podia dividir um táxi.

Pestanejando ante o sol forte, Rich se vira para Winston.

— Quantos anos você tem, aliás? Dezessete?

Isso acontece muito com Winston — a puberdade não deixou muitas marcas nele; ainda não tem barba. Tenta parecer mais velho usando terno, mas, nesse clima úmido e abafado, o efeito mais visível é o suor: ele circula pelos lugares enxugando o rosto e limpando os óculos embaçados, em geral aparentando ser um office boy nervoso da Assembleia Legislativa.

— Vinte e quatro.

— Uma criança — comenta Rich. — Onde é que eu estava quando eu tinha a sua idade? No Camboja, fazendo a cobertura dos campos de extermínio? Ou com os rebeldes, no Zaire? Esqueci. Deixa pra lá. Dá para você abrir a porta do táxi? Minha coluna não aguenta. Valeu. — Rich se espalha no banco de trás do veículo. — Cara, vamos fazer jornalismo.

Winston se espreme no espaço minúsculo deixado pelo rival. O taxista fica dando voltas, aguardando instruções, inquieto, mas Rich continua a tagarelar.

Com hesitação, Winston o interrompe:

— Desculpe, mas em que hotel você vai ficar?

— Esquenta não, cara; vamos deixar você primeiro.

Winston diz o endereço ao motorista.

— Ah — observa Rich, arqueando a sobrancelha —, você fala árabe.

— Não perfeitamente.

Começou a estudar o idioma apenas algumas semanas atrás, quando Craig lhe falou da vaga de colaborador numa troca de e-mails. Antes, estudava primatologia numa universidade em

Minnesota. Porém, com sérias dúvidas a respeito de seu futuro nos confins do meio acadêmico, resolveu mudar radicalmente, largando o curso para se tornar correspondente internacional.

— Tenho certeza de que você fala árabe pra caramba — insiste Rich. — Lembro quando eu estava nas Filipinas, durante a revolta do Poder Popular, na década de 1980, e todo mundo dizia, tipo, "Cara, tagalo é difícil pra caramba", e eu respondia, tipo, "Papo furado". E em questão de dias, eu já estava paquerando as garotas em tagalo e tudo o mais. Dois dias. O pessoal exagera na dificuldade dos idiomas.

— Então você deve falar árabe muito bem.

— Na verdade, não falo mais nenhuma língua estrangeira. Eu ficava tão fissurado pelas culturas que não era saudável. Então agora só falo inglês. Também me ajuda a manter a objetividade. — Ele aperta o ombro de Winston. — Estou louco pra malhar, cara. Onde fica a sua academia? Tem uma aqui, não tem? Adoro esportes radicais: ultramaratonas, kite-surfing, tênis. Ainda tenho amigos no circuito de tênis. Antes ficavam insistindo para eu virar profissional, só que eu sempre dizia, tipo, "Não preciso provar nada a ninguém". — Rich observa a vista, contraindo um músculo peitoral. — Você veio de onde, hein?

— De um lugar perto de Minneapolis.

— Cara — interrompe o sujeito —, eu quis dizer onde é que você *trabalhava* antes.

— Ah, sim, claro. Hum, basicamente como freelancer. Para várias publicações locais em Minnesota.

Uma mentira: seu último texto foi um trabalho na universidade sobre o ensino da língua dos sinais a símios do gênero *macaca* (má ideia, no fim das contas).

Felizmente, Rich não está interessado em averiguar fatos.

— Em quantos lugares já fiz reportagens até agora? — pergunta-se o sujeito. — Nem lembro. Tipo, 63? Estou incluindo países que já nem existem mais. Pode? Não faz diferença. Não passa de um número, não é? Em quantos você já esteve?

— Não muitos.

— Tipo o quê, cinquenta?

— Dez, talvez. — Winston nem chegou a isso.

— Dez em comparação com 63. Duvido que levem isso em consideração quando decidirem quem vai ficar com a vaga. — Dá um sorriso afetado.

— Quer dizer que este não é um trabalho temporário? O Craig me disse por e-mail que era só um posto de colaborador.

— Foi o que te disseram? — Rich deixa escapar um resmungo. — Filhos da mãe.

Os dois chegam ao apartamento de Winston em Zamalek. Rich desce também, alonga o pescoço, fazendo um movimento rotatório, e dá uma corridinha sem sair do lugar.

— Evita coágulos de sangue — explica. — Você pode pegar minha maleta? Aí, valeu, hein?

— Você vai se hospedar aqui perto?

— Só ia tomar uma ducha *chez toi*, se não se importar.

— E o seu hotel?

— Pô, mano, é só água; se não quiser que eu use a sua valiosa ducha, é só falar. Acabei de sair de um voo interminável. Mas deixa pra lá.

O taxista estica a mão.

— Só tenho dinheiro da Romênia, mano — informa Rich.

Então Winston paga.

Uma hora depois, Rich sai do banheiro, com uma das toalhas de Winston enroladas na cintura. Começa a meter uma calça de camuflagem e deixa a toalha cair no tapete, expondo por alguns instantes a virilha peluda. Winston desvia os olhos, mas não rápido o bastante, sendo obrigado a aturar a visão do outro metendo o pênis na perna esquerda da calça.

— Estilo comando — comenta o sujeito, abotoando a roupa. — Sempre opte por esse visual.

— Vou levar isso em conta — diz Winston.

— E aí, há quanto tempo está aqui?

— Faz algumas semanas. Uma mulher chamada Zeina, que conheci na faculdade, trabalha aqui como repórter para uma agência de notícias. Eu a encontrei pela lista de ex-alunos. Está alugando este apartamento para mim, por temporada.

— E você tem internet?

— Tenho, por quê?

— Preciso ver uma coisa.

Ele se acomoda diante do laptop de Winston. Enquanto lê, exclama a todo momento: "Dá pra acreditar nisso?" ou "Que loucura".

— Quanto tempo você acha que vai ficar aí?

— Por quê? Não quer que eu fique? — pergunta Rich, virando-se.

— É que vou precisar usar a internet mais tarde.

— Legal. — O sujeito volta a se concentrar no laptop.

À noitinha, ele continua ao computador, levantando-se apenas para entupir a barriga com a comida de Winston e espalhar seus pertences pela sala. Vários itens dele — uma escova de cabelo, uma bolsa a tiracolo da Kevlar, meias esportivas, desodorante — surgem no tapete ao redor dele, ocupando um raio cada vez maior. O babuíno está marcando seu território.

— Olha, sinto muito — diz Winston, por fim —, mas realmente preciso usar o laptop. Você tem que desconectar.

— Qual é a pressa, mano?

— Tenho que jantar.

— Já acabei aqui. Me dá só um segundinho. Vamos ao Paprika juntos. Adoro aquele lugar. — Passa-se meia hora. — Terminei. Mesmo. — Mais meia hora.

— É só você me encontrar lá quando terminar — diz Winston, abrindo e fechando os punhos.

— Fica frio, cara!

Às 23 horas, Rich se desconecta. Finalmente os dois saem.

— Cadê minha chave?

— Como assim? — pergunta Winston.

— Se você ainda estiver no restaurante quando eu voltar, vou ficar na rua. E as minhas coisas estão no seu apartamento.

— Você não vem jantar?

— Achou que eu ia? Minha nossa! Não estava me esperando, estava? De jeito nenhum. Cara, que hilário. Mas pode deixar que eu volto antes de você. As chaves? — Rich as pega da mão do colega. — Gente boa, cara, você é gente boa demais. — Dá uma corridinha até a rua e faz sinal para um táxi.

— Espere — grita Winston. — Espere.

— Mano — brada o outro —, eu volto daqui a, tipo, dez minutos. Antes mesmo de você jantar. — Então, entra no táxi e vai embora.

A essa hora, quase todos os restaurantes locais já fecharam. Só há uma delicatéssen que fica aberta 24 horas, a Maison Thomas, mas está em reforma. Winston recorre a uma loja de conveniência imunda. Compra batata frita, chocolate e uma lata de Mecca-Cola e come do lado de fora do condomínio, olhando com frequência o relógio e sentindo-se terrivelmente humilhado com todos os eventos relacionados a Rich Snyder.

Às 3 horas o sujeito volta, caminhando com tranquilidade.

— Minha nossa, o que é que você está fazendo aqui fora?

— Você está com a minha chave — responde Winston.

— Cadê a sua?

— Está com você.

— Bom, isso foi uma idiotice. — Ele abre a porta. — Vou dormir na cama por causa da minha coluna. — Em seguida, deita-se no colchão, diagonalmente. — Você fica na poltrona na boa, né?

— Na verdade, não.

Mas Rich já começou a roncar. Winston adoraria botar esse cara para fora. Porém, espere — precisa desesperadamente de instruções de alguém que entenda de jornalismo. Analisa o sujeito esparramado na cama com desdém. Talvez seja assim que os repórteres devam agir. Winston se acomoda na poltrona.

Às 9 Rich o acorda, sacudindo-o.

— O que você tem pro café, cara? — Abre a geladeira. — Alguém precisa fazer compras. Mano, a gente tem, tipo, meia hora.

— Até o quê?

— Vamos começar com um cara comum. Sei que é bobagem, mas esse é o trabalho.

— Desculpe, não estou entendendo.

— Vou deixar você atuar como meu intérprete. Já disse, nunca comprometo minha objetividade falando línguas estrangeiras.

— Mas eu estou trabalhando nas minhas próprias reportagens.

— Tipo?

— Pensei em escrever algo sobre a iniciativa de paz dos Estados Unidos; ouvi dizer que Abbas e Olmert devem começar a se encontrar.

Rich sorri.

— Não escreva sobre diplomacia. Melhor falar dos seres humanos. A complexidade da experiência humana é o que me pauta.

— Está brincando?

— Como assim?

— Ou talvez redija algo a respeito do Irã e das armas nucleares.

— Escrever do Cairo sobre Teerã? *Tsc-tsc*. Escuta, cara, vou contar uma história para você. Quando eu estava trabalhando na Bósnia, ouvi dizer que estava rolando alguma merda em Srebrenica. Sem dizer uma palavra pra ninguém, entrei no meu Lada e fui até lá. No caminho, me deparei com uma tiete de ajuda humanitária. Ela perguntou "Aonde você vai, Rich?" e eu, tipo, respondi "Estou de férias".

— Não entendi.

— Se eu tivesse aberto o bico pra ela, Srebrenica ficaria cheia de tietes de ajuda humanitária e repórteres e coisa e tal. E eu, ia ficar como? Consegui ganhar, tipo assim, um dia de vantagem em relação a todo mundo na cobertura do massacre. Desde então, o *New York Times* ficou louco pra me contratar. Até um editor influente de lá dizer que eu não me encaixava nos valores deles ou alguma coisa do tipo. Eu falei, tipo, eu não trabalharia pra vocês de qualquer forma.

— Deve ter sido muito desconcertante.

— Não conseguir o emprego no *Times*?

— Cobrir um massacre.

— Ah, com certeza.

— Mas — diz Winston, com hesitação — eu me lembro vagamente de *outro* repórter dando a notícia do massacre de Srebrenica.

Rich abre e fecha o celular, para se certificar de que está desligado.

— Não gosto de meter o pau em ninguém, mas, *entre nous*, aquele cara é um babaca antiético e calculista. Mas deixa pra lá; a gente tem que tocar a vida adiante. Meu lema é: "Detone o ódio."

Winston não sabe ao certo o que isso tudo tem a ver com sua ideia de escrever sobre as atividades nucleares do Irã, mas acha melhor mudar de assunto.

— Ainda assim. Preciso mandar uma matéria para o jornal. Sabe, estou tentando conseguir esse posto — acrescenta Winston.

— Tentando? Você *vai conseguir*. Confio plenamente em você.

— Obrigado. Mas ainda não escrevi nada e já estou aqui há duas semanas.

— Não esquenta não. Precisa se divertir com isso. E, escuta, estou disposto a incluir você como colaborador. Pouco me importa receber o crédito; sabe, quantas matérias assinadas já publiquei? Dez mil? — Ele observa a expressão de Winston em busca de sinais de admiração. — Tudo bem? Vou incluir você como colaborador, tá?

— O meu nome e o seu, na reportagem?

— Se você achar uma boa, mano.

Depressa, Winston toma banho e põe terno e gravata. Encontra Rich à porta, com o traje militar fantasioso, o laptop debaixo do braço.

— Esse é o meu computador?

— É o que estava na mesa — responde Rich. — Vamos nessa, cara!

— Por que está levando o meu laptop?

— Você vai ver. — Rich sai andando na rua, levando Winston à rua 26 de Julho, e aponta para um executivo que se aproxima. — Vá atrás daquele cara ali.

— Como assim "Vá atrás daquele cara"?

— Vá atrás das declarações. De um cara comum. Vou ali tomar um café.

— E o que devo perguntar a ele?

Mas Rich já entrou no café Simonds.

Com cautela, Winston se coloca no caminho do executivo. O sujeito aperta o passo e não para. Winston observa outras vítimas. Mas, à medida que cada uma se aproxima, ele perde a coragem. Entra no café. Rich está lá sentado, numa banqueta alta, com o laptop aberto, entrevistando os residentes locais em inglês, comendo pãezinhos de uma travessa. Digita com dois dedos melados.

— E aí? — pergunta ele, mastigando. — O executivo deu alguma declaração boa?

— Você se importa se eu tomar um café?

— Não dá tempo. — Fecha bruscamente o laptop. — Vou pra Khan el-Khalili e sugiro que você vá também.

— Mal comi desde ontem; não dá para eu fazer um lanche rápido antes de irmos?

— Coma isto. — Ele empurra com o dedo o último pedaço de um minicroissant, no qual há marcas empapadas de dentes.

Quando eles entram em um táxi, um homem alto e magro sai do café e os observa. O sujeito entra em um sedã preto, que acelera e se posiciona atrás deles. Winston observa pela janela de trás do táxi: o tal homem no carro os segue. Eles chegam a um mercado aberto, mas o sedã sumiu de vista.

Rich aponta para a multidão agitada.

— Vá atrás daquela mina.

— Que mina?

— Aquela de casaco esquisito.

— Está se referindo à burca?

— Vá atrás dela, mano. Precisamos das declarações de um cara comum.

— Mas uma mulher de burca? Não é mais fácil conseguir a declaração de um cara comum se eu entrevistar um cara comum?

— Isso é tão preconceituoso... — Rich se afasta para examinar uma barraca de temperos.

Winston repete, num sussurro, uma das frases em árabe que ele mais usa:

— Com licença, você fala inglês? — Suas axilas pinicam, de tão suadas. Ele reúne coragem e se aproxima da mulher coberta. Mas sua voz sai tão baixinho que ela não ouve. Winston dá uma batidinha no ombro da moça, que se vira surpresa, dirigindo-se a ele em árabe. Alguns fregueses se agitam, observando. Ele repete: — Com licença, você fala inglês?

A mulher responde de novo em árabe.

— Então não fala?

Mais árabe.

— Isto é um problema.

Ainda mais árabe.

Um jovem com expressão carrancuda intervém.

— Qual é o problema? Por que está incomodando a mulher?

— Você fala inglês; que bom. Não é nada não. Eu só queria fazer algumas perguntas a ela.

— Por quê?

— Não é nada de mais; sou jornalista.

— Tocou nela?

— O quê? Não, não. Não toquei nela.

— Tocou nela! — exclama alto o rapaz, dando um passo à frente.

— Não toquei, juro. Só queria fazer uma pergunta. Para uma matéria.

— Que pergunta?

— É difícil resumir.

— Mas qual é a pergunta?

Essa é, por si só, uma boa pergunta. Rich não disse a Winston o que indagar nem qual seria o assunto dos dois. Ele sempre fala de terrorismo; talvez Winston possa investigar isso.

— Você poderia perguntar a essa senhora se há muito terrorismo nesta região? E se sim, onde, se ela souber. E talvez escrever o nome, em inglês, de preferência, e até fazer um mapa.

A multidão entra em rebuliço. O homem com expressão carrancuda franze ainda mais o cenho. Algumas pessoas fazem gestos indignados. A própria mulher ergue os braços e se vira. Winston limpa os óculos embaçados, pede desculpas a todos e vai depressa procurar Rich, que continua cheirando temperos numa barraca ali perto.

— O que você conseguiu? — quer saber ele.

— Ela é contra — deixa escapar Winston. — Basicamente a favor. Mas meio que contra.

— Tá legal, mas o que foi exatamente que ela falou?

— Hum, concordou, acho.

— O quê?

— Aham.

— Respira fundo, cara. Você perguntou o quê?

— Perguntei sobre terrorismo.

— Maneiro.

— E sobre o choque de civilizações e tal. O hijab e esse tipo de coisa.

— Mas isso não é uma burca?

— É, claro — responde Winston. — Acontece que ela prefere o hijab. Só que o marido dela não a deixa usar um. Por causa do Talibã.

— Do Talibã? Mas esse movimento não é do Egito.

— Metaforicamente falando. O Talibã metafórico. Ao menos foi o que eu entendi.

— A gente precisa checar isso. Vai lá falar com a mina de novo.

— Acho que ela já foi.

— Está bem ali, perto da barraca de frutas, mano. — Rich empurra Winston para a frente. — Você quer a vaga de colaborador, não quer?

Angustiado, o rapaz outra vez se aproxima de forma sorrateira da mulher. A multidão observa esse segundo assédio; algumas pessoas sorriem com malícia, outras balançam as cabeças.

— Com licença? — pergunta ele. — Oi, sinto muito, com licença?

Ela se vira de forma brusca e briga com ele em árabe.

— O que ela está dizendo, mano? — quer saber Rich.

— Ela mencionou o marido de novo.

— O sujeito do Talibã? Tente arrancar mais detalhes.

Winston — lembrando-se do curso Aprenda Árabe Apenas Ouvindo que fez no voo a caminho dali — consegue lembrar a palavra para "marido". Ele a pronuncia como se fosse uma pergunta. O que irrita ainda mais a multidão.

Rich sussurra:

— Pergunte se ela pula a cerca. Isso é comum no meio islâmico?

— Não posso perguntar isso — responde Winston, de forma enfática: não pode nem conseguiria.

A multidão aumenta em tamanho e hostilidade.

— Talvez ela tenha tido alguma experiência homossexual — acrescenta Rich.

— Mas a mulher está de burca.

— Quer dizer que as que usam burca não podem expressar sua orientação sexual? Quanto preconceito!

— Não posso fazer esse tipo de pergunta a ela.

— Adeptos islâmicos do swing dariam uma matéria sensacional, mano. Material para prêmios importantes.

Com isso, o homem alto e magro que os seguiu desde o café dá um passo à frente, saindo do meio da multidão.

— O que vocês estão querendo aqui? — exige saber, em inglês claro.

— Não é nada de mais — explica, nervosamente, Winston. — Somos jornalistas.

— Para quem trabalham? — O sujeito se dirige a Winston, mas olha para Rich.

— Para o jornal — responde Winston. — O senhor é jornalista também?

— Sou do Ministério do Interior.

Com isso, Rich dá um passo à frente.

— Rich Snyder, correspondente internacional. Muito prazer. Seu inglês é ótimo, cara. Eu o invejo tremendamente por falar um segundo idioma. Nós americanos somos uma desgraça. Qual é o seu nome, de novo?

— Sou do Ministério do Interior — repete o homem, e dá uma ordem aos curiosos, dispersando-os na hora. Dirige a atenção a Rich. — Não gosto desses temas de vocês. Querem escrever sobre perversões sexuais no Egito. Elas não existem aqui. São um fenômeno ocidental.

— Quem dera, mano!

O sujeito do ministério esboça um sorriso.

— Encontre outro tema. Algo agradável. Algum assunto alentador a respeito do meu país. — Faz uma careta. — Não essa história de pessoas se misturando umas com as outras.

— Sobre o que eu deveria escrever, então?

— Esse é o *seu* trabalho, não é? Sugiro que analise o *Egyptian Gazette*. Eles publicam matérias excelentes.

— Sobre como a Sra. Mubarak é uma ótima dona de casa? Olhe, se não quer que eu escreva a respeito das práticas sexuais do Egito, precisa me dar algo melhor.

— O que está procurando?

— Quero o que todo mundo quer. O clímax do Oriente Médio: terrorismo.

O sujeito do ministério se vira bruscamente para Winston.

— Guarde esse bloquinho! Isto aqui não é para publicação.

— Quero Gamaa al-Islamiya — prossegue Rich. — Bangue-bangue no Alto Egito. Quero informações sobre a cooperação com os Estados Unidos na área de segurança. Quero entrevistar as forças especiais.

— Entre no meu carro.

Pelo visto, essa ordem não inclui Winston, que é deixado perto da barraca de frutas enquanto o sedã preto se afasta.

Ele lembra tarde demais que Rich está com a chave da casa. Telefona para o celular do colega, porém ele não atende. Ao anoitecer, Rich finalmente atende:

— Ei, cara, por que você não veio?

— Não sabia que estava convidado.

— Não consigo ouvir você. Estou no aeroporto militar.

— Quando você vai voltar? Fiquei preso fora de casa, de novo.

— Claro que vou voltar.

— Mas quando?

— No fim de semana, no máximo.

— Eu preciso da minha chave!

— Caramba, relaxa! Você se estressa demais. Precisa se divertir. Escuta, vou embarcar num C-130 daqui a, tipo, duas horas. Preciso que você faça uma pesquisa. — Ele lista nomes e organizações.

— E a minha chave?

— Me liga daqui a cinco minutos.

— E você ainda está com o meu laptop.

Rich desliga.

Winston liga a cada cinco minutos nas três horas seguintes, no entanto o celular dá desligado. Vai ter que pedir uma cópia da chave a Zeina, a repórter de agência que lhe aluga o apartamento. Como forma de se desculpar, insiste em convidá-la para tomar um drinque em um pub, nas cercanias.

Ela faz o pedido para os dois em árabe fluente, escolhe uma mesa e leva suas meias jarras de cerveja Sakara. Senta-se, afastando mechas com gel dos cabelos negros e revelando um sorriso arrojado.

— E aí? — pergunta ela. — Está gostando do Cairo?

— Estou sim. É muito interessante. Tenho algumas queixas, mas nada muito sério.

— Tipo?

— Nada sério.

— Me conte uma.

— Bom, o ar é meio pesado, com toda essa poluição. Parece até que estamos inalando direto de um cano de escapamento.

O calor me deixa tonto, às vezes. E a comida não é muito saborosa. Ou talvez tenha sido só falta de sorte minha. Além disso, é um Estado autoritário, coisa de que eu não gosto. E tenho a impressão de que os habitantes querem atirar em mim. Embora só quando falo com eles. O que é minha culpa, pois meu árabe é uma droga. Mas basicamente — resume — tem sido muito interessante.

— E o Rich? O que acha dele?

— Você o conhece?

— Ah, claro.

— O que acho dele? — Winston hesita. — Bom, à primeira vista, devo admitir que ele pareceu meio, hã, ambicioso demais. Mas agora que o conheço melhor, estou começando a achar que é...

— Mais ambicioso ainda.

Com inesperada franqueza, ele conta:

— Meio babaca, eu ia dizer. — Winston limpa os óculos. — Sinto muito. Não estou ofendendo você, estou?

— De jeito nenhum. Ele não é meu amigo. Em que vocês estão trabalhando?

— Nem sei direito. Para ser sincero, antes de ele chegar eu não estava escrevendo nada. Mas progredia. Ou achava que progredia. Comecei a conhecer a cidade, a estudar árabe. Mais cedo ou mais tarde escreveria algo. Aí ele assumiu o controle. Roubou meu laptop. Tem o estranho poder de me espezinhar e, ao mesmo tempo, fazer com que eu me sinta obrigado. *É* encorajador: diz o tempo todo que vou ganhar a vaga de colaborador, que ele não tem a menor chance, que sou a escolha óbvia e coisa e tal. Mas quanto mais fico com ele, mais ridículo me sinto. Não entendo por que um cara com toda essa experiência está tentando conseguir essa vaga.

— Iraque — explica ela. — Rich está tentando entrar no Iraque. Vem tentando dar um jeito de fazer isso desde que a guerra começou. Ele contou a você o que fazia antes de vir para cá?

— Algo relacionado a um prêmio?

— Ele fez um blog a respeito do Iraque. Ou melhor, sobre a tentativa de entrar no país. Contando como o obrigaram a voltar da região fronteiriça com o Irã, a Turquia, a Síria, a Jordânia, a Arábia Saudita e o Kuwait. Ainda bem que o Iraque tem tantas fronteiras; isso deu a ele um monte de material. E há que se reconhecer uma coisa com relação a esse homem: é decidido. Com certeza, o cara é mais do que um rostinho bonito.

— Você o acha bonito?

— Bom, ele tem todo o jeitão de correspondente de guerra destemido. Algumas mulheres acham isso sexy. Mas, no que concerne ao Iraque, o problema do Rich é que ninguém o compreende. Os americanos não confiam nele, os iranianos acham que ele é da CIA, os iraquianos o temem. Ninguém entende o que ele está fazendo lá, sem apoio de nenhuma publicação.

— E por que ninguém quer apoiá-lo?

— O cara é complicado. Já trabalhou para todo mundo, só que aí se desentende e é despedido — conta Zeina. — Mas esqueça ele um pouco. *Você* está escrevendo alguma matéria enquanto ele está fora?

— Tenho algumas ideias.

— Mas ainda não as enviou, certo?

— Não.

— Bom. Olhe, como está sem laptop, venha trabalhar no meu escritório. Quero ficar de olho em você.

Quando Winston chega, na manhã seguinte, Zeina ergue os olhos do computador por um instante, os dedos continuando a digitar.

— Preciso terminar este comunicado. Sente-se. Me dê dois minutinhos. — Ela conclui a tarefa e move os dedos. — Venha. Vou levá-lo para sua primeira coletiva.

Mas não tão rápido assim: como Winston não é jornalista credenciado, acaba sendo barrado na entrada da entrevista coletiva da Liga Árabe. Zeina faz o que pode, mas não consegue convencê-los a deixá-lo entrar. Mais tarde, ela leva furtivamente um subsecretário palestino até ele. O sujeito, que fala inglês, explica com toda a paciência o que está acontecendo lá dentro. Winston escreve depressa, mas nunca anotou declarações ao vivo antes e o diálogo lhe parece rápido demais: com três palavras a frase já está a meio caminho, enquanto a caneta dele fica para trás. Por fim, o subsecretário pede licença.

— O que você conseguiu? — pergunta Zeina.

Winston analisa suas anotações, que consistem em inícios de frases — "Nós acreditamos que..." ou "O verdadeiro problema é..." ou "O importante a frisar é que..." — seguidos de rabiscos ininteligíveis.

— Uns bons fragmentos — responde ele.

Zeina o acomoda na frente do computador desocupado do escritório e o deixa ali, para escrever. Ele continua lá quando ela vai embora ao fim do expediente.

— Me ligue se for enviar qualquer coisa para o jornal — pede Zeina. — Quero dar uma olhada primeiro.

Mas na manhã seguinte Winston ainda não terminou. À tardinha, ele finalmente lhe mostra um rascunho.

— Bom — comenta ela, depois de passar o olho no texto —, já é um começo. Com certeza. Mas tenho alguns comentários.

— Por favor, vá em frente.

— Em primeiro lugar, uma norma padrão para uma matéria de jornal, e com isso não quero ceifar sua criatividade, é identificar o local e o dia do ocorrido, a certa altura. Em segundo, você deve citar os nomes das pessoas com quem fala. E é melhor evitar usar tanto a palavra "coisa".

— De resto, parece bom?

— Olhe, esta é uma matéria de teste, vamos considerá-la assim.

— Você acha que o jornal vai se interessar por ela?

— Já está meio velha agora.

— Aconteceu ontem de manhã.

— O que é ultrapassado, em termos de notícia. Sinto muito; costumo ser bastante pessimista, então não leve meus comentários muito a sério. Mas devo dizer: você gastou palavras demais para chegar ao cerne da questão. Também achei que se concentrou demais no cavanhaque do subsecretário. Para ser sincera, eu nem o mencionaria.

— Achei que seria pertinente.

— Não na introdução. Não me leve a mal; gosto da sua tentativa de dar um toque diferente. Mas tive a sensação de que se excedeu algumas vezes. Como nesta parte: "Enquanto ele falava, o sol amarelo do Egito reluzia bastante, como se aquela esfera dourada incandescesse com a própria esperança de paz no Oriente Médio, que também ardia no fundo do coração do subsecretário palestino para o desporto, a pesca e a fauna selvagem."

— Pensei em apagar esse trecho.

— Não sei nem se está gramaticalmente correto. E, só um detalhe, as origens do conflito palestino-israelense não "remetem a um erro de grafia ancestral". Não que eu saiba.

— Achei que isso chamaria a atenção do leitor.

— Mas não é verdade.

— Sei lá, Zeina. O subsecretário falava super-rápido. E passou alguém vendendo sorvete. O barulho. Acabou me distraindo.

— Eu sei... Você mencionou o sorveteiro na matéria.

— Pensei que assim transmitiria um pouco do cenário local. Então, é melhor eu não o oferecer para o jornal?

— Ofereça, claro.

— Ou talvez não.

— Olhe, volte amanhã. Vamos achar outra pauta para você.

Sem dúvida, a primeira tentativa de Winston fracassou. Mas, ao voltar para o apartamento, ele se sente eufórico: fez sua primeira entrevista de verdade. Isso é o verdadeiro jornalismo.

Seu celular toca, provocando pânico no mesmo instante: talvez seja Craig, do jornal, exigindo matérias. Antes fosse.

— O que é que você manda, cara?

— Rich. Oi.

— No Vale do Nilo. Comandos militares. Islamitas.

— Hein? Estou ouvindo apenas fragmentos do que você está falando. Sua voz está chegando por telégrafo. Pode repetir?

— Telefone por satélite de uma tiete de ajuda humanitária. Cobra por minuto. Fale rápido. Como está a pesquisa?

— O que você me pediu para checar? Vou ser sincero, não tive muito tempo para trabalhar nisso. Estou meio que tentando escrever minhas próprias reportagens. Bom, mas como você está com pressa, não vou entrar em detalhes. A questão é que tem sido complicado me dedicar à pesquisa. Em parte porque você está com o meu laptop.

— Kathleen ligou?

— Não. Por quê? Deveria?

— Interrompa sua matéria e faça a minha pesquisa.

— Kathleen mandou eu fazer isso?

— Projeto enorme. Coisa pra prêmio. Topa ou não?

— Está falando sério?

— Topa? Ou não?

Winston se acomoda numa seção de consulta da biblioteca da Universidade Americana. No início, fica irritado com a ordem de Rich, mas logo o material o cativa. Não pode negar certo alívio por poder examinar com cuidado obras acadêmicas, cumprindo com suas obrigações jornalísticas sem ter que abrir caminho entre os seguranças da Liga Árabe ou ir atrás de uma figura comum de burca no mercado. Esse trabalho na biblioteca sem dúvida alguma é sua parte favorita da reportagem até agora. E sente tamanha empolgação que ainda está se dedicando a isso três dias depois, quando Rich volta à cidade.

Combinam de se encontrar para almoçar no L'Aubergine.

Rich chega vinte minutos atrasado, falando ao celular. Senta-se e continua a conversar. Depois de mais de dez minutos, desliga.

— Legal ver você, cara.

— Não se preocupe — diz Winston, embora o colega não tenha feito nenhum pedido de desculpas. — Estou com a pesquisa que você pediu.

Rich mete o dedo no homus de Winston.

— Foi irado, lá. Consegui me livrar dos militares que me vigiavam, tipo, no primeiro dia. Me encontrei com beduínos. Me infiltrei entre os *mujahedin*. Andei de jumento. Canaviais. Helicópteros. Bombas anticasamata. Madraçais. Campos de treinamento de extremistas. Você deveria ter ido.

— Tive a impressão de que você queria ir sozinho.

— Fala sério! Está brincando? Eu só quero que as notícias sejam divulgadas.

— Você encontrou terroristas?

— Legítimos, mano. — Rich faz uma pausa. — Só que não totalmente al-Qaeda. Mas estão no topo da lista de espera.

— Tem um processo de inscrição?

— Claro. Assim o OBL participa.

— Quem é OBL?

— O Osama. Não conheço o cara *muito* bem. A gente só se encontrou, tipo, duas vezes. Lá em Tora Bora. Bons tempos.

— Como ele é?

— Alto. Isso é o mais impactante. Se não tivesse tomado o caminho errado, talvez seguisse carreira num esporte profissional. Essa é a tragédia desse conflito: tanto desperdício de talento. Deixa pra lá. O que me tira do sério nessa Guerra ao Terror é a ignorância. Não me entenda mal: sou contra todas as formas de extremismo. Só espero que, em pequena escala, as pessoas leiam meu trabalho e ouçam a voz que grita em cada matéria.

— E o que essa voz está dizendo?

— Vou acabar com o homus, tá?

Winston empilha três pastas na mesa.

— Quase tudo o que você pediu. Tem um índice e um sumário.

Rich come sem erguer os olhos.

Winston faz outra tentativa:

— Quer que eu deixe aqui?

— Pode ficar, cara. Meu presente pra você.

— Não quer a pesquisa?

— Você não lê o jornal, mano? A história já foi publicada.

Winston absorve o que acaba de ouvir.

— Fui citado como colaborador numa matéria que nem cheguei a ler?

— Mas você pediu que eu *não* colocasse o seu nome na minha reportagem. Não mencionou isso num e-mail ou algo assim?

— Nunca.

— Pediu sim. Já que, obviamente, a matéria era minha e coisa e tal. — Ele ataca a pasta de beringela de Winston. — E aí, vai tentar ser freelancer agora?

— Bom, ainda estou batalhando para conseguir essa vaga de colaborador.

— Pra quem?

— Para o jornal.

— Eles não te contaram? Eu me sinto mal pra caramba — acrescenta Rich. — Agora já sou o repórter encarregado do Cairo. — Ele abre e fecha o celular, para garantir que está desligado. — *Entre nous:* pra mim, esse serviço é só um troço pra matar o tempo. Vou sair daqui a um ano, no máximo. O *New York Times* com certeza vai me querer em Bagdá. Ainda não estabelecemos contato, mas garanto que vão me chamar ano que vem. De certa forma, a espera vai ser uma boa pra mim: quando eu chegar lá, o Iraque vai ser um Estado fracassado, o que vai pegar bem pra caramba no meu currículo. — A conta chega. — Quem vai pagar esta? — pergunta ele, sem se mover para fazê-lo.

Lentamente, Winston pega o cartão de crédito.

— Muito legal da sua parte, cara. Eu me encarregaria disso numa boa, mas, como você vai pagar...

— Na verdade, não posso me encarregar de nenhuma conta. Não tenho emprego.

— Caramba, então é ainda mais irado da sua parte se encarregar disso.

Rich lidera o caminho até o apartamento de Winston, abre a porta e se joga na cama.

— Rich?

— Hein?

— O que aconteceu com o meu laptop?

— Que laptop?

— O que você levou.

— Onde você o usou da última vez?

— *Você* o usou por último.

— Acho que não, mano.

Winston fica acordado quase a noite toda, imaginando como matar aquele babuíno usurpador. Mas como o risco de ir para a cadeia no Cairo é uma tremenda força dissuasiva, passa a planejar todas as observações sarcásticas que fará amanhã.

Porém, ao alvorecer, depois que Rich se levanta e fica perambulando pelo apartamento, Winston só observa, meio sonolento, odiando-o em silêncio. O outro avisa que uma tiete de ajuda humanitária conseguiu um lugar para ele num voo exclusivo para Darfur.

— Minha cabeça está em petição de miséria — declara Rich. Em seguida, pega seus pertences e sai sem nem ao menos agradecer.

Winston se esparrama na cama ainda quente e fecha os olhos. Recapitula seus encontros com Rich, condenando a si mesmo por sua covardia. Remexe-se de um lado para outro sem parar, durante uma hora, e então levanta-se, decidido a sair da cidade. A princípio, a decisão é desanimadora, depois animadora — ele ansiou sair do Cairo desde que chegou. Deveria informar sua partida ao jornal? Será que sabem que ele está ali? Winston não ouviu nem um pio de Craig ou Kathleen ou quem quer que seja desde que chegou.

Tudo o que resta a fazer é mudar a data da passagem de volta, fazer as malas e devolver as chaves para Zeina. Ele a convida para um último jantar de agradecimento, prometendo a si mesmo não mencionar Rich. Ainda assim, o babuíno fica surgindo na conversa.

— Uma coisa posso dizer sobre ele — comenta Winston. — Consegue declarações incríveis. Na minha experiência insignificante, ninguém disse nada particularmente interessante.

— As declarações de Rich? Algumas pessoas dizem que de vez em quando são imprecisas.

— Como assim?

— Bom, acha mesmo que os talibãs realmente dizem coisas do tipo "Aquele bombardeio foi maneiro, agora vamos detonar a Aliança do Norte"?

— Não sei. Nunca estive com eles.

— Para dizer a verdade, ele vai fundo nas reportagens, chega a ir à linha de frente; é corajoso à sua maneira; uma maneira esquisita.

— Eu sei. Vi Rich conversar com o ministro do Interior uma vez, em Khan el-Khalili. Achei que estava importunando o sujeito, com grosseria. Mas acabou conseguindo uma matéria — conta Winston.

— Boa reportagem e bom comportamento não são compatíveis — explica Zeina. — Estou exagerando um pouco.

Ela é uma década mais velha do que Winston, que a admira — trata-se de uma mulher muito sensata e independente. Ele se pergunta se, depois do jantar, pode surgir uma oportunidade de beijá-la. Não viu casais se beijando na rua no Cairo. Onde é que poderia fazer isso?

Mas, se ele desse em cima de Zeina, o que aconteceria em seguida? Já de roupa ela o assusta. Seja qual for a infima esperança que ele alimente, tudo evapora quando a mulher comenta:

— Você sabe que rolou alguma coisa entre mim e o Rich, não é?

— É mesmo? — pergunta Winston, em tom casual. — O quê?

— Um caso. Deixa pra lá.

Essa é uma frase recorrente de Rich, percebe ele, com um calafrio.

— Bem que eu fiquei me perguntando como você sabia tanto sobre ele.

— Foi uma péssima ideia. Mas Rich é tentador.

— Ele é tentador?

— Eu te disse, o cara é sexy. Mas agora me conte, jovem Sr. Cheung: em retrospectiva, essa experiência jornalística foi um pesadelo para você?

— Não de todo.

— Gostou de alguma parte?

— Achei bom ir para a biblioteca. Acho que prefiro livros a pessoas: fontes primárias me assustam.

— A menos que sejam do universo símio.

— Mesmo nesse caso. Tipo, uma vez meu orientador estava mostrando o laboratório para um monte de alunos da graduação. Tentava demonstrar o domínio hierárquico entre os símios do gênero *macaca*. Quando fez um sinal, um macho chamado Bingo começou a morder minha coxa e a me cercar no canto da baia. Na frente da classe inteira, Bingo mostrou que ele, um adolescente insignificante, tinha uma posição hierárquica muito superior à minha.

Zeina sorri.

— Foi por isso que você largou a universidade?

— Tem a ver com isso. Percebi que o aspecto negativo de estudar primatas é que você fica excessivamente ciente de posição, comportamento submisso, estabelecimento de alianças. No mundo acadêmico, eu sempre seria um primata de baixa posição social. Mas o jornalismo parecia uma profissão de macho alfa.

— O jornalismo consiste em um bando de idiotas fingindo ser machos alfas — comenta ela. — Por falar nisso, comentei que Rich me ligou de Darfur?

— Para quê?

— Queria que eu interpretasse algo do árabe. Tinha um material bem interessante também.

— Você o ajudou?

— Por que faria isso? Na verdade, estou em contato com Kathleen, no jornal.

Por um momento arrepiante, Winston acha que, no fim das contas, Zeina pediu que Kathleen desse o cargo a ele, e talvez se veja obrigado a ficar.

Mas não foi o que ela quis dizer.

— Estou farta da pirataria das agências de notícias — explica ela. — Seria bom desgrudar o ouvido do telefone e sair para fazer reportagens de vez em quando. Mesmo que seja só como colaborador.

— Eu não sabia que você queria essa vaga.

— Bom, queria.

— Então foi ainda mais generoso da sua parte ter me ajudado — ressalta Winston, perguntando-se, de súbito, o quanto ela realmente o ajudou. — Por que não me disse isso antes?

— Éramos adversários.

— Eu não sabia.

— E aí, vai voltar a estudar em Minnesota?

— Tenho um plano — responde Winston, maliciosamente, sem dar mais detalhes. Não vai se expor a ela. E, seja como for, ele não tem um plano. — Sabe, estou me dando conta de que me enganei a respeito de uma coisa: sempre achei que a idade e a experiência deixam a pessoa mais calejada, mais forte. Mas não é verdade. Ocorre o oposto. — Ele se vira para ela. — Você não acha?

Mas ela está olhando o celular, em busca de ligações perdidas de Rich, e não responde.

1963. Corso Vittorio, Roma

Com Betty fora do mapa, Leo assumiu por completo o controle do jornal e declarou que sua primeira meta seria a elevação do status. Se se referia ao dele ou ao do jornal, isso era algo a se discutir.

Ele se mostrou obcecado por "matérias com letreiros luminosos", que ele definia como matérias que levavam a pessoa a tropeçar na banca de jornal. No entanto, como não confiava na própria equipe para produzir materiais tão bons assim, comprava os artigos de freelancers, o que não o tornava popular na redação. A atmosfera foi ficando cada vez mais nociva; os velhos tempos de camaradagem haviam terminado.

A tiragem diminuiu um pouco, mas Leo alegava que o público leitor simplesmente se refinara. Quando se comunicava com o conselho em Atlanta, prometia cortar os gastos, porém, no fundo, mantinha a arrogância. Afinal de contas, Charles tinha aberto o jogo, informando que o jornal era intocável.

Em 1969, Charles afastou-se da presidência do conselho e o filho de Ott, Boyd, de 27 anos, assumiu o cargo. Leo enviou uma carta felicitando-o, aproveitando para lançar uma indireta de que mais dinheiro seria oportuno — muito útil para a contratação de alguns funcionários. Em vez disso, porém, Boyd se livrou de um antigo: o próprio Leo.

A justificativa foi que ele traíra o jornal e seu finado fundador. Ott deixara a família, trabalhara noite e dia para criar uma publicação que servisse ao mundo, explicara Boyd. No entanto, Leo a transformara em nada mais do que um feudo pessoal. O rapaz alegou que Leo alterara o cabeçalho, diminuindo o "Fun-

dado por Cyrus Ott (1899-1960)" e aumentando o "Editor-chefe: Leopold T. Marsh". Ao que tudo indica, uma régua métrica provou que ele tinha razão.

Leo ainda ficou algum tempo nas capitais da Europa, tentando encontrar um caminho de volta à imprensa internacional. No fim das contas, acabou voltando para os Estados Unidos, levando para casa pouco dinheiro e o hábito de tomar conhaque antes do café da manhã. Conseguiu um emprego em Pittsburgh, chefiando uma publicação especializada na indústria carbonífera — e teve sorte de obtê-lo.

Boyd prometeu se dedicar à busca por um editor-chefe substituto, mas o restante do império Ott o absorveu demais. Tinha ambições grandiosas e começou a vender várias propriedades antigas, até mesmo a refinaria de açúcar que dera início a tudo, em prol de investimentos especulativos no exterior. Foi audacioso — justamente o tipo de postura que seu pai teria.

Ou assim Boyd achava, pois mal conhecera o pai, que fora para a Europa quando o filho tinha 11 anos. Nem ao menos nascera no lendário período inicial, quando Ott começara a construir do nada um império. Quase tudo o que sabia sobre essa época vinha de diversos bajuladores, os quais mordiscavam as beiradas da fortuna da família.

Ainda assim, esses mitos o motivavam. Era ousado porque o pai assim o fora e orgulhoso porque também havia sido a atitude de Ott. Não obstante, não havia prazer em sua ousadia nem dignidade em seu orgulho. Ele se autointitulava um homem do povo, como o pai. Porém, as pessoas desconfiavam de Boyd, que, por sua vez, menosprezava-as.

“ALOPRADOS COM BOMBAS A”

RUBY ZAGA, REDATORA

OS BABACAS PEGARAM SUA CADEIRA DE NOVO, A QUE RUBY batalhou seis meses para conseguir. Incrível. Esse pessoal é impressionante. Ela vasculha a redação, as imprecações borbulhando em seu interior e escapando aqui e ali.

— Canalhas — sussurra.

Deveria simplesmente ir embora. Entregar o pedido de demissão. Nunca mais pisar ali de novo. Deixar esses idiotas afundados na lama.

Mas espere aí, pare! Sim, ali está: a cadeira — naquele lado, atrás do bebedouro. Ela a pega correndo.

— Eles que consigam a própria cadeira, porra!

Ruby a empurra para seu lugar de direito, o mesão do copidesque, e em seguida destranca a gaveta e pega suas ferramentas: almofada para a lombar, apoio de braço, mouse e teclado ergonômicos, apoios de pulso para LER, lenços antibactericidas. Descontamina o mouse e o teclado.

— Impossível me sentir limpa neste lugar. — Ela ajusta a altura da cadeira, põe a almofada na posição e se senta. — Que horror. — A cadeira está quentinha. Alguém andou se sentando ali. — Eu devia simplesmente dar o fora. — Sério. Não seria ótimo? Não precisaria ver esse bando de fracassados de novo.

O jornal é o único lugar em que Ruby Zaga trabalhou. Começou ali depois de abandonar o doutorado em teologia. Tinha 27 anos na época e se sentia mal por aceitar um estágio de verão não remunerado. Aos 46, continua ali, trabalhando no copidesque, o pavio mais curto e o corpo mais cheio, embora ainda se vista da mesma forma que quando chegou, em 1987: pulseiras e argolas de prata, vestido-suéter com cinto grosso, legging preta, Keds branco. Não só o mesmo estilo como também os mesmos itens, em muitos casos empelotados e desbotados.

Ruby sempre chega cedo, porque assim pega a redação ainda vazia, exceto por Craig, que parece nunca sair dali. Infelizmente, seus colegas no copidesque uma hora acabam aparecendo. O primeiro a fazê-lo é Ed Rance, o coordenador do mesão, que sai de supetão do elevador, o nariz escorrendo, abanando as axilas molhadas, e se acomoda na parte interna da mesa em forma de ferradura. Ele vai de bicicleta ao trabalho e sua em bicas, os respingos sarapintando a calça cáqui. Ruby não lhe dá a chance de não lhe dizer oi — ela não o cumprimenta primeiro. Vai correndo ao banheiro e se esconde numa cabine, fazendo para a porta um gesto obsceno com o dedo.

Depois ela volta, atrasada para o expediente.

— Tente chegar no horário — comenta Ed Rance.

Ela se deixa cair na cadeira.

Ed Rance está revendo as cópias da primeira edição, junto com o outro redator de plantão, Dave Belling. Ele entrega as últimas páginas — as mais tediosas — a Ruby para as conferências finais e em seguida sussurra algo ao colega. Os dois riem.

— O que foi? — pergunta ela.

— Não estou falando de você. O mundo não gira em torno de Ruby.

— Ah, sim. Realmente não preciso disso.

De fato, ambos não estão falando dela, mas de Saddam Hussein. É 30 de dezembro de 2006 e o ex-ditador foi enforcado na alvorada. Para se divertir, ambos procuram as imagens da execução na internet.

Nesse ínterim, todos os editores se aglomeram em torno da mesa de diagramação para tratar da primeira página.

— Temos foto?

— Do quê? Do ditador enforcado?

— O que as agências estão oferecendo?

— Ele na mesa de necrotério. A cabeça está torta. Sabe, toda virada para o lado.

— Esse troço deve doer.

— Podemos pegar fotogramas da Al-Jazeera?

Alguém brinca:

— Por que não copiamos toda a primeira página do *New York Times* e simplesmente publicamos assim? Aí a gente pode ir para casa agora mesmo.

A piada provoca um apoio forçado e risadinhas que logo se esvaem — eles não gostam de rir das gracinhas uns dos outros.

Dave Bellling encontra on-line um vídeo do enforcamento e chama os amigos, Ed Rance e Clint Oakley. Os três observam Saddam se recusar a usar o capuz. Os carrascos colocam o laço em torno do pescoço dele. Em seguida, apertam o nó. O vídeo para.

— Só isso? Não mostram o cara caindo?

— Pobre amável Saddam.

— Pobre adorável Saddam.

— Em algum lugar um anjo acabou de ganhar asas.

— Em algum lugar do paraíso um anjo está dando tiros com o fuzil.

Ruby não foi convidada para ver.

— Babacas.

Os três fingem que não a escutaram e procuram outro vídeo, algo mais explícito dessa vez.

Por acaso, Ruby gosta do humor imaturo deles — é seu gosto também. Porém, eles nunca a incluem. E quando *ela* conta uma piada, os três se fingem de enojados. Por que a tratam como uma aberração?

— Como se eu fosse do mal.

Essa corja de fracassados, comendo mulheres no YouTube com os olhos — e ainda *a* consideram uma ogra. Só que ela é igual a eles: meia-idade, pervertida, entediada. Por que precisam fazê-la se sentir a pior das criaturas?

— São uns crianções, é por isso.

As matérias da segunda edição começam a chegar. A redação fica mais silenciosa. Pode-se dizer as horas pelo nível de ruído. Mais cedo, há burburinho, com piadas sem graça. Mais tarde, agora, predomina o silêncio, exceto pelo barulho dos teclados e pelas tosses nervosas. Após o fechamento, o burburinho recomeça.

Ruby olha fixamente para o cursor piscando. Não lhe deram nada, nenhuma matéria para copidescar. Vão acabar jogando a de Saddam em cima dela bem no fechamento.

— Canalhas.

Porém, quando chega a matéria sobre o ex-ditador, Ed Rance a passa para Dave Belling.

— Patifes.

Em vez de algo importante, dão a Ruby uma série de notas: a explosão de um gasoduto na Nigéria; conflitos em Mogadíscio; o impasse do gás na Rússia. Então, Ed Rance lhe passa uma matéria de análise sobre as armas nucleares no Irã e na Coreia do Norte, com título de dimensão ridícula. O texto é imenso,

2 mil palavras, porém o título é mínimo: a largura de uma coluna três linhas. Como se pode resumir toda essa porcaria em quatro palavras? Eles a tratam como se ela fosse uma maldita escrava.

— Imbecis.

Como de costume, Herman Cohen passa no copidesque antes de ir para casa, parando atrás de cada redator, lendo suas telas. Dave Belling está com um saquinho de sementes de girassol aberto e o recém-chegado pega algumas sem pedir, como sempre faz toda vez que acha recipientes de comida abertos. Faz um ajuste no título da matéria de Saddam e em seguida vai embora ruidosamente.

Os editores ligam para o celular de Kathleen, a fim de tratar da primeira página. Apertam a tecla do viva-voz, para que todos apoiem publicamente o que ela disser; em seguida, desligam e zombam dela, com se assim tirassem do ar o puxa-saquismo.

A poucos minutos do fechamento, Ruby já terminou tudo, menos uma nota. Está com dificuldade de encaixar "Mogadíscio" num título de uma coluna. Clint Oakley aparece.

— Quem fez o título da explosão do gasoduto na Nigéria? — pergunta. — Vocês estão de sacanagem? "Detonação mata pessoas de novo". — Dá uma gargalhada. — Que retardado escreveu isso? — Desde que Clint foi rebaixado do cargo de editor de cultura para os obituários, ele passa o tempo no copidesque, em busca de alvos fáceis: Ruby, acima de tudo. Ele sabe muito bem que foi ela a encarregada da notícia do gasoduto nigeriano. — Quem fez isso? — insiste Clint. — Seja quem for, deveria ser despedido. Vocês vão mudar, não é? Ed Rance?

— Já mudei, Clint Oakley. — Os homens se dirigem uns aos outros pelo nome completo, como estivessem num internato.

— Legal, Ed Rance. Só queria ter certeza. — Ele se afasta, repetindo com sarcasmo: — "Detonação mata pessoas de novo"! Porra, adorei!

Ruby está se roendo de raiva. Esse era um título de uma coluna com cinco linhas, e Ed Rance estava lhe ordenando aos berros que terminasse logo. O que mais ela poderia ter feito? Agora faltam minutos para o fechamento e a palavra "Mogadíscio" pisca com insolência à sua frente.

— Não consigo me concentrar.

— Preciso desse título da Somália — diz Ed Rance.

— Eu sei.

— Agora, Ruby.

— Não está pronto.

— Estamos fechando. Libera.

— Um minutinho só!

— Se não consegue fazer, me avise que eu repasso para quem consiga.

— Meu Deus do céu! — Ela fecha o arquivo.

— Muito profissional — sussurra Ed Rance.

Logo as páginas internas estão concluídas. A primeira é relida e fechada. São 22 horas, o expediente acabou e o pessoal está pronto para ir embora.

Como amanhã é véspera de Ano-Novo, todos terão folga. Alguns jornalistas e técnicos ficam falando de seus planos de celebração, mas a maior parte dos funcionários sai de forma sorrateira, um a um — andam de forma vacilante, para evitar ter que pegar o elevador com alguém. Logo a redação fica vazia, exceto por Craig, que continua ao computador, e Ruby, que guarda suas ferramentas: almofada, lenços antibactericidas, apoio de braço, mouse e teclado ergonômicos, apoios de pulso contra a LER. Tranca a gaveta e passa a mão trêmula pelos cabelos, como se para expelir aranhas.

— Tremendos patifes. — Vai ser ótimo quando ela pedir demissão. — Mal posso esperar.

Está escuro quando ela vai para o ponto de ônibus. Para sua surpresa, o jovem diretor, Oliver Ott, está levando o cachorro para passear e vem na sua direção — por que está indo à redação a essa hora? Alto, cheio de acne e desajeitado, o rapaz fita o basset hound, que cheira a calçada. Oliver e o cão passam direto por Ruby — seu diretor, pelo visto, não faz a menor ideia de quem ela é.

— Oi? — diz Ruby, indignada, quando ele passa por ela. Vira-se para Oliver: — Sou invisível? Não me vê? — O rapaz olha para trás. — Babaca! — grita, e sai dali furiosa. — Bom para você — diz a si mesma, seguindo pela Corso Vittorio, afastando-se do ponto de ônibus. — Bom para você! Ele que se foda! — Agora aqueles falsos vão usar essa desculpa para despedi-la. — Malditos canalhas. Espero que realmente me mandem embora. — Kathleen adoraria ver Ruby longe dali. Quase vale a pena ficar, só para irritá-la. — *Quase* vale a pena. — Kathleen. — Piranha.

Ela e Kathleen entraram no jornal na mesma leva de estagiários, em 1987. Como Ruby chegou uma semana antes, mostrou o lugar para a mais nova, indicando todos os editores, apresentando-a a todos — inclusive ao charmoso estagiário italiano Dario de Monterecchi, de quem ela estava a fim. Três meses depois, o editor-chefe, Milton Berber, tinha contratado Kathleen como assistente executiva, sem nunca nem haver dirigido a palavra a Ruby. E dez meses depois, Kathleen e Dario foram morar juntos. Nos anos subsequentes, Kathleen se tornaria uma repórter famosa na redação, uma estrela, subindo até ir para um jornal famoso em Washington. E agora, voltara triunfante como chefona, enquanto Ruby — que nunca saiu, que foi fiel — era uma imprestável.

— Que é exatamente como me tratam. — Inclusive Kathleen. — Vaca.

Se aqueles idiotas não a despedirem por ter xingado o diretor, ela vai pedir demissão, no dia 1º de janeiro. Vai ser ótimo. Sair daquele país chato.

— Voltar para casa, finalmente.

Ela se senta no ônibus, a caminho de casa. A ironia é que, na verdade, é boa no que faz.

— Não que eles deem a mínima.

O ônibus para, a fim de deixar um monte de turistas nova-iorquinos atravessar a rua, e em seguida passa pela ponte, rumo à Basílica de São Pedro, cuja cúpula está iluminada com um tom roxo-amarelado. Quando passam por ali, Ruby estica o pescoço para não tirar a igreja de vista até o último momento possível. E então, a construção fica para trás.

Ruby mora em um edifício moderno, com vista para as casas de penhores e o depósito de cães. Como os latidos nunca cessam, ela mantém as janelas fechadas o tempo todo. Assim que chegou em Roma, os amigos americanos costumavam se hospedar com ela. Mas as visitas acabaram se tornando tensas. É a arquitetura desse lugar, similar aos apartamentos de cômodos enfileirados de Nova York, cada um dando no outro. Agora está cheio de roupas sujas espalhadas — bustiês enrolados, camisetas grandes demais, presilhas de cabelos. A bagunça continua na cozinha, com embalagens de muffin amassadas, garrafas de leite vazias, bandejas de alumínio sem nada, sacolas de compras. Faz anos que ninguém de fora a visita; então, para quê arrumar?

Coloca o casaco da Fordham, abre a geladeira e boceja diante da iluminação esbranquiçada. Abre uma Heineken e a toma ali mesmo, com a porta aberta, a mente esvaziando junto com a lata. As farpas do dia se suavizam.

Ruby examina as prateleiras do refrigerador: um vidro de azeitonas pretas, ketchup genérico, queijo fatiado. Comer ou dormir — o eterno dilema do expediente noturno. Ela o enfrenta como de costume, com um pote de Häagen-Dazs no sofá e Tony Bennett de música ambiente, baixinho. O CD veio de graça com uma revista, e se tornou parte de sua rotina pós-trabalho. A TV também está ligada, sem som. Ruby assiste sem ver a *Ballando com le stelle*, escuta sem ouvir o cantor, toma o sorvete sem sentir o sabor de creme com amêndoas. Ainda assim, é a mistura mais fantástica que ela conhece.

A TV sem som exibe agora um documentário sobre a família real italiana destituída. Ruby muda para um noticiário, que passa imagens da trajetória de Saddam, de Halabja, passando pelo Kuwait, até o enforcamento. Ela volta à nobreza.

Estouros ressoam rua abaixo: os adolescentes estão testando fogos de artifício para amanhã. Ruby apoia os pés na mesa de centro, ao lado de uma pilha de fotografias de família, que ela trouxe de Nova York após o enterro do pai. Cobre as fotos com a ponta de um cobertor, para não precisar vê-las.

Ruby fecha os olhos, balança a cabeça.

— Lugarzinho maligno. — Aquela redação. — Que me despeçam. — Vão fazê-lo por e-mail: "Ruby, queremos conversar com você". — Avaliação de rendimento. — Período de teste. Despedida por gritar com aquele garoto idiota, Oliver Ott. De volta ao Queens. — Que alívio seria. — Seria mesmo. — Não tem mais motivo para ficar ali. — Dario? — Ele não chega a ser um motivo.

Às 2 da manhã, ela está bêbada. Abre o celular, sorrindo para o nome dele na lista de contatos. Vai convidá-lo para ir até sua casa, agora mesmo. Por que não? Então liga — embriagada, atrevida.

Dario não atende.

Ruby fecha o celular, vai cambaleando até o armário de remédios. Tira de uma nécessaire um vidro de colônia masculina, Drakkar Noir. Passa um pouco nas mãos, inspira, expira, de olhos fechados. Junta as palmas com suavidade, passa os dedos na maçã do rosto e em torno do pescoço, até sentir o cheiro de Dario em todas as partes.

Ainda tem um restinho de Häagen-Dazs derretendo no pote. Ela o sorve ruidosamente, abre a última cerveja e cai no sono em frente à TV.

Na manhã seguinte, um ruído agonizante a desperta. Segue-se uma perfuração estridente. E, então, um martelo batendo em pedra. Construção? Na véspera de Ano-Novo?

— Deve ser ilegal.

Não que ali isso faça diferença. Malditos italianos. Ruby se cobre com o cobertor, mas não consegue dormir. No banheiro, bebe água da torneira aberta. O barulho faz o apartamento vibrar. Ela pestaneja entre as persianas, lançando um olhar fulminante para os operários, que gritam em meio a um rádio às alturas.

Ruby pega um saco plástico que vem guardando para uma oportunidade dessas, desata o nó e recua por causa do fedor. Pega do saco um tomate, uma laranja e um ovo estragados e abre a janela. Com calma, mira e joga o ovo, e em seguida abaixa-se. Ninguém grita — ela errou. Em seguida, a laranja. Ainda não acertou. Então atira o tomate e acerta em cheio, espalhando as sementes e a polpa fétida. Esconde-se atrás do peitoril da janela. Os operários praguejam por um minuto, buscando o agressor. Desligam o rádio.

— Vitória! — exclama Ruby.

Então, o aparelho volta a ser ligado e os operários recomeçam o barulho de antes. Ela está totalmente acordada agora.

Senta-se no vaso sanitário.

— Que tipo de gente é essa?

A ducha sibilante enche o banheiro de vapor. Ruby tira a roupa, desanimada ante a visão do próprio corpo nu.

— Parece até que estou derretendo.

Ela se esfrega com força sob o jato, e depois, mal-humorada, sai pingando pelo banheiro.

Pega o ônibus até a Piazza del Popolo e vai a pé até o cinema Metropolitan, que está passando o filme mais recente de James Bond, *Casino Royale*. Analisa o cartaz do lado de fora. É pior ver um filme sozinha num cinema lotado ou num vazio? E se houver algum conhecido? Alguém do trabalho? Ela se lembra do ataque de raiva com Oliver Ott. Será que é melhor ir até a redação dar uma olhada nos e-mails? Ele já deve ter se queixado com Kathleen. E pronto. Vão despedi-la. Quanta coisa vai poder fazer quando se vir livre do jornal! A questão é que não consegue pensar nisso — embora odeie o emprego há tanto tempo, não tem ideia do que fazer longe da redação.

Olha ao redor. E se Dario a vir em frente ao cinema, sozinha, na véspera do Ano-Novo? E se estiver passeando na Via del Corso com a família neste momento? Ela vai até a Via di Ripetta, corta caminho por ruas secundárias, saindo por fim na Piazza San Salvatore, em Lauro. O sol de inverno chega até ali, e seu calor espalha-se pela praça como uma toalha de mesa. Ela protege os olhos com a mão. Os carros passam a toda velocidade na Lungotevere. Os pedestres caminham com tranquilidade e respeito. Ruby admira a igreja de fachada ampla — tem-se a impressão de que a construção chutou para longe os carros imundos que se aglomeravam aos seus degraus. Há um crucifixo simples no alto do frontão triangular, arcanjos sob o friso, colunas de pedra nas laterais da porta de madeira maciça.

Ruby se afasta, caminhando com tranquilidade, observando seus sapatos surgirem, um após o outro, sob si. Atravessa o rio Tibre e se mistura à multidão na Praça de São Pedro. Um obelisco de pedra aponta para as nuvens, as colunatas em formato circular cingem os peregrinos, a colossal basílica assomando atrás. Entretanto, o centro das atenções hoje são a árvore de Natal e o presépio, que inclui um menino Jesus destacado por um refletor. O aglomerado de pessoas se aproxima da representação do nascimento do filho de Deus, e Ruby se move também, porém analisando não a cena, mas o amontoado de gente movimentando-se: pais fazendo filmagens panorâmicas da manjedoura, freiras contemplando os três reis magos, adolescentes cochichando piadas grosseiras a respeito de jumentos nos tempos bíblicos. Enquanto todos caminham, buscando ângulos para ver melhor, Ruby fecha os olhos e se apoia nessas pessoas, roçando as mãos de estranhos — não por muito tempo, não a ponto de alguém notar, mas com toques passageiros.

Uma vez em casa, pega a malinha de viagem, que arrumou alguns dias atrás, e a coloca à porta. Ainda está cedo demais para ir ao hotel. Ruby olha ao redor à cata de distração, pegando o controle remoto e o cobertor, expondo sem querer as fotografias da família de Nova York: imagens de Pap, Kurt e dela. Ruby as coloca no colo, viradas para baixo.

O trabalho lhe vem à mente. Dave Belling.

— Tão falso — sussurra. Seu papo-furado de caipira sulista rústico. Ruby contrai o maxilar. Clint Oakley. — Tremendo canalha. — Esses caras vão adorar quando ela for despedida. — E eu vou ficar feliz da vida. — Nunca mais ter que pôr os pés naquela espelunca.

Desvira as fotos. A que está em cima é de Kurt, seu irmão um ano mais velho. Ele as deu à irmã no funeral de Pap.

— Temos que dividi-las irmamente — disse Ruby ao rapaz, na época.

— Não precisa.

— Fique com *algumas*, pelo menos.

Ele contou que Pap, nas suas últimas 72 horas, tinha gritado muito.

— Dizendo o quê?

— Que não queria morrer. Fez uma cena no hospital.

— Preferiria que não tivesse me contado isso, Kurt.

— Mas não havia por quê, na verdade.

— O quê?

— Você voltar antes que ele morresse.

Com efeito, ela não regressara da Itália enquanto Pap estava doente — ficou esperando uma súplica. Queria que o pai expressasse remorso. Nos últimos dias, Ruby ligou muito para Kurt, na esperança de ouvir que Pap não estava morto, na esperança de ouvir que estava. O enterro foi no cemitério St. Mary Star of the Sea, junto à Rockaway Turnpike. Como era verão, fazia bastante calor, e Ruby receou que notassem o quanto suava. Em vez disso, todos a abraçaram: primos, sobrinhos e crianças. Tratava-se da filha do falecido. Kurt sentou-se ao seu lado e apertou sua mão por alguns instantes durante a cerimônia religiosa.

Passou quatro dias no Queens, depois do enterro. Kurt tirou folga do trabalho e passeou com ela. Os dois comeram no restaurante Astoria, como faziam quando pequenos, ocasião em que pediam batata frita e molho de carne e esguichavam um monte de ketchup e vinagre, criando uma gororoba de torcer o nariz. Como adultos, podiam pedir o que bem entendessem. Então pediram batata frita e molho de carne.

A família inteira quis se encontrar com Ruby, buscando sua opinião e seu conselho.

"Tia Ruby, explique para o Bill, o suposto grande chef, como é a comida italiana *de verdade*." E: "Rube, converse com Kelly sobre mochilões pela Europa. Não confio nesse rapaz com quem ela está indo."

Ruby abraçava todo mundo. Fazia carinho no queixo dos pequerruchos, colocava-os sentados em suas pernas, ouvia histórias segredadas, aconchegantes para seus ouvidos. Todos achavam que ela era tão inteligente e cosmopolita... Essa atitude fez com que Ruby receasse se mudar de novo para o Queens — se o fizesse, eles a desmascarariam, descobrindo que tudo aquilo era uma grande mentira, que ela não passava de uma pessoa comum.

Ainda nessa viagem, ela passou o último dia comprando presentes para todos, com o intuito de expressar sua gratidão. Os presentes foram atos não apenas de generosidade como também de atenção — ela escutara a todos. A Kurt, deu um GPS para painel, o único modelo que servia para a caminhonete Toyota dele; a Kelly, uma Nikon Coolpix II branca, havia muito ansiada, além de uma doleira para que viajasse em segurança pela Europa; a todos os sobrinhos e sobrinhas pequenos, video games, livros e DVDs do momento. As crianças não queriam que ela fosse embora, e os adultos perguntaram quando iria morar em Nova York.

No avião de volta a Roma, Ruby decidiu digitalizar as fotografias antigas que Kurt lhe dera e lhe enviar as cópias por e-mail — alguém do Centro de Tratamento de Imagens, no trabalho, poderia mostrar a ela como fazer. Já antevia a mensagem que enviaria: "Irmão, apesar de você não querer agora essas fotografias, talvez as aprecie mais tarde. E vai me agradecer! Quem sabe as crianças não gostem? Com carinho, Rube. Obs.: Avise quando receber este e-mail."

Contudo, embora o funeral de Pap em Nova York a tivesse deixado cheia de si, em pouco tempo a redação perfurou seu ego. Quando voltou, deparou com uma avalanche de e-mails da editoria de cultura (ainda dirigida por Clint Oakley, na época) por causa de umas correções equivocadas que ela fizera antes de viajar. Clint enviara cópias de todas as queixas para Kathleen, com o intuito de humilhar Ruby. Não poderia ter feito as críticas de forma confidencial, como um ser humano decente? A angústia no trabalho prolongava-se madrugada adentro — ela acordava no escuro, de raiva. Pap também a assolava, em imagens que Ruby não via há anos: ele abrindo o armário para mostrar onde tinha guardados dentes de seres humanos; aquecendo uma colher no fogão; comentando com o padre: "Olhe, minha filha está desabrochando."

Com as fotografias da família no colo, Ruby tem vontade de lavar as mãos. Já faz quase seis meses que voltou de Nova York e ainda não as digitalizou.

— Kurt não pode nem ao menos ligar? — Será que é tão difícil assim? Ela não quer importunar o irmão. Mas parece que ele não faz questão de manter contato, não se importa se desaparecerem da vida um do outro. Afirma que não gosta de viajar. Mas levou a esposa a Londres. — Poderia ter me dito. — Ela teria dado um jeito de se encontrar com eles lá.

Soltam fogos de artifício lá fora, embora ainda faltem algumas horas para a meia-noite. Ela esconde as fotos num armário da cozinha. Esfrega as mãos com pedras-pomes até ficarem vermelhas.

O táxi a deixa em frente ao Nettuno, um hotel de três estrelas logo depois dos muros do Vaticano. A fachada de tom pêssego está escondida há anos por andaimes, já que os donos perderam a ambição e o dinheiro no meio de uma decapagem por jato abrasivo, em 1999.

Outro fogo de artifício estoura e ela se sobressalta, assustada.

O recepcionista a saúda em italiano e Ruby responde em inglês, entregando-lhe seu passaporte americano.

— Odeio viajar no feriado — comenta ela. — Odeio ficar longe dos meus filhos. Mas meus chefes se recusaram a remarcar a reunião. Fiquei pasma.

O recepcionista registra o cartão.

— Esse é o meu pessoal, não da empresa — acrescenta Ruby. — Para eu acumular milhas.

O sujeito anui, sem interesse.

Ruby nunca fica em casa na véspera de Ano-Novo. Todo 31 de dezembro vira uma executiva americana obrigada a ficar no exterior durante o feriado; a cada ano, um hotel diferente.

A janela do quarto dá para uns tubos de ar-condicionado, o que não a incomoda — menos barulho da rua. Joga o sobretudo na cama, pega uma cerveja Peroni do frigobar e liga a TV, para conferir o pay-per-view. Assiste a alguns minutos de um filme pornô, sem excitação e com desânimo. Muda para um canal de videoclipes, mas sem conseguir evitar o nojo.

— A quem isso atrai? — Pega um Kit Kat do frigobar. — Dá uma mordida e fica parada diante do espelho. — É desencorajador. — Pega outra cerveja e um pacote de amendoim. — Sabe? — Em seguida, toma uma garrafinha de Johnnie Walker Red, fazendo um gargarejo com pretzels triturados na boca.

— Não é? — Então, toma a de Absolut, com uma lata de suco de laranja.

Seus colegas de trabalho vão comemorar quando ela for despedida.

— E eu vou abrir champanhe.

Ruby abre a tampinha de uma meia garrafa de vinho tinto da Calábria e devora um pacote de wafer de chocolate. A combinação é terrível, mas ela está bêbada demais para se importar. Na TV, Totò está fazendo o papel de um médico. O frigobar ficou vazio. Ruby fecha os olhos e puxa as cobertas. Dorme.

Uma série de estouros ressoa — ela se senta, sobressaltada e sem fôlego. Após um instante, orienta-se: o hotel. A televisão ligada. Lá fora, os fogos de artifício. Ruby vê a hora. Faltam alguns minutos para meia-noite. Vai perder o emprego no jornal.

Vai até o corredor para ver os fogos de uma janela que dá para a rua. O céu cintila. Os estampidos são ininterruptos. Por toda a cidade surge o coro:

— *Sei*!

— *Cinque*!

— *Quattro*!

— *Tre*!

— *Due*!

— *UNO*!

Em um terraço panorâmico do outro lado da rua, adolescentes gritam — ninguém pode contê-los esta noite. Da beirada, lançam taças de champanhe, que tilintam na sarjeta. Ao longe, ouve-se o lamento de uma sirene de ambulância. Um homem de capa de chuva anda apressado pela calçada, fitando a tela do celular. A fumaça de fogos de artifício começa a subir, espalhando-se pelos postes de iluminação como fantasmas.

Ruby sabe que o frigobar está vazio, mas o abre de novo. Tenta dormir. Embora o barulho tenha diminuído, não consegue pegar no sono. Está totalmente acordada. Com certeza vão despedi-la. Bom pra cacete!

Herman Cohen lhe disse:

"Mais um vacilo, Ruby, e já era."

Estão querendo cortar pessoal. Todo mundo sabe quem será a próxima. É só uma questão de quando eles vão fazer isso.

Ruby olha o celular. Poderia telefonar para Kurt, no Queens, e desejar-lhe Feliz Ano-Novo. Ele perguntaria como ela está, a que tipo de festa foi.

Tira da nécessaire, o Drakkar Noir, coloca-o nas mãos, passa-o na maçã do rosto. Fecha os olhos e inala. Foi meses atrás que ela esbarrou com Dario na Via dell'Umiltà; fazia anos que os dois não se viam. Ele riu ao saber que ela ainda se lembrava dele com o Drakkar Noir.

— Faz anos que não uso esse perfume — comentou.

Abre o celular e procura o número dele. Não disca, mas leva o aparelho ao ouvido.

— Alô — diz para o nada. — Posso falar com o Dario, por favor? Oi, sou eu. Se quiser dar um pulo aqui, vai ser ótimo. — Meu hotel é muito bom. Sério. Não quero causar problemas; mas adorei tomar aquele drinque com você. — E se eu der um pulo aí? Só por alguns minutos. — Estou muito cansada de qualquer forma.

Ela liga para ele do telefone do hotel, para que ele não reconheça o número.

Dario atende:

— *Pronto*?

Ruby não responde.

— *Pronto?* — repete ele. — *Chi é?... Pronto?* — Faz uma pausa. — *Non rispondi?* — Bate o telefone.

Ela volta a ligar.

— *Chi é?* — pergunta Dario. — *Che vuoi?*

— Não grita comigo — pede ela, em inglês. — É a Ruby.

Ele solta um suspiro.

— Já é madrugada. Primeiro de janeiro. Por que está me ligando?

Ruby fica calada.

— Cinquenta telefonemas seus nas últimas semanas, Ruby. Cinquenta.

— Me desculpe.

— Por que está me ligando?

— É que...

— Responda.

— Desculpe.

— Pare de se lamentar. Apenas me responda. Isso está ficando ridículo. Cinquenta vezes. Tem algo para me dizer?

Ela fica muda.

— Ruby, sou casado. Não estou interessado em encontrar alguém. Não quero nada com você. Não quero receber notícias suas, não quero ver você. Não quero tomar outro drinque na sua companhia. Não quero que ligue para este número de novo. Por favor.

— Dario.

— Se você telefonar para mim de novo, vou ter que...

Mas ela desliga.

Ruby encontra uma lixa de unha na nécessaire e bate contra a coxa até ferir a pele. Aumenta o tamanho da ferida, depois estanca o sangue com papel higiênico e lava as mãos sob água escaldante.

A faxineira a desperta na manhã seguinte.

— Ainda não — sussurra, voltando a dormir.

A recepção liga. Já é mais de meio-dia. A diária já terminou.

Ruby continua a sentir o aroma de Dario em si. Ao vestir a calça, esbarra na ferida profunda na coxa. Não resta tempo para tomar uma ducha. Mete seus pertences na malinha, olha-se no espelho e tenta ajeitar os cabelos.

— Meu último dia no jornal. — É 1º de janeiro. Seu turno começa às 14 horas. — É hoje. — Vão despedi-la.

Ruby puxa pela rua a malinha com rodas. Podia voltar para casa e tomar um banho, mas, em vez disso, dirige-se à Praça de São Pedro. O papa já concluiu o Ângelus e a multidão se dispersa. Ela cruza com torrentes de pessoas com lenços amarelos do Vaticano amarrados nos pescoços. A basílica está ali postada como um trono, com a humanidade aos seus pés. Expulsam Ruby de uma fotografia de férias após a outra. "Perdão, você se incomoda?", perguntam. Ela vai mais para um lado. "Com licença, mas agora entrou no meu campo de visão."

Ela torce para que um casal apaixonado lhe peça para tirar uma foto. Adora isso — ser, por um instante, admitida em sua união. Mas ninguém lhe pede. Dois jovens mexicanos preferem tirar eles mesmos a foto, o homem esticando o braço com a Kodak descartável na frente de si mesmo e da recém-esposa. Faz uma contagem regressiva e, quando chega a zero, Ruby — que está a certa distância deles — estica a mão e a inclui no pano de fundo da foto. O flash acende, e ela tira o braço, sem que ninguém se dê conta disso. Quando o casal chegar em casa, verá que Ruby estará lá para sempre.

Assim que chega à redação, constata que está deserta, exceto por Craig. Liga o computador, sem se dar ao trabalho de desinfetar a área de trabalho. Eles já devem tê-la mandado embora por e-mail. E alguém roubou sua cadeira. Típico. Ruby esquadrinha a sala. Será que aquele homem sai dali alguma vez?

— Ah, me desculpe — diz Craig, sobressaltando-se quando ela se aproxima. — Estou na sua cadeira. Pronto, toma. Alguém pegou a minha e achei que você não viria hoje. Sei que é uma desculpa esfarrapada. Aliás, é bem confortável.

— Você pode pedir uma, se quiser. Só levou seis anos, no meu caso.

— Toma. — Ele empurra a cadeira em sua direção. — Nós dois vamos ter que aguentar este plantão chato, né?

— O que precisa fazer hoje?

— Na verdade, sou o encarregado de tudo. Ai ai. Prepare-se para uma jornada turbulenta. Tanto Kathleen quanto Herman tiraram o dia de folga, então serei só eu. Estou suando frio. Aliás, tenho algo para você que vai compensar o roubo da cadeira. — Vasculha na mochila e tira um CD. — Estou carregando isso para cima e para baixo há alguns dias. Esquecia o tempo todo de entregar a você. Lembra aquela vez que conversamos sobre Tony Bennett versus Frank Sinatra? Creio que isso vai pôr um basta à questão. *Live at the Sands*. Acho que vou convertê-la em fã do Frank.

— Puxa, obrigada. Quando vai precisar de volta?

— É para você.

Ruby leva a mão ao peito, surpresa.

— Depois me diga o que acha — prossegue Craig, falando rápido, impressionado com a reação dela. — Algumas das introduções que o Frank faz para as músicas são ótimas. Acho que você vai adorar.

— É muita gentileza sua.

— Ruby, é só a cópia de um CD. Nada muito importante, sério.

De forma desajeitada, ela o abraça.

— Não foi nada não — insiste ele, afastando-se. — Não foi nada. Aliás, você recebeu o meu e-mail?

— Que e-mail? Algum problema?

— Não. É sobre o título da matéria sobre armas nucleares. Foi você que fez, não foi?

— Aquela sobre como todo mundo está angustiado com o Irã e a Coreia do Norte? Fiz alguma besteira?

— De jeito nenhum. Seu título estava ótimo: "Aloprados com Bombas A". Sou péssimo com esses títulos de uma coluna só.

É óbvio que ele não sabe que vão despedi-la. Não deve estar ligado.

Ruby leva a cadeira de volta ao mesão do copidesque e olha ao redor. Persianas cobrem as janelas da redação, as lâminas emaranhadas, metade para cima, metade para baixo, permitindo que sombras e raios entrecortados reflitam nos computadores velhos e pouco confiáveis, cujas ventoinhas ressoam irritantemente. Vinte anos ali.

— Toda a minha carreira. — O computador dela leva uma eternidade para iniciar. — Anda logo. — Ruby está prestes a perder o emprego. — Ainda bem. — Está quase na hora de comemorar.

Seu processador parou de zumbir: pronto. Ela já pode imaginar o e-mail: "Ruby, por favor, me ligue, estou em casa. É um assunto bastante sério." Quem o terá enviado? Kathleen? Herman? Ou o setor de Contas a Pagar?

Ruby se conecta. Todos os e-mails de praxe encontram-se ali: um número de fim de ano do boletim informativo *Por quê?*;

algo sobre apagar as luzes dos banheiros para economizar; um lembrete de quanto custa por minuto o atraso no fechamento do jornal. E a mensagem de demissão?

Checa de novo.

Onde está, caramba?

Ruby atualiza diversas vezes a caixa de entrada. Não encontra nada. Não está lá: nenhum e-mail nesse sentido. Mas deveria haver.

Só que não há.

Ela se levanta, depois senta-se, fica de pé outra vez e vai depressa ao banheiro feminino. Tranca-se numa cabine, acomoda-se no vaso sanitário, cobrindo a boca.

A respiração fica mais ofegante, as entranhas parecem inchar. Uma lágrima escorre pelo rosto, descendo delicadamente pelo queixo. É ele — o cheiro de Dario. O perfume da noite passada. Não chegou a lavá-lo, e as lágrimas ativaram o aroma.

Ruby pega o celular. Engolindo em seco, limpando o nariz, seleciona o número de Dario. Lê seu nome em voz alta. Equilibra o celular entre as coxas e deixa-o cair no vaso sanitário. Ele salpica e oscila na água.

Ela bate palmas, uma só vez.

— Vou ficar — murmura. Enxuga os olhos. Não consegue parar de sorrir. — Vou ficar.

1975. Sede do Grupo Ott, Atlanta

Ligações desesperadas chegaram do jornal em Roma: outro editor-chefe interino pedira demissão e não havia mais ninguém no comando. Depois de anos sem lhes dedicar atenção, Boyd precisava tomar uma atitude.

A ida anterior ao jornal ocorrera quando ele ainda estudava em Yale. Daquela vez, ficou num hotel em Roma, porque não teve coragem de visitar a mansão vazia do pai. Agora, Boyd tinha mais coragem.

Não obstante, assim que entrou na residência, ficou de mau humor. Passou o dedo, com um movimento serpenteante, pela moldura de um quadro, deixando uma trilha sinuosa em meio à poeira. Para quê todas aquelas obras? Uma mulher com um pescoço ridiculamente longo. Garrafas de vinho e chapéus. Uma galinha em pleno ar. Um naufrágio. Devia estar na casa antes que o pai a comprasse — Ott nunca teria desperdiçado dinheiro com essas decorações. Boyd chamou os empregados e, sem se dar ao trabalho de saudá-los, ordenou que se fizesse uma faxina de cima a baixo na mansão. "Ah", disse-lhes, "e cubram esses quadros."

Abriu as persianas. O pai devia contemplar dali, pela grade com pontas de ferro, a via isolada. E pensar que Ott comprara aquela mansão espetacular — sem falar nas demais propriedades da família — tendo começado do zero. Era a um só tempo estarrecedor e aviltante.

Boyd analisou a sala: o teto pomposo em estilo rococó, os tapetes orientais gastos, as estantes, o telefone velho na parede. Como fora grandiosa quando o pai caminhava por aquele ambiente! Podia até visualizar Ott andando a passos largos por aqueles tapetes e subindo a escada. Sempre o imaginava daquela forma — eternamente se movendo. Jamais conseguia trazê-lo à lembrança parado em algum lugar. Com efeito, era difícil concebê-lo simplesmente morando ali, mês após mês, por anos.

Por que Ott vivera tanto tempo ali? Aquele não era seu lar. Seu lar ficava em Atlanta. Mas as construções se ajustavam a ele, e não o contrário. Ott imaginara que o mundo precisava do jornal. E sem dúvida alguma se dedicara a criá-lo. Jamais ficava parado. Era assim aquele grande homem fora.

Só de pensar na atual situação do jornal, Boyd ficava tenso, furioso e envergonhado. Tratava-se de uma afronta à memória do pai, e o próprio filho podia levar a culpa por isso.

Na manhã seguinte, ele se reuniu com todos os editores e lhes pediu que aguentassem as pontas: um novo editor-chefe estava a caminho. Quando Boyd voltou para Atlanta, contratou os serviços de uma empresa especializada no recrutamento de executivos para roubar um repórter célebre de algum jornal famoso. Alguém jovem, brilhante e carismático. Conseguiu um com dois desses itens.

Milton Berber já passara havia muito da flor da idade. Tinha uma longa carreira jornalística em um jornal de Washington, que começara após lutar na Segunda Guerra Mundial. Fizera a cobertura do tribunal da capital, tivera a oportunidade de cobrir o Ministério de Relações Exteriores, tornara-se editor assistente da região metropolitana, em seguida editor assistente nacional e, depois, editor executivo. Mas, já em 1975, vira-se obrigado a reconhecer: não subiria mais.

Isso o aborreceu, pois acreditava que seria um bom chefe. Porém, ninguém nunca lhe dera a oportunidade, nem quando dirigia um jipe por Nápoles para as Forças Armadas americanas, nem quando se tornara editor executivo em Washington. Tudo bem que não era exatamente um sonho seu, trabalhar para um jornal internacional de segunda categoria. Mas, ao menos teria o cargo mais alto da redação.

Boyd foi para Roma com Milton, a fim de apresentá-lo. Depois de conhecer a equipe desestimulada e se dar conta do estado de ânimo do jornal, Milton teve dúvidas. Porém, seu chefe — talvez não o mais encantador dos homens — parecia decidido a recuperar o jornal. Então Milton acabou aceitando.

Reuniu os funcionários e lhes disse:

— Os jornais são como tudo o mais: puros, incorruptíveis e nobres, o máximo possível. Mas subjugue-os pela fome e vão se ajoelhar na lama como os demais vagabundos. Jornais ricos podem se permitir ser íntegros e, se preferirem, arrogantes. Não temos condições de nos dar esse luxo agora.

— Então está dizendo que temos que nos ajoelhar na lama? — quis saber um jornalista.

— Estou afirmando o oposto. Precisamos começar a fazer dinheiro aqui. Ninguém nos lê. No momento escrevemos matérias que achamos que deveríamos escrever, não o que as pessoas realmente querem ler.

— Ei — protestou um editor —, sabemos o que nossos leitores querem.

— Olhe, não quero pisar no calo de ninguém aqui — prosseguiu Milton. — Só estou sendo direto. E é assim que vejo a situação. Este jornal começou como um panfleto.

Boyd indignou-se com esse comentário e o interrompeu para salientar:

— Sempre foi mais do que isso.

— Linhas gerais... Estou falando em linhas gerais. Tenha paciência.

A equipe se perguntou se estava testemunhando um fiasco. Aquela era a primeira reunião de Milton com o patrão e seus funcionários e ele estava prestes a ganhar a antipatia de todos.

— Não me julguem ainda — pediu Milton. — Vou fazer umas observações terríveis. Detestáveis. Estão prontos? Aqui vai. Esta publicação começou como um simpático panfleto; por favor, não me despeça no meu primeiro dia, Boyd!

Todos riram.

— O jornal começou como uma ótima ideia — continuou. — Mas, por algum motivo, acabou se tornando um mata-borrão. É o que é agora. E não digo isso para ofender ninguém. Tampouco a instituição em si. Estou afirmando que chegou a hora de transformar este impresso num verdadeiro jornal. E podemos fazer isso de duas maneiras, as mesmas necessárias para o sucesso em qualquer instância: inteligência e muito trabalho. Quero acabar com as atitudes patéticas. Não precisamos nos igualar aos grandes jornais o tempo todo. Mas nem por isso precisamos ser uns renegados. Quero matérias sérias, que, por um lado, sejam feitas por nós e, por outro, apresentem fatos corriqueiros interessantes. O restante, publicamos na seção de notas. E quero risadas. Estamos com medo demais do humor: muito reverentes o tempo inteiro. Bobagem! Diversão, pessoal! Vejam como os ingleses fazem. Publicam mulheres mais bonitas, oferecem fins de semana em Brighton. E vendem muito mais exemplares que nós. Bom, mas isso não quer dizer que quero transformar isto num tabloide ou num circo, muito menos obrigar ninguém a ir a Brighton. De jeito nenhum! Mas temos que reconhecer que estamos no ramo do entretenimento, de certa forma. O que não quer dizer que sejamos impostores. Muito menos vulgares. Somos é legíveis, da melhor forma possível: de maneira que as pessoas acordem nos desejando antes do café. E se formos reverentes demais à presta-

ção de serviço público a ponto de ninguém nos ler, não estaremos prestando nenhum serviço à população. Vamos aumentar a circulação e ganhar dinheiro com isso.

Os funcionários aplaudiram com cautela — e com razão. As observações de Milton não foram um bom sinal para todos, sobretudo para os que sempre acharam que inteligência e muito trabalho NÃO faziam parte de suas obrigações. Boyd, por sua vez, sentiu-se tentado a despedir Milton na mesma hora. Mas sabia que essa atitude não pegaria bem. Ele escolhera o sujeito, fora até lá com o homem. Aguardaria um ano, daí o mandaria embora.

Milton ficou ali entre os repórteres, trocando apertos de mão, decorando nomes. Já os conhecia, de certa forma — conhecia aquela raça de trás para a frente e previra como seu discurso seria recebido. Jornalistas são tão melindrosos quanto artistas de cabaré e tão teimosos quanto operários. Milton não conseguiu conter o sorriso.

“ATENTADO EM BAGDÁ MATA 76”

CRAIG MENZIES, EDITOR EXECUTIVO

ANNIKA SE AGACHA DIANTE DA MÁQUINA DE LAVAR, TIrando de dentro as roupas úmidas.

— Estou começando a suspeitar de que meu objetivo na vida é lavar roupa — comenta. — Todo o resto é grandeza efêmera.

Craig, parado atrás da mulher, afaga o alto da cabeça dela com o indicador, seguindo a curva dos cabelos pintados de preto. Abre a mão em cima do crânio, como se para medi-lo, em seguida mete os polegares debaixo das alças do macacão dela e a puxa. Ela se apoia na palma da mão dele e beija seus dedos, erguendo os olhos.

— Setecentas e vinte e oito meias no ano passado — enumera ela. — Lavei tudo isso.

— Você contou?

— Claro. — Ela mete a mão na máquina e puxa de lá um lençol que parece interminável.

Craig se ajoelha ao seu lado e abraça-a pela cintura.

— Estou de folga hoje. Deixa eu fazer alguma coisa.

Ele tem poucos dias livres. Geralmente, começa o trabalho às 6 horas, conectando-se de casa para ver o que ocorreu durante a noite nos Estados Unidos e o que está acontecendo na Ásia naquele momento. Vasculha os sites de jornais concorrentes e responde os e-mails, digitando de leve para não acordar

Annika no outro quarto. Já às 7, está no ponto de ônibus na Via Marmorata, implorando que o 30 passe logo. É o primeiro a chegar à redação e a acender as luzes: de um ponto ao outro da sala, as lâmpadas fluorescentes começam a piscar, como olhos sonolentos e hesitantes. Coloca uma garrafa térmica com café na mesa, liga a TV, confere a CNN e a BBC, consulta as agências de notícias, compila uma lista de pautas a ser distribuída. Outros funcionários chegam: secretárias, técnicos, editores, repórteres. Às 9 horas, Craig já está discutindo pautas com correspondentes do jornal e os poucos colaboradores que ele ainda mantém no exterior. Então Kathleen aparece, exigindo um resumo do mundo no mesmo instante. Embora nunca aparente prestar atenção, ela absorve tudo.

— Dia tranquilo — comenta ela. — Tomara que aconteça alguma coisa.

Craig supervisiona as matérias principais em seus vários estágios: apuração, redação, fechamento. Conversa com os diagramadores, pega o espelho, a relação dos anúncios, solicita ilustrações e pede infográficos à editoria de arte — tudo em meio a uma avalanche de telefonemas. Os colegas sempre insistem que ele tire folga, não porque se importem, mas para deixar claro que ele é um idiota por trabalhar tanto assim. Quando a segunda edição é concluída, todos vão para casa e ele põe a redação para dormir: as luzes fluorescentes piscam, iniciando outro repouso noturno. No ônibus, de volta para casa, em Testaccio, ele é assolado por manchetes, que lhe vêm à mente como uma barra de notícias: "Irã testa três novos mísseis... Noventa por cento das formas de vida marítimas estarão extintas até 2048... Líder evangélico demite-se após escândalo com garoto de programa gay." Craig pega o elevador até seu apartamento. A barra de notícias diz: "Chaves no bolso direito, afirmam autoridades... Abra a porta, sugerem fontes... Diga o nome de Annika, recomenda pesquisa." Ele o faz, e ela vem lhe dar um beijo na boca. Então o conduz, abraçando-o, até a cozinha, faz com que prove molhos borbulhantes e escute como foi seu dia. Tudo que importava um minuto atrás já não importa mais. As notícias cessam.

O dia de Annika segue um cronograma diferente. Ela se levanta às 10 horas, toma um copo de suco de toranja à pia e come uma torrada na varanda, as migalhas caindo na calçada enquanto ela observa o bairro lá embaixo: o vigia do banco, que está sempre falando ao celular, estudantes jogando bola, velhinhas caminhando com lentidão até o mercado. Annika se espreguiça, solta um gritinho, lambe os dedos melados de geleia. Toma banho com a porta do banheiro aberta, deixa os cabelos secarem enquanto lê e-mails, navega na internet, envia mensagens para Craig. Até as 13 horas sai para passear por Lungotevere, ao longo da calçada com vista para o Tibre. Segue o caminho sinuoso do rio, de Testaccio em direção ao Centro Storico. A água de tom verde-garrafa forma redemoinhos em algumas partes, fica parada em outras. Tal como ocorre com vários lugares de Roma, o rio foi abandonado à própria sorte, uma faixa de mata percorrendo de forma sinuosa a cidade barulhenta. Ervas daninhas vicejam, descendo às margens fluviais, aferrando-se à água pantanosa, agarrando seja qual for o lixo que vem correnteza abaixo: garrafas de plástico, folhetos de lojas de móveis, caixas de sapato, milhares de filtros de cigarro oscilantes. A calçada também foi largada ao deus-dará, e assim raízes de árvores racham a calçada, empurrando-a para o alto, formando lábios de concreto. De volta a casa, Annika coloca as compras na mesa da cozinha e abre as persianas: filetes de luz refletem no assoalho, indo até as paredes brancas.

Coloca mais roupa na máquina, gira o botão e se senta com um livro. Está tentando melhorar seu italiano, lendo contos; recentemente, Alberto Moravia e Natalia Ginzburg. Almoça tarde — em geral, às 15 horas —, a fim de conter o apetite até a volta de Craig, à noite. Vê um pouco dos programas bobos da TV italiana, passa roupas, lava louça, pendura a roupa, prepara o jantar. Quando Craig chega, já está esfomeada e o conduz, abraçando-o, até a cozinha. Nunca faz perguntas sobre as notícias do dia — elas só decepcionam, e não há nada que Annika possa fazer a respeito. Depois do jantar, Craig se deita na cama, enquanto ela assiste a filmes antigos com fones de ouvido, tomando iogurte caseiro adoçado com geleia de ruibarbo. Quando amigos lhe indagam a respeito da vida em Roma, Annika comenta: "É interessante, é boa", e em seguida não sabe mais o que dizer. Não diz que o apartamento é maravilhoso, o bairro, ideal e Craig, um ser caótico afetuoso. Não fala do prazer que sente em acompanhá-lo, nem menciona que não tirou uma única foto com entusiasmo desde que chegou a Roma, pois não tem vontade, nem se importa com becos nem galerias, se é que um dia se importou. Acima de tudo, não admite que está feliz.

— Só não quero que você fique entediada — diz Craig.

— Não estou.

Annika liga o som: Dinah Washington cantando "What a Diff'rence a Day Makes". Craig não conhecia jazz muito bem antes de conhecê-la, mas ela o vem instruindo, apresentando-o a Ella Fitzgerald, Nina Simone, Frank Sinatra.

— Você é tão independente — comenta Craig. — Tenho medo de que se canse de mim. Das minhas meias, principalmente.

— Existe essa possibilidade. Desde que ninguém me veja preparando seu jantar todas as noites, por mim tudo bem.

Ao menos levava esta vida no exterior. Annika pode alegar que está aprendendo outro idioma, que Roma é uma cidade bastante voltada para a cultura e que morar ali já é em si um aprendizado em termos de belas-artes. Quando voltar a fotografar, essa experiência terá tido um efeito salutar. Se estivesse se dedicando à casa dessa forma em Washington... Bom, simplesmente não teria ocorrido. Mas morar fora muda as regras. Desde que ninguém a veja. Annika evita visitas de amigos e parentes indo visitá-los duas vezes ao ano. Se a mãe a visse! Depois de todo o esforço para inculcar nela a importância da independência financeira e profissional. Ou se as amigas da escola de belas-artes vissem sua Nikon parada ali, com a capa cinza de poeira, ao passo que sua coleção de livros de culinária aumenta — a terrível domesticidade da situação! Craig fica com a carreira e o prestígio. Annika? Com as meias. E se algo der errado, a conta bancária é dele. E ela? Como explicar essa lacuna no seu currículo? Como explicar sua satisfação em ser dona de casa?

Os colegas de Craig sabem pouco a respeito de sua vida com Annika. Por um tempo ela fez amizade com Hardy Benjamin, e as duas se encontravam para tomar café quase todas as tardes, na cafeteria que há embaixo da redação. Mas então Hardy começou a namorar, e sua relação com Annika esmoreceu. Quanto aos demais do jornal, costumam esquecer que Craig mora com alguém — se por acaso o imaginam fora do expediente, visualizam-no sozinho, comendo sanduíches, lendo os ingredientes do pacote de pão. Para os funcionários, ele existe menos como um homem e mais como um ser pedante cheio de rugas sentado numa cadeira de rodinhas.

Em breve haverá uma festa para o pessoal da redação e Craig pensa em não chamar Annika. Se ela o vir entre os colegas, vai perceber o que pensam dele.

— Mas vou logo avisando que só vai ter repórteres sem graça.

— Você quer que eu vá?

— *Eu* não quero ir.

— Talvez precise de um apoio. A menos que não queira que eu vá.

— Você é bem-vinda onde quer que eu esteja.

— O que eu deveria dizer a eles a respeito do que faço aqui neste país?

— Ninguém vai perguntar esse tipo de coisa.

— Mas e se perguntarem?

Assim que os dois entram na redação ele solta a mão dela, em seguida deseja não ter feito isso. Vê nos olhares dos colegas uma ânsia de saber que relação ele pode ter com essa mulher tão mais jovem: ela, com um vestido roxo e meia-calça com listras verdes e pretas, um sorriso tão espontâneo que parece até quase surpreendê-la; ele, com uma camisa de algodão azul e calça de veludo cotelê, rechonchudo apesar dos abdominais no fim de semana, uma ferradura de cabelos de tom castanho contornando uma cúpula careca, que reluz sempre que ele se agita e brilha com frequência.

Hardy os vê, acena com um entusiasmo um pouco excessivo e se aproxima. Ela e Annika conversam por alguns minutos e concordam em se matricular juntas numa aula de ioga, embora ambas saibam que a promessa não é sincera.

— Bom — diz Hardy —, melhor eu ir resgatar meu gato.

Seu namorado, Rory, foi visto pela última vez segurando uma garrafa de vinho, tentando envolver um Herman de cenho franzido num debate sobre a precisão fatual dos filmes de James Bond. Hardy vai atrás dele às pressas.

Outros jornalistas se aproximam de Craig, os olhares indo do editor executivo tedioso à jovem curvilínea.

— E aí, Craig, não vai nos apresentar?

Uma vez em casa, ele comenta com Annika:

— Você foi muito... — faz uma pausa — muito popular com todo mundo.

Ela sorri.

— Popular? O que é isso, estamos na escola?

— Eu sei, parece ridículo. Estou dizendo no bom sentido: fiquei impressionado.

Annika beija suas pálpebras e dá um beliscão em seu traseiro.

Craig acorda cedo na manhã seguinte e continua deitado por mais alguns minutos, admirando as costas macias, o aroma dos cabelos dela. Annika parece fora de série: sua respiração ao encontro dele, no escuro.

Ele vai para o trabalho a pé e hesita diante da vitrine de uma loja. Aquela pulseira de turquesa? E que tal aqueles brincos? Será que formam um conjunto? Craig não tem muito gosto para joias, não faz ideia se aquela é bonita, se Annika gostaria de ganhá-la. Precisa da opinião dela, o que, no entanto, estragaria tudo. Dá uma olhada no horário de funcionamento da joalheria. Talvez possa dar um pulo lá entre uma edição e outra. Ela precisa de brincos? E isso faz diferença? Qual é o objetivo? Deixar clara sua mensagem. Que é... Craig não sabe, sabe apenas de que tem uma. Está sempre tentando pegar a mão de Annika, depois a solta. Seu próprio esforço de se expressar fracassa. Vai comprar aqueles brincos. Mas a joalheria está fechada.

No jantar, Annika troca ideias a respeito da festa da redação, tecendo comentários sobre os colegas dele.

— Herman é um amor — comenta.

— Eu não diria isso.

— É agradável — insiste Annika — e tão inseguro...

— Herman? Herman Cohen?

— E foi interessante conversar com Kathleen. Ela adora você.

— Ela adora que eu faça todo o trabalho dela.

— É óbvio que o respeita muito.

— Sério?

— E todos aqueles estagiários são *tão* jovens. Fizeram com que eu me sentisse uma idosa. Na verdade, já me sinto assim.

— Se você é velha, deve achar que sou pré-histórico.

— De jeito nenhum: é só *no meu caso* que a idade parece avançada.

— Vinte e sete não é uma idade avançada.

— Depende do que se fez. Minha irmã costuma dizer que todo mundo que vai se dar bem na vida já encontrou seu caminho aos 30.

— Não é verdade. É um comentário típico da sua mãe. Além do quê, você ainda tem três anos; só então poderemos falar do fracasso que você é. Está bem? Aliás, queria deixar claro que eu não tinha conseguido nada aos 30.

— O que fazia naquela época?

— Estava em Washington, acho. Trabalhando como redator.

— Então você se saiu bem, teve sucesso.

— Não sei se posso considerar isso um sucesso.

— Você tinha uma carreira, um ofício. Não fazia algo sem sentido como tirar fotos com aspirações artísticas, coisa que qualquer fracassado com uma câmera digital e o Photoshop pode fazer hoje em dia — diz Annika. — Todas as horas que passei em câmaras escuras, inalando vapores de produtos químicos, mexendo com fixadores de revelação, bandejas de plástico e pinças! Quanto desperdício!

— Nada é um desperdício!

— Algumas coisas são! Tipo, sejamos realistas, não estou exatamente tirando proveito do tempo que estou passando aqui. Ainda nem consigo falar italiano. E, apesar de morar com um jornalista experiente e muito dedicado, não faço ideia do que está acontecendo no mundo.

— Faz sim.

— Talvez eu devesse começar a ler o jornal. Todo mundo na festa entendia tanto das coisas...

— Que coisas?

— Sei lá: procedimentos de votação no Parlamento, corrida armamentista no subcontinente indiano, os tribunais no Camboja. Mas aí, eles se viravam para mim e eu dizia, tipo: "Ah, eu trabalhava como assistente de fotografia, mas agora estou na casa do Craig."

— Na nossa casa — corrige ele. — Na verdade, sua. E os meus colegas de trabalho são obrigados a saber desses detalhes: é a profissão deles.

— Bom, é exatamente essa a questão: eu não *preciso* saber de nada.

— Quer procurar emprego de novo? Posso fazer outra sondagem.

— Você acha que eu deveria?

— Bom, você não *precisa*. — Essa não lhe pareceu ser a resposta correta. — Mas não faz mal procurar. Como eu disse, ficarei feliz em ajudar. Só me diga o que gostaria. Ou quer voltar a fotografar?

— Não sei.

— Sobre o que conversou com Hardy na festa? Aulas de ioga, não foi? Não seria divertido? Não estou dizendo que seria a solução. Só não quero que se canse de mim, enfurnada no apartamento lavando meias.

O aniversário dela chega e Craig lhe dá os brincos e a pulseira de turquesa, além da assinatura de uma revista de fotografia italiana e de um pacote de aulas de ioga.

Annika faz amizade de imediato na aula. São todos italianos, gente do mundo artístico. Fumam muito, pintam os quartos de laranja e cheiram a lã úmida. Ela sente grande simpatia por um rapaz desajeitado chamado Paolo.

— Nunca vi um cara mais descoordenado do que ele — conta ela. — Pobre Paolo, não consegue nem tocar os dedos dos pés. Totalmente incapaz.

— E eu consigo?

Craig tenta. Geme, esforçando-se para alcançar as pontas dos sapatos.

Annika levanta-se de um salto e o abraça.

— Obrigado — diz ele, rindo. — Por que fez isso?

O pessoal da ioga pede que Annika leve seu portfólio para lhes mostrar. Porém, quando ela avalia suas fotos antigas, sente-se envergonhada: vão achar que ela é uma amadora. Então, inicia uma nova série. O tema é a pichação, que polui os monumentos históricos de Roma. Os colegas adoram as fotografias e encorajam-na a expô-las.

Com Annika fora tirando fotos ou com os amigos da ioga, Craig muitas vezes se depara com um apartamento vazio ao chegar em casa. Estranhamente, o lugar parece mais barulhento sem ela: lambretas passando de forma ruidosa do lado de fora, o som de passos no apartamento de cima, o tique-taque do relógio. Ele prepara um sanduíche para o jantar e vai até sua oficina, no porão, um espaço que aluga para se dedicar a projetos científicos, seu passatempo predileto desde a juventude. Manuseia suas maquetas de pau-de-balsa, pesquisa números antigos de revistas de ciência e tecnologia e sonha acordado. Tem sempre o mesmo sonho: adquirir uma patente.

Se ao menos tivesse estudado algo na área de ciências na universidade... Então não teria ido parar em Washington e não teria conhecido Annika. Evidentemente, ainda *podia* inventar algo. Uma criação tão notável que obrigaria o MIT a aceitá-lo. Craig concluiria o doutorado em tempo recorde. E contaria com o apoio da companheira. Se Annika quisesse ir. Mas será que o faria? Ali em Roma, ele tem algo a lhe oferecer: um lugar agradável de se viver, o romantismo da Europa. E se tudo o que tivesse fosse um alojamento estudantil em Boston e dívidas? Mas essas são ideias absurdas. Craig não é um inventor, não tem as qualificações necessárias e está velho demais para obtê-las agora. Gostando ou não, leva uma vida diferente, de jornalista.

Annika está batendo à porta da oficina.

— Já vou — grita Craig.

Ele a encontra no patamar, apoiada na parede, com cara de dor. Foi algo com a coluna; ela não vai poder ir às aulas de ioga por um tempo.

Durante as semanas seguintes, Annika passa mais tempo no apartamento, tomando chá de ervas, assistindo a programas de variedades italianos. Irrita-se com Craig, depois pede desculpas. Assim que a lesão melhora, retoma o projeto das fotografias de pichações, porém não volta à ioga.

Certa tarde, no escritório, Craig está refazendo uma manchete malfeita. Tenta algumas versões diferentes, optando pela mais simples, sempre sua preferência. "Atentado em Bagdá mata 76", escreve.

Arthur Gopal aparece. É o único amigo de Craig na redação. De vez em quando vão almoçar juntos no Corsi, uma trattoria agitada na Via del Gesù. Nessas refeições, Craig sempre tem vontade de perguntar a Arthur como ele está se saindo sem Visantha e Pickle; Arthur, por sua vez, tem vontade de obter mais informações sobre Annika, de quem sabe pouco. Mas nenhum dos dois faz perguntas pessoais. Em vez disso, o assunto é trabalho, com Arthur sempre falando mais. Entre colheradas de sopa de feijão, maldiz os colegas ("Kathleen não entende o principal", "Clint Oakley não consegue nem escrever um obituário básico") e detalha suas aspirações ("Um velho editor, amigo do meu pai, diz que eu deveria trabalhar para ele em Nova York"). Assim que termina de falar, adota uma expressão de descontentamento e remexe a sopa como se procurasse uma abotoadura ali.

Naquela tarde, porém, Arthur se aproxima da mesa de Craig de um jeito estranho.

— Já viu seu e-mail? — pergunta.

— Vi há um tempinho. Por quê? Deveria?

— Você recebeu uma mensagem de um tal de jojo98. Aconselho enfaticamente que a leia.

Craig imprime o e-mail. Mas está em italiano, que ele mal entende. A mensagem se refere a Annika e inclui um anexo. Craig clica e uma fotografia preenche sua tela. A qualidade é péssima, como se a foto tivesse sido tirada com um celular. Mostra Annika — que obviamente não percebe que está sendo fotografada — na cama deles, nua, desviando o olhar. Em primeiro plano está a coxa cabeluda de um homem, ao que tudo indica de quem tirou a foto. Depressa, Craig desliga o monitor.

— Que merda é essa?

— Não faço ideia. Mas todo mundo recebeu.

Craig olha fixamente para a tela escura.

— Meu Deus.

— Lamento ter que lhe dizer isso — diz Arthur.

— O que faço? Ligo para ela?

— Acho que seria melhor ir conversar pessoalmente.

— Não posso simplesmente ir embora agora.

— Pode.

Craig desce a escada, atravessa rápido o Campo de' Fiori, pelo Ghetto, rumo à calçada estreita ao longo do Tibre. Alterna a caminhada rápida com corridas, os olhos voltados para o caminho irregular, para os sinais de trânsito na Via Marmorata e, então, para o imponente portão de metal de seu prédio.

Já chegou, mas deseja não estar ali.

Não pode subir. É possível que seu quarto esteja ocupado. Craig vai até a oficina no porão e pega o e-mail que imprimiu no trabalho. Com um dicionário de italiano, compõe as frases. O remetente alega que Annika vem transando com outro cara enquanto Craig está no trabalho. Que ela planeja deixá-lo e que está comprando um apartamento com o amante. "Quando você vai dormir à noite, o lençol está manchado pelo esperma dele", diz a mensagem.

Cada um dos jornalistas da redação (Craig fecha os olhos ante o pensamento — *todos* receberam esse e-mail) esperaria que ele entrasse de supetão no apartamento, agitando a mensagem, esgoelando, exigindo saber quem foi o babaca que enviou aquilo e o que diabos está acontecendo.

Porém, Craig não consegue. Fica parado à sua bancada de trabalho, as mãos nos quadris.

Quando anoitece, ele sobe. Seu celular, que perde o sinal no porão, volta à vida. Kathleen ligou diversas vezes e Annika deixou três mensagens, perguntando que horas ele iria chegar, pois a fome dela estava aumentando; tudo bem com ele?

— E aí? — cumprimenta ela ao abrir a porta. — O que foi que houve?

— Oi. Nada não, só um mal-entendido. Desculpe. Seu dia foi bom? — responde Craig.

— Foi. Mas, espere, não some. Ainda estou... — Ela puxa a camiseta. — Ainda estou meio confusa. Você recebeu, tipo, um milhão de telefonemas da redação.

— Não é nada muito sério. — Geralmente, quando ele entra, beija Annika. Não o fez nessa noite, e ambos notam. — Eles dependem demais de mim. — Craig vai até o banheiro, olha-se de esguelha no espelho, volta à arena.

Annika não consegue fitá-lo.

— Ele mandou aquele e-mail para você, não mandou? — pergunta. — Não posso acreditar no... — Diz o nome de um homem.

— Não, não — interrompe Craig. — Por favor, não diga o nome dele. Não quero saber. Se possível.

— Tudo bem, mas tenho que dizer algumas coisas. — Annika está pálida. — E aí depois não precisamos voltar a falar nisso. Eu me sinto... — Meneia a cabeça. — Eu me sinto mal. Lamento, lamento muitíssimo, de verdade. Mas preciso lhe contar. Paolo só mandou isso porque... Desculpe, eu não deveria mencionar o nome dele... — Ela hesita, buscando as palavras certas. — Ele só mandou aquele maldito e-mail perverso porque não aceitei assumir um compromisso com ele. Você se importa se eu pegar um cigarro? — Revira a gaveta da cozinha, em busca dos Camels, que normalmente só fuma quando sai com os amigos da ioga. Nunca acendeu um no apartamento. Mas o faz nesse momento, e traga, balançando a cabeça. — Ele está tentando me obrigar a fazer uma coisa. Daí a carta.

— Você está transtornada.

— Bom, estou. — Annika belisca o próprio braço. — Mais do que... Mais do que transtornada. É a primeira vez na minha vida que quero fazer mal fisicamente a alguém. Tenho vontade de vê-lo ferido. Fisicamente. Atropelado por um caminhão. Sabe? — Suas feições se voltam, tensas, para Craig, como se para captá-lo. — Sabe?

Ele olha para as próprias mãos.

— Hum-hum.

— Mas está entendendo?

— Acho que sim.

— Ele mandou aquilo para separar a gente — diz ela.

— Então você tem uma relação com o sujeito.

Annika dá outra tragada.

— Basicamente. — Exala. — Sim. — Apaga o cigarro.

— Não vamos conversar sobre isso. Vejo que... — Craig não termina a frase. Pega o controle remoto da TV. — Você sabe se aconteceu algo? — Ele muda de canal até a CNN, para saber a resposta.

Ao chegar ao trabalho no dia seguinte, senta-se a sua mesa, olhando fixamente para a garrafa térmica por alguns momentos.

— Aconteceu algo? — pergunta ao computador, enquanto a máquina carrega.

O dia de trabalho transcorre como qualquer outro — ninguém menciona seu desaparecimento no dia anterior e Kathleen parece não se lembrar que ele não retornou suas ligações.

Nos jornais, o que era de extrema importância ontem é irrelevante hoje.

De noite, o telefone de casa toca, e Craig atende. É um italiano. Ele pede para falar com Annika. Craig passa o fone. Ela ouve a voz e na mesma hora desliga.

— Da próxima vez, desligue — pede ela a Craig. — Não passe para mim se for ele. Simplesmente bata o telefone.

Paolo continua a ligar. Telefona tarde e os acorda. Os dois mudam o número. A situação se tranquiliza por algumas semanas. Então, documentos judiciais chegam — por incrível que pareça, o sujeito está processando Annika por quebra de promessa, alegando que ela não cumpriu um acordo verbal de deixar o parceiro e comprar um apartamento com ele. O processo afirma que Paolo levou adiante sua parte, chegando a fazer um empréstimo. Agora exige uma indenização.

Ninguém no trabalho faz perguntas a Craig a respeito do e-mail humilhante, porém todos os funcionários se lembram bem do que viram e leram. Os repórteres o desafiam com mais frequência. Editores o solapam nas reuniões. Só Kathleen não muda: fica lhe dando ordens o tempo todo e jogando seu mau humor em cima dele, como de costume.

Quanto a Craig e Annika em si, eles se comportam quase da mesma forma que antes. Mas sem a harmonia de antigamente. Os elogios dele em relação ao projeto de fotografia dela são exagerados demais, e as indagações dela a respeito das invenções dele, excessivas. Antes, costumavam provar pratos diferentes à noite. Agora, repetem os mesmos, e são poucos.

— Achei que era um dos seus favoritos.

— É. Ótimo. Obrigado.

Quando os dois se reúnem com o advogado, ele aconselha Craig a chegar a um acordo, pois de outro modo o caso vai se arrastar. Annika quase interfere, mas fica calada. Craig sabe que ela quer lutar contra Paolo — está furiosa.

— Eu preferiria acabar logo com isso — diz ele ao advogado. — Pago com satisfação. Quer dizer, não com satisfação, mas...

Craig e Annika voltam ao apartamento em silêncio. Mais tarde, têm uma briga idiota: ela critica a forma como ele rala o parmesão. De súbito, o ambiente se torna pequeno demais para os dois.

— Vou dar um pulo lá embaixo para fazer uns ajustes — diz Craig.

E ela fica só.

Annika dá uma olhada em suas músicas e põe a trilha sonora de Chet Baker em *Let's Get Lost*, um documentário feito por um de seus fotógrafos favoritos, Bruce Weber. A canção é "You're My Thrill". Ela franze o cenho, tentando entender a letra, e então perde o interesse. Abre o celular — nenhuma mensagem. E se ela mandasse uma para ele? Dizendo... Annika digita no teclado numérico, apagando cada trecho em seguida: "esta música" (apagar) "babaca" (apagar) "queria" (apagar) "por que sempre tanta estupidez?" (apagar) "tão idiota". Ela elimina esse também e escreve "tô c saudade, posso t visitar?". Manda. Do som, Chet Baker canta: "Nada parece importar... Eis meu coração numa bandeja de prata... Cadê minha força de vontade?"

Lá embaixo, na oficina, Craig puxa um elástico com os dedos, tentando atingir uma marca na parede. Consegue uma vez, depois tenta atingi-la mais três vezes. Cansa-se da brincadeira e volta a se concentrar em esboçar invenções inviáveis, que jamais conseguirá.

Annika bate à porta.

— Oi — diz, pouco à vontade. — Estou incomodando?

— Não, não. E aí?

Ela dá um passo à frente.

— Você pode me mostrar? Alguma invenção nova que vai nos tornar milionários e revolucionar a vida tal como a conhecemos?

— Quem dera.

— Não está maquinando um plano perverso contra mim, está?

— Estou sim, vou enlouquecê-la pouco a pouco com meu jeito diabólico de ralar o queijo.

Ela lhe mostra a língua.

— A gente devia bolar alguma coisa para se vingar — diz Annika.

— Contra ele, quer dizer?

— Aham.

— Devo confessar que pensei nisso.

— Precisa me contar seu plano.

— Não, é bobagem.

— Ah, conta, vai!

Craig esboça um sorriso.

— É o seguinte: um minileitor de áudio que colocaríamos no quarto dele; o aparelho reproduziria sem parar o zumbido de um mosquito. Mas como só ativaria no escuro, toda vez que ele apagasse a luz o zunido começaria. Então, assim que acendesse a luz para caçar o inseto, o pernilongo não estaria lá. E assim por diante, até ele precisar de uma camisa de força.

— Muito legal! Temos que fazer isso!

— Não, não.

— Por que não?

— Bom, por vários motivos.

— Tipo?

— Primeiro que eu nem sei bem como fazer isso. Segundo, com certeza seríamos pegos. E não quero gastar meu tempo construindo uma geringonça com o objetivo de atormentar alguém. Para quê? Tornar a vida desse sujeito um pouco mais infeliz? Para que ficássemos à toa de noite, satisfeitos com a desgraça dos outros?

— Tudo bem, talvez não esse troço de mosquito. Mas alguma coisa, uma vingancinha. Não?

— Acho que vingança é um daqueles atos bem melhores na teoria do que na prática. Sabe, não existe satisfação verdadeira em fazer outra pessoa sofrer porque você sofreu.

— Aí é que você se engana.

— E por acaso a vingança funciona? Sabe, o objetivo é fazer justiça, compensar algo injusto? Nada é capaz disso. É para fazer a pessoa que se vinga se sentir melhor? Isso não aconteceria comigo.

— Então, se alguém fizer alguma merda contra você, não tem como fazer reparações? — Ela desvia o olhar, tentando se mostrar despreocupada.

— Não creio que haja — responde ele. — A forma de superar uma dificuldade é esquecer. Mas não há como "fazer reparações", como você colocou. Não a meu ver.

Annika balança a cabeça.

— Odeio isso.

— O quê?

— Eu me sinto, sei lá, desequilibrada. Você não é uma pessoa vingativa, como eu. Deveria estar puto.

— Com ele?

— Comigo. Sabe?

— Não faz meu gênero nem um pouco fazer você sofrer.

— Mas aí eu acabo sofrendo mais.

— O que quer que eu faça?

— Por que está ficando bravo? Estamos só conversando.

— Não estou bravo. Só não sei o que deveria fazer. — Craig pigarreia. — O que você não percebe é que eu ficaria totalmente perdido sem você. Isso soou melodramático; desculpe. Só quis dizer que, para ser sincero, mesmo que você tivesse feito algo pior, eu não estaria disposto a rejeitá-la. Não posso. Ser magoado por você só me faz sentir necessidade de mais consolo. De sua parte. Não é algo que eu deveria admitir. Mas...

— Tudo bem.

Não está tudo bem. Seria melhor ele calar a boca. Annika está se afastando cada vez mais com cada palavra de perdão que ele lhe lança.

— Estou com 41 anos — diz Craig. — Moro num país cujo idioma não falo, em que sem você não me encaixo nem de longe e em que meus colegas de trabalho me consideram um sujeito ardiloso.

— Não consideram não.

— Consideram sim. Olha, eu sou o braço direito de Kathleen. Ela dá ordens e eu as cumpro. Não tenho outra escolha. Um dia vou bolar uma grande invenção e deixar o jornalismo? Não vai acontecer.

— Pode ser que sim.

— Não vai. Não tenho outra opção nesta vida. Sem você, fico... Você me viu, Annika. Já lhe contei como era antes de você. Então estou meio preocupado. Sabe, na verdade atemorizado.

— Por quê?

— Passei quase uma década sozinho antes de você.

— Eu sei. Sei disso. Mas... — Ela faz uma pausa. — Não pode ficar com alguém só porque não consegue encarar a solidão.

— Não? Esse não é o melhor motivo para ficar com alguém? Eu aguentaria tudo por causa disso. Sabe, olha só, nunca fui tão humilhado como nesta situação com você. Você sabia que ele enviou o e-mail para todo mundo na redação?

Annika fica petrificada.

— Hein?

— Estou falando sério.

Ela leva a mão à boca.

— Você nunca me contou isso.

— E tinha uma foto junto. Sua. Na nossa cama.

Annika empalidece.

— Não estou brincando. Todo mundo recebeu.

Ela fecha os olhos e meneia a cabeça.

— Quero morrer.

— Não tem problema — diz Craig. — Não tem problema. Olhe, a questão é que tudo isso, do início ao fim, tem me feito sentir vontade de... tem me feito sentir vontade de passar mal ou... porque... sei lá. Desculpe, estou meio abalado. Pode rir de mim. Mas é o que eu sinto. Não importa. Está tudo bem. — Ele toca no rosto dela. — Obrigado por vir para a Itália comigo. — Beija-a. — Você veio até o porão para dizer que vai me deixar?

Ela fica quieta.

— Você pode me deixar — insiste Craig.

— Eu... eu não consigo aceitar a ideia de que o humilhei. — Annika mal consegue falar, mas repete as palavras. — Não consigo. Queria que você *fizesse* algo. Queria que você fosse diabólico, como eu.

— Do que está falando?

— Quer dizer que posso fazer qualquer coisa contra você? Você aguentaria de tudo?

— Não tenho escolha.

— Eu faço *alguma* diferença aqui? — A voz dela oscila; está perdendo o controle. — Sabe, por favor, fique bravo comigo. Me faça acreditar que estou fazendo parte, que não sou só uma mulher qualquer que serve apenas para garantir que você não se sinta sozinho na sua vida no exterior. — Ela tem dificuldade de encontrar as palavras. — Não quero que... se é que é possível isso... que você pense que fiz isso para humilhar você. Foi egoísmo. Uma bobagem; agi feito uma idiota, pensando só em mim, sei lá, por tédio. Não foi nem um pouco importante. Eu queria, sabe, fazer com que você soubesse disso.

Annika se acalma um pouco. Mas ainda se nota certa distância em sua atitude.

— Por que veio aqui até o porão? — pergunta Craig. — Você nunca vem aqui.

— Trouxe algo para você. — Ela entrega um envelope.

Ele abre a carta e lê as primeiras linhas.

— Ah — exclama, surpreso. — Você fez um pedido de patente. No meu nome. — Ergue os olhos. — E foi recusado. — Ele ri.

— Mas aí diz por quê. Você deveria fazer alterações, e então quem sabe?

Craig lê toda a carta. Annika não deve ter se dado conta de que seus projetos científicos infantis não são sofisticados o bastante para obter uma patente. Ele não desgrudará os olhos da carta. Se o fizer e Annika tiver ido embora, não sairá daquele porão. Claro, não é verdade — vai conseguir sair, subir as escadas, voltar ao trabalho no dia seguinte, e o jornal será impresso. O que faz com que ele se sinta ainda pior.

Precisa mantê-la ali. Deve deixar claro o que pensa. Que é... O que está querendo dizer esse tempo todo? Tem vontade de pedir desculpas, mas isso é errado também. Outro pedido desses com certeza sinalizará o fim. Ela quer que ele faça algo.

— OK — diz Craig.

— OK o quê?

— Obrigado, mas quem disse que eu queria uma patente?

— Não? Achei que quisesse.

— E como é que você conseguiu esse material, aliás? Andou bisbilhotando minhas coisas aqui? Esse projeto não estava nem concluído.

— Qual é o problema?

— Bom, o problema é que houve uma intromissão. Sabe, isso não é da sua conta.

— Ah, dá um tempo. Está exagerando!

— Eu fico puto quando se metem nas minhas coisas.

Annika fica calada. Ele nunca diz palavrões.

— No meu caso — diz Annika —, eu ficaria feliz se você inscrevesse meu trabalho em alguma competição.

— É mesmo? Tem certeza? Você ia gostar se eu chegasse agitando uma carta de rejeição bem na sua fuça e dissesse: "Olha, quis fazer esse favor para você." Me poupe do seu próximo obséquio.

— Por que está tão zangado com isso?

— Não estou. Só não sei mais o que fazer. O material que está aqui embaixo é só meu. Pelo simples motivo de que esta espelunca me dá prazer. Passo a vida num trabalho que odeio, numa carreira que deploro. Tenho 41 anos e um sujeito, um italianinho da aula de ioga da minha namorada, transa com ela e ainda me faz pagar as contas na justiça. Então... — Ele agita a carta de rejeição na frente de Annika.

Ela enxuga os olhos, mas sua expressão é rígida.

— Então — prossegue Craig — pode ficar longe dos meus assuntos particulares. Longe da única coisa que eu faço que não é uma maldita desgraça.

— Vou lá para cima.

— Ótimo. — Ele está perdendo as estribeiras. — Ótimo — repete, mais alto. — Vá embora daqui. Mas pode é se mandar de volta para os Estados Unidos. Vou pagar sua passagem.

Craig a encontra lá em cima. Annika está à mesa da cozinha, em estado de choque. Ele tira a mala dela do armário.

— Está brincando? — pergunta ela.

— Você precisa fazer as malas.

Ela abre uma gaveta cheia de roupa íntima e meias e olha fixamente para as peças, sem fazer nada por alguns instantes.

Enquanto Annika faz as malas, ele liga o computador e lhe compra uma passagem de volta para Washington, num voo do dia seguinte.

— Custa 3 mil pilas — exclama ela, olhando para a tela. — Você ficou maluco?

— Tarde demais. Acabei de pagar. — Ele liga para um hotel e reserva um quarto para ela passar a noite hoje.

— E as minhas coisas?

— Mando por navio. Olha, não pegue o voo se não quiser. Mas se não for amanhã vai ter que pagar você mesma a passagem.

Craig chama um táxi e carrega as malas até lá fora. Deixa-as ao lado dela na calçada e entra sem dizer uma palavra. Suas pernas tremem ao subir os degraus. No apartamento, fica parado ao sanitário, cuspindo saliva amarga até a boca ficar seca.

Quanto tempo ela levará para chegar ao hotel?

Se Craig ligar depressa demais, parecerá louco. Tem que dar a impressão de haver recuperado a calma.

Senta-se nos azulejos gelados do banheiro, o ombro apoiado no vaso sanitário. Relê a carta do registro de patentes. Foi gentil da parte dela. Nada do que ela fez emocionou-o desse jeito. E a rejeição é útil: põe um fim a todos esses anos de devaneios ridículos. Ele não é nenhum inventor. E ponto final. Ótimo.

Craig aguarda por duas atordoantes horas.

Será que transmitiu o que queria dizer? Deixou clara a mensagem? Mas não, não era isso que queria falar para Annika, de jeito nenhum.

Pega o celular e descobre que ela lhe mandou uma mensagem de texto. "Tô c saudade, posso visitar vc?" Foi enviada horas atrás, quando ele ainda estava no porão e ela, lá em cima. Craig liga para o celular dela, mas ninguém atende.

Telefona para o hotel. A telefonista transfere a ligação para o quarto. A boca dele está ressecada. Engole em seco.

— Sou eu — diz Craig quando atendem. — O que eu quero dizer é isso. Acho que nós dois queremos. — Ele hesita. — Não queremos? Estou...

Interrompem-no. É a voz de um homem. Paolo.

1977. Corso Vittorio, Roma

O jornal melhorou sob a chefia de Milton Berber. Tornou-se mais ousado e bem-humorado, conseguindo um ou outro furo jornalístico e até alguns prêmios — nada espetacular, porém inaudito em sua história.

A redação também mudou. Nos velhos tempos, costumavam referir-se aos jornalistas como "os rapazes". Agora havia várias mulheres. Piadas grosseiras tinham cada vez menos aprovação e insultos racistas não vicejavam. Milton exigiu que os cinzeiros (e não o chão) fossem usados. O tapete imundo foi trocado, voltando ao branco imaculado. E o bar no canto direito foi substituído por um bebedouro; a subsequente redução no número de erros de digitação foi impressionante.

As máquinas de escrever desapareceram em seguida, substituídas por terminais de computador. Da noite para o dia, o tac-tac-bing característico cessou. O prelo barulhento do porão também silenciou, com o trabalho terceirizado de prensas modernas mundo afora. Os imensos rolos de papel já não eram jogados nos fundos do prédio no fim da tarde, acordando qualquer jornalista que estivesse cochilando. E caminhões de entrega já não entupiam a Corso Vittorio na alvorada, enquanto os carregadores os enchiam de jornais, os exemplares ainda mornos.

As matérias se tornaram mais diretas, discretas, virtuosas.

No entanto, a maior mudança foi nas finanças: o jornal começou a ganhar dinheiro. Não muito e não todo mês. Mas, depois de décadas, tornara-se rentável.

Enquanto outras publicações desdenhavam localidades remotas, o jornal concentrava-se nelas, encontrando seu nicho nos confins do mundo, com exemplares aparecendo nas poltronas da Sociedade dos Negociantes de Diamante de Freetown, ou no jornaleiro de uma vila na Ilha de Gozo ou no tamborete de um bar em Arrowtown, Nova Zelândia. Um transeunte pegava um exemplar, folheava algumas páginas e, na maioria das vezes, o jornal ganhava um novo entusiasta. Já no início dos anos 1980, a tiragem diária chegara a quase 25 mil, aumentando a cada ano.

Com leitores de várias partes do mundo, ficava impossível publicar um diário normal — o dia anterior de Melbourne não era o dia anterior de Guadalajara. Então o jornal trilhou o próprio caminho, dando aos repórteres e editores liberdade para que fugissem das políticas corporativas do jornal, com resultados variados. O segredo era contratar bem: repórteres ávidos, como Lloyd Burko, em Paris; outros metódicos na escrita, como Herman Cohen.

O jornal também ganhou a reputação nos meios jornalísticos de atrair profissionais de publicações americanas de prestígio, levando jovens talentosos a querer ir para Roma. Milton os treinava, extraía notícias deles por alguns anos e então mandava-os para cargos influentes em outra parte. Os que iam embora lembravam-se dele com carinho e sempre davam um pulo no escritório ao passar pela Itália, exibindo-se com seus empregos bem pagos, vangloriando-se de seus artigos e filhos.

A reputação de Milton só cresceu com tudo isso, e inúmeros jornais de médio porte dos Estados Unidos tentaram contratá-lo. Porém, ele não tinha a menor intenção de ir embora — aquele era o melhor emprego de sua vida.

Em outras partes do Grupo Ott a situação estava mais sombria. Os problemas começaram quando Boyd foi envolvido indiretamente na falência fraudulenta de um banco do Meio-Oeste americano. Ele e mais oito sócios conseguiram se livrar das acusações criminais, mas foram multados em 120 milhões de dólares. Sua reputação foi manchada ainda mais em virtude de um escândalo a respeito de manipulação de ações. Apesar de Boyd em si não ter tomado parte nisso, uma série de matérias relacionou o caso da bolsa de valores com o abominável caso do banco. O pior golpe veio em meados dos anos 1980, quando se descobriu que uma subsidiária da área de cobre do Grupo Ott despejara substâncias tóxicas em uma fonte hídrica rural em Zâmbia, provocando um grande número de crianças nascidas com problemas congênitos. Um jornal da África do Sul publicou uma lista de valores macabra, na qual os representantes do Grupo Ott haviam se baseado para ressarcir os aldeões: 165 dólares por inexistência de braços ou pernas, 40 dólares por ausência de mãos e uma escala de valores cada vez menores a partir daí, terminando com a quantia curiosamente meticulosa de 3,85 dólares por dedo do pé perdido. O Grupo Ott alegou ignorar tal lista; não obstante, construiu casas novas para todos os habitantes do lugarejo.

"TERMINA A GUERRA FRIA, COMEÇA A QUENTE"

ORNELLA DE MONTERECCHI, LEITORA

ELA TEME O AMANHÃ DESDE QUE ELE ACONTECEU PELA primeira vez.

Ornella está sentada no sofá da sala, com o jornal no colo, mordiscando o lábio inferior. Um barulho ao longe de algo sendo retalhado surge da cozinha, onde a faxineira, Marta, está destacando folhas de papel toalha, que precisa colocar entre uma panela e outra da pilha a fim de evitar que arranhem. Essa foi uma das inúmeras regras infringidas pelas diaristas anteriores — e houve dezenas delas. Algumas foram dispensadas por chegar tarde. Outras, por petulância. Umas roubaram ou foram consideradas suspeitas de tê-lo feito. Várias não conseguiram aprender ou não se esforçaram ou deixaram poeira debaixo da cama. Marta trabalha ali há quase dois anos e até agora quase não apresenta defeitos, exceto por ser polonesa, o que Ornella considera uma desvantagem. Além disso, para uma faxineira, tem um corpo inadequadamente bem-feito, embora o rosto seja cheio de espinhas, o que compensa. Ela costuma olhar para baixo quando está confusa ou quando recebe uma bronca; fita as cerdas da vassoura, sorrindo. Nunca ninguém achou que se tratasse de provocação, e sim de submissão. O que cai bem no caso desta patroa, pois a casa de Ornella é um mundo em que não se pode ser agradável.

Segurando um limpa-vidros com borrifador, Marta entra com cautela na sala, em seu terninho, sua saia tubinho, o xale rendado, a meia-calça e a sandália bege de salto alto — uma roupa totalmente inadequada para limpar a casa, porém ela veio direto da missa. Ornella, que passou a sentir desgosto pelas religiões tal qual o falecido marido, insiste em que Marta faça a faxina todo domingo.

— Como estava Deus esta manhã? — pergunta Ornella. — Ele disse algo bom a meu respeito?

Marta sorri de forma automática, a janela à sua frente. Não se sabe se ela entende. As duas se comunicam em inglês, porém a patroa, mulher que já usou esse idioma em milhares de jantares de diplomatas, domina-o com maestria, ao passo que Marta, apenas de maneira rudimentar. A faxineira hesita, sem saber se Ornella planeja fazer mais comentários. Como isso não acontece, ela borrifa o líquido, espalhando um vapor azulado; formam-se gotículas no vidro, que ficam ali por alguns instantes e em seguida começam a escorrer, deixando listras de rastro. Marta trabalha mais rápido do que o normal, porque o marido, Wojciech, está aguardando lá embaixo, sentado no banco do parque, as pernas balançando, fazendo marcas na terra com o sapato social, sujando a bainha do terno cinza barato, engomado pela esposa hoje de manhã.

— Uma tribo em Ruanda matou centenas de milhares de pessoas de outra etnia nas últimas duas semanas — diz Ornella, dando um tapa na matéria com a parte posterior da mão. — Como é possível acabar com tantos seres humanos tão rápido? Até mesmo em termos práticos: como? E por que o jornal não fez nenhum comentário sobre isso enquanto a chacina ocorria? Por que só depois que acabou? — Olha de esguelha para Marta, que limpa a parte inferior da janela. Prossegue: —

Lloyd Burko, em sua matéria da primeira página, diz que não são só os africanos. Os iugoslavos são tão ruins quanto eles, e eles são europeus. Todo mundo está matando todo mundo. Talvez *tenha sido* melhor durante a Guerra Fria. Na certa você não concorda, Marta, pois, sendo polonesa, estava bem no meio dela, não é mesmo? Mas ao menos aquela guerra foi fria. Escute só isto: "Paz é um estado que a humanidade não tolerará. O instinto do ser humano é cometer violência." Trecho do texto de Lloyd Burko. Será que é verdade? Não posso acreditar que seja.

Marta recolhe todos os panos de limpeza do apartamento, lava-os, torce-os e empilha-os debaixo da pia da cozinha. Como última tarefa do dia, carrega a escada até o corredor e sobe para alcançar o depósito, que está entupido de exemplares do jornal. As edições já lidas por Ornella são colocadas à esquerda; as não lidas, à direita. Marta pega o do dia seguinte, 24 de abril de 1994.

— Não! — grita a patroa, agarrando a escada. — Ainda não *quero* este. Quando eu *quiser* eu peço. Ainda estou em 23 de abril. Aviso você, Marta. Não vá se adiantando dessa forma, supondo.

Marta desce a escada e recebe seu pagamento, 20 euros, com a cabeça inclinada, sussurrando algo. Sai apressada dali, expirando apenas quando está um lance de escada inteiro abaixo.

Ornella examina o apartamento, para se certificar de que não foi ludibriada em troca dos seus euros: corredor, quarto, banheiro, escritório, sala de jantar, cozinha, varanda, quarto e banheiro de hóspedes, sala. Marta é impecável, como sempre, o que a patroa nem sempre vê com bons olhos.

Ela se senta no sofá e pigarreia, pisca como se para ver melhor e examina a primeira página de 23 de abril de 1994, a mesma em que está empacada há três semanas. É um dia que Ornella não consegue transpor. Amanhã, 24 de abril de 1994, é difícil demais para suportar novamente.

Ornella leu cada edição do jornal desde 1976, quando seu marido, Cosimo de Monterecchi, foi nomeado para o posto em Riad. Ele, o embaixador italiano, percorria sem restrições a Arábia Saudita. Já ela, uma mulher, ficava confinada numa área protegida para ocidentais, enquanto seus dois filhos passavam o dia inteiro na escola internacional. Por causa do tédio, ela começou a ler o jornal, o qual, no fim da década de 1970, era um dos poucos periódicos estrangeiros disponíveis na Arábia Saudita. Como Ornella nunca dominou a técnica de leitura de jornais, lia-os em sequência, como um livro, do alto da coluna para baixo, da esquerda para a direita, página após página. Dedicava-se a cada matéria, recusando-se a passar adiante até ter terminado, o que significava que demorava vários dias para concluir cada exemplar. Muitas das informações a confundiam no início. À noite, fazia perguntas a Cosimo, a princípio coisas básicas, do tipo: "Onde fica o Alto Volta?" Depois, suas dúvidas foram se tornando mais complexas: "Se tanto os russos quanto os chineses são comunistas, por que discordam uns dos outros?" Até começar a fazer indagações a respeito do que os palestinos tinham a ver com os assuntos jordanianos, das rivalidades internas entre os opositores do apartheid e da economia de mercado. Como de vez em quando Cosimo se referia a um acontecimento sobre o qual ela ainda não lera, estragando a surpresa, ela lhe deu instruções estritas de não estragar nada, nem por acaso. E assim começou seu lento afastamento do presente.

Após um ano lendo o jornal, já estava seis meses atrasada. Quando voltaram a Roma, nos anos 1980, Ornella continuava no fim da década de 1970. Quando era 1990 lá fora, ela apenas começava a conhecer o presidente Reagan. Quando aviões atingiram as Torres Gêmeas, Ornella testemunhava o colapso da União Soviética. Hoje é dia 18 de fevereiro de 2007 fora deste apartamento. Dentro, a data continua sendo 23 de abril de 1994.

As manchetes de hoje são as seguintes: "Milhares assassinados em Ruanda, teme Cruz Vermelha"; "Mandela favorito nas eleições na África do Sul"; "Após suicídio, o ídolo 'grunge' Kurt Cobain vira ícone"; "Termina a Guerra Fria, começa a quente". Esta última é uma análise das notícias assinada pelo correspondente em Paris, Lloyd Burko, que relatou o cerco a Sarajevo e comparou a carnificina na Iugoslávia com os recentes massacres em Ruanda.

Ornella telefona para seu primogênito, Dario, com o intuito de reclamar de Marta.

— Ela esqueceu de pegar para mim o jornal de amanhã — diz em italiano, idioma em que se comunica a família. — O que vou fazer agora?

— A senhora não pode pegá-lo?

Ornella ergue os braços, que tinem com as joias, e corta o ar.

— Não — responde. — Não posso. Você sabe que não.

E se ela ler uma manchete sem querer, algo de 1996 ou 2002? Não pede diretamente que Dario vá até lá, mas repete o problema até ele se oferecer.

Ornella abre a porta e se inclina um pouco quando o rapaz entra, como se para evitar um beijo, embora ele não demonstre a intenção. O filho dele, de 6 anos, Massimiliano, vem ao encalço.

— Você veio também, Massi — comenta Ornella, afagando a cabeça do neto como se ele fosse um spaniel fofinho e nada além disso.

Dario abre a escada. Ornella observa os tendões no pulso dele se contraírem enquanto ele segura o aço e se posiciona — ela tem vontade de agarrar o braço dele e impedi-lo. Não pode ler o do dia 24 de abril de 1994. Ninguém além dela parece se lembrar dessa data.

Ela pede com delicadeza:

— Espere, espere.

Dario se vira.

— Por quê?

— Não é melhor eu fazer um cafezinho para a gente primeiro?

— Não para mim.

— E o garoto? — pergunta ela, embora Massi esteja ali parado, ao lado deles. — Vai querer algo?

— Melhor perguntar a ele. Massi?

O menino, em vez de responder, sai dali.

— Venha até a sala comigo — insiste Ornella, para atrasar Dario. — Quero lhe mostrar algo. — Ela lhe entrega o jornal de 23 de abril de 1994. — Essa matéria do Lloyd Burko. Vale a pena ler.

O rapaz sorri.

— Não vou me dar ao trabalho de lhe dizer que está meio ultrapassado. — Ele vira a página. — E então, o que está acontecendo hoje? — indaga com secura, e lê em voz alta algumas manchetes. — Meu Deus, eu me lembro disso.

Ornella o observa: está gozando da cara dela? *Ele me acha idiota. Bom, é o que sou*, pensa, roendo-se por dentro por causa do insulto. Dario a olha de soslaio, porém a mãe fita um ponto ligeiramente acima de sua linha de visão, como se lesse as rugas de sua fronte.

— Massi! — grita Ornella. — Cadê você?

O menino está por toda a sala, sob a forma de fotografias emolduradas. Há porta-retratos com fotos dele e dos três outros netos de Ornella na mesa, no consolo da lareira, na cristaleira. O que é estranho, já que, pessoalmente, ela rechaça as crianças — quando lhe entregam um bebê, segura-o como se fosse um polvo retorcendo-se. Mas nem todos os retratos são das crianças. Alguns mostram o marido, Cosimo, em diversos postos mundo afora. Ele morreu há mais de um ano, em 17 de novembro de 2005. Outros retratam a própria Ornella, quando ela era glamorosa, magra e jovem demais (tinha apenas 16 anos quando se casou). Seu rosto é totalmente diferente hoje, com base de tom pêssego, batom laranja, lápis preto contornando os olhos, camadas de rímel verde tão grossas que quando ela pisca parece dedos de sapo batendo palmas. Seu cabelo é amarelado, pintado em um lugar caríssimo, e preso atrás em um coque tão apertado que sua face encouraçada parece estar sendo segurada no lugar pelo nó na parte posterior da cabeça.

— Eu deveria despedir a Marta — diz Ornella.

— Não seja louca; ela esqueceu de pegar o seu jornal só um dia. Vou lá pegar agora.

— Não, não! Espere. Não tem pressa.

— Eu não vim justamente para isso?

— Veio, mas já não sei se o quero agora.

— A senhora não pode despedir a Marta. — O celular de Dario toca; o som digitalizado de um carneiro berrando. Ornella faz uma careta: tecnologias modernas não são permitidas em sua casa. — Com licença — pede ele, saindo para o corredor.

Massi volta à sala com um dispositivo retangular cheio de botões e duas telas apagadas de tom cinza. Ele não pode brincar com o video game na casa da avó.

— Vamos para a cozinha — chama Ornella. — E não quero ver esse troço lá. — Oferecer comida às crianças sempre dá certo. Ela acomoda o menino numa cadeira. As perninhas dele pendem e ele chuta para longe um dos tênis, deixando à vista meias brancas esportivas. — Do que você gosta? Está com fome?

— Não muito.

Ele mal come, esse aí — Dario mencionou algo sobre isso, não foi? Que eles penam para fazer com que Massi termine as refeições.

— Bom, mas vai comer algo na *minha* casa — declara ela, vasculhando o armário. — Vou preparar *pastina in brodo* para você.

— Não, obrigado.

Ignorando-o, ela esquenta o caldo. O garoto observa a avó. Seu perfume toma toda a cozinha. Enquanto o caldo ferve, o aroma de galinha sobrepuja o de Ornella. Ela se vira para o menino segurando uma colher de pau da qual sai vapor. Afasta a franja do garoto.

— Agora você consegue ver. Mas seu cabelo está mal repartido — comenta. — Vou ajeitar para você.

— Não, obrigado.

— Sou boa nisso.

Ela se inclina para perto dele. Ele se inclina para longe.

Massi fita o video game de plástico, um Nintendo DS Lite, que ganhou há algumas semanas.

— Posso ligar?

— Sua comida está quase pronta.

— Não quero comer nada.

Ornella não faz nenhum comentário por alguns momentos. Apaga o fogo. Arrasada, volta depressa para a sala. Fica ali parada, sem se mover, contemplando a porta atrás da qual está seu primogênito, rindo ao celular.

Dario entra, ainda sorrindo por causa da conversa.

— Cadê o Massi? É melhor a gente ir.

— Tentei fazer com que comesse algo. Entendi o que você quis dizer: é impossível.

Dario fica intrigado.

— A gente não consegue fazer o Massi *parar* de comer!

O menino sai da cozinha caminhando de forma cambaleante, com apenas um dos tênis, concentrado no video game.

— Desligue isso — manda o pai.

O garoto não obedece; continua a andar em zigue-zague, absorto demais para se despedir.

— Tchau — diz Ornella, ainda assim.

— Já ia esquecendo de mencionar quem encontrei outro dia — comenta Dario, indo rápido até a cozinha para pegar o tênis largado pelo filho. — Kathleen Solson. — É sua ex-namorada, que ele conheceu em 1987, quando ambos eram estagiários do jornal. — Ela voltou, voltou de Washington.

— E como está?

— Igual. Mais velha.

— Não quero mais detalhes.

— Isso não tem nada a ver com os acontecimentos mundiais atuais.

— Tem a ver com o jornal. Não quero saber.

— Quer o de amanhã ou não?

— Estou preocupada — confessa Ornella, falando mais baixo. — Você não lembra, não é?

— O quê?

— Marta só vai voltar na terça.

— E não pode esperar até lá para despedi-la?

— Você não está entendendo.

Ornella está ao pé da escada portátil, segurando-a para ele. Ela quer parar de se estressar. É só outra data: não é como se o jornal contivesse um relato de sua vida naquele dia.

Dario sobe e vasculha o depósito.

— Não está aqui.

— Está sim.

O filho continua a procurar.

— Não está mesmo. A senhora quer subir para dar uma olhada? Não estou vendo, juro.

— Mas eu juntei todos — insiste ela. — Nunca perdi um exemplar sequer.

— Bom, infelizmente, vai ter que perder este. Quer o de 25 de abril de 1994? Esse está aqui.

— Não. Ainda não cheguei lá.

Dario desce a escada, salta do terceiro degrau até a mãe e lhe dá um beijo rápido no rosto.

Surpresa, Ornella sorri com timidez, afasta-o com um tapinha e, caindo em si, zanga-se.

— Você poderia ter me derrubado. Não é engraçado.

A sede do jornal em Corso Vittorio não fica muito longe, de táxi, da residência de Ornella em Parioli. Ela nunca foi até lá, sempre desconfiada da redação, que contém o mundo inteiro, embora fique numa única construção encardida. Entretanto, Ornella não tem outra escolha — seu depósito está sem o jornal de amanhã e ela precisa encontrar um exemplar dessa data.

— *Che piano*? — pergunta um sujeito com forte sotaque anglófono.

— Não sei bem que andar — responde ela, em inglês. — Estou tentando encontrar a sede do jornal.

— Entre.

Ele fecha a porta do elevador e aperta o botão do terceiro andar com o nó do dedo. Os dois começam a subir.

— O senhor trabalha lá? — indaga Ornella.

— Trabalho.

— Qual é o seu nome?

— Arthur Gopal.

— Ah, sim. Já li seus obituários. Escreveu o de Nixon outro dia.

— Nixon morreu há séculos — ressalta ele, confuso. — Seja como for, já não os escrevo mais. Sou o editor de cultura.

— Achei o texto meio unilateral. Nixon fez coisas boas também.

Ela pede para ver Kathleen Solson e Arthur entra na redação para atender ao pedido. Ornella sente-se tentada a segui-lo, para ver pessoalmente o funcionamento do lugar. Melhor não: se você pretende continuar gostando de linguiça, melhor não visitar a fábrica onde a produzem.

Após alguns minutos, Kathleen aparece.

— Estou encontrando todos os Monterecchi nos últimos tempos. Esbarrei com seu filho há algumas semanas.

— É, ele me contou.

Com hesitação, Ornella se inclina para abraçar Kathleen, arrependendo-se no mesmo instante de tê-lo feito. Abraça-a rápida e rigidamente.

As duas descem em silêncio pelo elevador. Ornella fica desejando não ter abraçado Kathleen. Foi constrangedor. Será que isso foi desleal com Dario, de alguma forma?

— Para onde? — pergunta Ornella.

— Não posso ir muito longe — diz Kathleen.

Elas caminham pela Corso Vittorio, a rodovia com uma quantidade imensa e caótica de ônibus, táxis e lambretas barulhentos. Ornella tem que falar alto para ser ouvida.

— Você vai ficar feliz em saber que ainda leio o jornal religiosamente.

— Em que ano está agora?

— Em 1994. Que, por acaso, é o ano em que nos vimos pela última vez.

— Sim. Quando fui embora.

— Eu até me lembro da data: foi no hospital, quando Cosimo adoeceu, em 24 de abril de 1994.

O BlackBerry de Kathleen toca. É Craig. Ela dá algumas ordens e desliga.

— Você foi grosseira com essa pessoa — comenta Ornella.

— Infelizmente, não tem tempo para polidez no meu trabalho.

— Não pode ser verdade. — Após uma pausa, acrescenta: — Sabe, às vezes me pergunto se eu não teria gostado de trabalhar com jornalismo. Na próxima vida, talvez.

— A senhora já tentou?

— Não seja ridícula.

— Poderia.

— Tentei fazer com que Dario seguisse essa carreira, mas ele não gostou do jornal.

— Eu sei. Nós estagiamos juntos.

— Onde eu estaria se tivesse feito algo ousado como você? — Ornella olha de esguelha para Kathleen e em seguida desvia os olhos. — Estou velha agora: 58 anos. É nessa idade que a pessoa chega ao auge da carreira, não é?

— Pode ser.

— Somos parecidas. Não precisa ficar tão horrorizada. Somos bastante diferentes em alguns aspectos. Mas em outros... — Ornella para. Supostamente, foi até ali para obter um exemplar atrasado do jornal, e também para ver uma velha conhecida. Porém, vê-se tentada a seguir outro rumo: quer dizer algo. Conversar, até se confessar. Falar de amanhã com ela, um dia em que Kathleen exerceu o papel de comparsa. — Você se lembra do meu marido?

— Claro que sim. Senti muito, aliás, ao saber que ele mor...

Ornella a interrompe:

— Muito bem-apessoado, não era?

— Era.

— E barão, sabe, embora não usasse o título. Lembro de quando eu e ele nos conhecemos, Cosimo era tão distinto. Eu era uma jovem também muito bonita, naquela época: se não acredita, pode ver nas fotos antigas.

— A beleza da senhora era famosa.

— É verdade — diz Ornella, como se só agora tivesse ficado sabendo disso.

— Preciso voltar — diz Kathleen, olhando de soslaio para uma mensagem em seu BlackBerry. — Não trouxe casaco.

— Daqui a um minuto. — Ela segura a ponta da manga da camisa da editora-chefe e conduz Kathleen pelo cruzamento da Piazza Sant'Andrea della Valle sem se importar com o sinal vermelho, esquivando-se de carros buzinando. — Então se lembra de quando Cosimo foi hospitalizado em 1994?

— Claro; foi um tremendo choque.

— Não chegou a isso. Os problemas dele começaram semanas antes de eu interná-lo.

— Eu não sabia disso.

— Ah, sim. A primeira pista, acho, foi quando íamos sair de férias e ele simplesmente cancelou tudo no último minuto. Fiz o melhor que pude, dizendo que, então, poderíamos desfrutar da cidade. Mas Cosimo ficou furioso. Eu não sabia por quê. Bom, ele vinha bebendo muito, o que acho que deve ter contribuído. Chegou a me empurrar contra a geladeira! — Ornella ri. — Como a porta estava aberta, já que eu estava pegando a jarra de água gelada, caí em cima das prateleiras. Foi estranho: ele continuou a me empurrar, como se tentasse me meter ali. Derrubei todo tipo de alimentos. Um vidro de alcaparras. Pensei: "Cacos de vidro dentro da geladeira. A faxineira nunca vai encontrar todos. Alguém vai engolir um pedaço sem querer." Que ideia idiota! Bom, mas Cosimo saiu, foi embora. Morri de medo que alguém descobrisse que ele tinha partido. Mas como estávamos supostamente de férias, ninguém notou: simplesmente fiquei dentro de casa. Tive bastante tempo para limpar os cacos de vidro da geladeira.

— Que história terrível. Lamento muito ouvir isso — comenta Kathleen, parando na calçada. — E fico impressionada ao ver a senhora revelar esse acontecimento com Cosimo. Mas... e espero que não me leve a mal... a senhora passou hoje na redação por algum motivo em especial? Não que precise de um motivo. É que realmente preciso voltar.

— É uma pergunta razoável. Normalmente não falo da minha vida particular, exceto com minha faxineira, Marta.

Kathleen ri.

— Qual é a graça? — Ornella pega a manga da camisa de Kathleen e a conduz adiante, mais longe ainda do jornal, prolongando a conversa, mesmo que tenha que arrastar a outra até a Piazza Venezia. — Durante aquele período de 1994 com Cosimo fora de casa, recebi um telefonema do banco questionando vários saques. Passaram-me os valores, que eram descomunais; nem queira saber. Ainda não entendo como ele gastou tanto tão rápido. Então a polícia ligou: um homem de 60 e poucos anos, preso por posse de cocaína. Fui pegar Cosimo, que falou sem parar. Mencionava o tempo todo uma australiana. Ele a conheceu durante aqueles dias fora e exigiu que ficássemos dando voltas de carro para encontrá-la. Tinha quebrado um dente; entrou numa briga, vê se pode. De alguma forma consegui voltar para casa com ele. Cosimo continuou a tagarelar o tempo todo. Queria comemorar. "Comemorar o quê?", perguntei. Encheu uma taça de conhaque e me fez tomá-lo. Queria fazer amor. Eu não queria. Mas foi o que fizemos.

Ela conduz Kathleen pelos trilhos do Largo Argentina, em direção à ilha de pedestres que circunda as ruínas romanas.

— Então, Cosimo ficou bravo — prosseguiu Ornella. — Disse que eu vinha arruinando suas perspectivas de emprego. Tentei entender, acompanhar seu raciocínio. Ele me puxou pelo apartamento, gritando. Ia abrir um estúdio de pintura e transaria com muitas jovens: disse isso para mim, sua esposa. Então, me agarrou pela alça do sutiã e me jogou, rasgando a peça. Eu ficava tentando olhar nos olhos dele. Quando consegui, vi que estavam vazios; foi uma das coisas mais terríveis que já vi. E ele partiu para cima de mim, estrangulando-me naquela tarde de 24 de abril de 1994. Eu me lembro de pensar que ia morrer. Cosimo me asfixiou por tanto tempo que desmaiei. Ele não estava mais lá quando acordei. Tive a sensação de que minha garganta havia sido perfurada. Joguei água no rosto e tentei chorar na pia da cozinha. Mas não conseguia respirar direito. Foi um tipo de choro estranho: engolindo e tossindo várias vezes. Então, lá estava Cosimo, rindo de mim.

"Eu estava me segurando no armário da cozinha, para me equilibrar. Quando ele aproximou o rosto do meu, meti a porta do guarda-louça na cabeça dele, com toda a força. O golpe fez a peça estremecer; minha mão vibrou, Cosimo caiu. Como não conseguiu se apoiar direito, bateu de cara no chão. O tombo fez um talho no rosto dele, que começou a sangrar. E a respingar no piso. Lembro que ele pôs o dedo na poça."

— Minha nossa, é uma história de terror — comenta Kathleen. — Eu não sabia disso. Só lembro que Cosimo foi internado na ala psiquiátrica. Mas Dario me disse que havia sido por causa de depressão.

— Bom, teve esse problema também. Só que depois. — Ornella solta a manga da camisa de Kathleen, a vontade de confessar se dissipando de forma repentina: é substituída por uma pontada de culpa. — Não conte a Dario o que eu lhe contei. Não mencione nada caso o encontre. Ele não sabe desses detalhes.

Elas dão a volta, rumo à redação.

— Na verdade — diz Kathleen —, eu me lembro do sangue no piso da sua cozinha, naquela noite. Dario e eu fomos até lá depois que a senhora levou Cosimo para o hospital. Deixamos sua empregada entrar. Como era mesmo o nome dela? Rina? Ela não sabia o que fazer. Não queria que o esfregão ficasse sujo de sangue, achava que a senhora ficaria brava. Então o limpamos com jornal.

— Eu sei — ressalta Ornella. — É o exemplar que eu não tenho. Preciso que me dê um novo.

— Um exemplar de 1994? Não sei onde a senhora encontraria um. Jogamos fora nossos arquivos de cópias impressas anos atrás. Tudo está digitalizado agora.

— Você não pode estar falando sério!

As duas caminham em silêncio, por fim chegando ao prédio do jornal.

— A senhora se recorda da nossa conversa no hospital, naquela noite? — pergunta Kathleen. — Quando eu disse que vinha pensando em ir para Washington, mas que estava indecisa? A senhora me falou que eu deveria fazer isso. Que deveria deixar Roma e Dario e aceitar o emprego.

— Eu nunca disse isso.

— Disse sim.

Na manhã de terça, Marta bate à porta quatro vezes e aguarda. Como tem a chave, entra. Ornella aparece de camisola.

— Ah, me desculpe — diz Marta, inclinando a cabeça.

— Você me deixou numa péssima situação no domingo, sem o meu jornal — acusa a patroa. — Totalmente imperdoável! — Ela quer retirar o que disse, mas em vez disso vai até o quarto.

Ornella se veste e volta à sala, mudando os porta-retratos de lugar como se não houvesse tido um acesso de raiva.

— Se eu me sento aqui — explica ela a Marta —, posso ver Massi quando ergo os olhos do jornal. E se me acomodo ali, vejo Cosimo. Ou seria melhor pôr Dario aqui? Sabe, se a gente não muda a posição dos retratos, deixa de notá-los.

A faxineira, que está recolhendo com uma pá a poeira varrida, assente educadamente.

Sem dizer mais uma palavra, Ornella se recolhe aos seus aposentos.

— Vai querer o jornal hoje, *signora* Ornella?

— Não — responde Ornella de dentro do quarto, a porta fechada. — Obrigada.

Quando ouve a porta do apartamento se fechar, ela sai. Marta deixou um bilhete, pedindo uma marca específica de desinfetante e mais papel toalha.

— Como é possível essa mulher gastar tanto papel toalha? — pergunta Ornella.

Ela então vai ver se há poeira debaixo do sofá. Ao se inclinar, examinando a área, uma gota de líquido cai no assoalho. Ela toca o rosto: foi uma lágrima. Com uma forte fungada, Ornella se controla. Limpa o chão com a própria mão, enxuga os olhos, levanta-se.

Dario viria se necessário, porém ela não vai lhe implorar. O outro filho de Ornella, Filippo, evita-a por completo — herdou do pai o desprezo intelectual por ela. E os netos? Parecem temê-la.

Ornella sente falta de Cosimo. A última década deles juntos consistiu em médicos e remédios, momentos de esperança e meses de desesperança. (Ela jamais contou a Dario e Filippo como o pai deles de fato faleceu, que foi encontrado com um bilhete que dizia "Basta". Informou a todos que ele morrera de complicações no coração. Porém, num recôndito de sua mente, ela sabia que os filhos sabiam. E nesse mesmo lugar Ornella guardou todo tipo de informação, coisas de que ao mesmo tempo ela tem conhecimento e não tem: a existência de celulares, a internet, o que as pessoas acham dela.)

Ornella abre a escada sob o depósito. Chega ao alto e às duas portinholas, atrás das quais estão seus jornais. Nunca subiu ali. Abre ambas e respira fundo: o local tem um cheiro metálico, um odor que lhe lembra vagamente o de seus dedos.

O depósito é grande e fundo e está quase lotado. Mais de 10 mil jornais. De 100 mil páginas. De meio milhão de artigos. E todas essas linhas escritas aguardam ali sua vez.

A vez do jornal de amanhã chegou e passou. Ornella não conseguirá encontrar um exemplar de 24 de abril de 1994 em nenhum lugar. Precisa seguir adiante, a partir de 25. Porém, pular um dia tem um efeito peculiar: aquelas pilhas de súbito lhe parecem bem menos austeras — menos jornais e mais simples papéis. Ela dá um golpe na pilha da esquerda, o lado que já leu, e arranca alguns exemplares. Tira-os do depósito, jogando-os no chão.

No ar, as páginas dobradas separam-se e as folhas caem suavemente no piso.

Ornella pega mais, uma pilha grande dessa vez, e atira os exemplares. As folhas atingem o chão com um baque e espalham-se. Ornella puxa outras. Tira os jornais até os braços doerem e um amontoado alto surgir no piso ao redor da escada.

Ela pondera a respeito das pilhas que continuam no depósito: os jornais não lidos. Pega o de cima, de 25 de abril de 1994, e lança-o ao chão. Agarra outro punhado e, em seguida, mais um.

Faz isso por quase uma hora até terminar, as mãos manchadas de tinta preta e os joelhos tremendo no último degrau. O depósito está vazio e o piso é um oceano preto e branco.

Ela desce, sem saber direito como sair dali. Pisa em cima dos jornais e, perdendo o equilíbrio, ergue os braços, as joias tinindo, e cai com suavidade sobre a pilha. Escorrega um pouco, arfa, e então para, rindo.

— Sua boba!

Uma manchete em negrito lhe chama a atenção: "... capital afegã". Ornella pega o exemplar, que rasga um pouco sob seu corpo. O título diz: "Talibãs capturam a capital afegã" (edição de 28 de setembro de 1996). Ela mete a mão na pilha e apanha outro jornal, ao acaso. "Índice Dow supera os 6 mil pontos, batendo recorde (15 de outubro de 1996)." E mais um: "Clinton derrota Dole e consegue segundo mandato" (6 de novembro de 1996). Ornella, pelo visto, está em cima de 1996.

Ela empurra esses jornais para o lado, mergulhando em 1998: "Clinton nega relações sexuais com estagiária" (27 de janeiro); "Em arrastão 'titânico', filme sobre o navio leva 11 Oscars" (24 de março); "Centenas de mortos no atentado duplo contra embaixadas americanas no leste da África" (8 de agosto); "Câmara aprova impeachment de Clinton" (20 de dezembro).

Ornella chega ao novo milênio: "Dow supera os 11 mil" (15 de janeiro de 2000); "Milosevic renuncia em meio a protestos" (6 de outubro de 2000); "Iraque não aceita novas inspeções" (2 de novembro de 2000).

As manchetes de 2002 espantam-na: "Escombros do WTC retirados do Marco Zero" (21 de maio); "Atentado a bomba em Bali deixa centenas de mortos" (13 de outubro); "Bush cria Departamento de 'Segurança Nacional'" (26 de novembro).

Ela vasculha mais embaixo, chegando a 2004: "Cientistas clonam 30 embriões humanos" (14 de fevereiro); "Putin é reeleito" (15 de março); "EUA transferem poder a líderes interinos do Iraque" (19 de junho); "Extremistas islâmicos matam cineasta holandês" (3 de novembro).

Pula para 2006: "Em seu primeiro veto, Bush impede pesquisa de células-tronco" (20 de julho); "Coreia do Norte confirma primeiro teste nuclear" (10 de outubro).

E, então, 2007: "Apple apresenta iPhone com alarde" (10 de janeiro); "Bush deve enviar mais 21.500 soldados ao Iraque" (11 de janeiro); "Aquecimento global é causado pelo homem, afirma painel" (3 de fevereiro); "Senador negro concorre à presidência em eleição histórica" (11 de fevereiro).

Com isso, Ornella termina. Esse é, mais ou menos, o presente.

Ela fica ali, entre todos os jornais, e pensa em Marta, que irá à sua casa amanhã. Poderia tirar tudo antes de ela chegar. Porém, a faxineira ficará impressionada: não mais o absurdo de jornais velhos de um lado, novos do outro. E não mais a proibição de tecnologia — nenhum drama se o marido de Marta ligar para o celular dela enquanto ela estiver trabalhando.

No dia seguinte, Ornella corre até a porta.

— Tenho algo para mostrar a você. Venha, venha! — Ela tenta pegar a mão de Marta, mas a faxineira ainda está tirando o sobretudo. Ornella aguarda, inquieta. Marta mantém o jornal do dia escondido numa sacola plástica, seguindo as instruções da patroa. — Venha! — insiste. Mas, no meio do corredor, ela para.

— O que foi? — pergunta Marta.

— Você vai achar que sou idiota.

Pega a mão da faxineira. A recém-chegada não a aperta, mas se deixa ser levada adiante.

— Ah, meu Deus — exclama Marta, ao ver a bagunça. — Quebrou?

— Quebrou o quê?

A faxineira já está ajoelhada, arrumando aquela catástrofe jornalística.

— Não quebrou nada. Fiz isso de propósito. Não se preocupe. Eu mesma os joguei aqui — protesta Ornella. — Passei quase a noite inteira lendo. Até as 4 horas. Mas estou longe de recuperar tudo o que perdi. Tenho um monte de perguntas. Você vai ter que me ajudar.

A faxineira, interpretando o comentário da patroa como um pedido de que arrume mais rápido, diz:

— Sim, sim, vou fazer isso, vou fazer isso.

— Pare; escute por um momento. Deixe tudo aí. Me diga, onde pôs o jornal de hoje?

— Qual hoje?

— Deste hoje. — Ornella aponta o dedo para baixo, gesto que indica apenas diversos hojes sob seus pés. Acrescenta: — O hoje que você trouxe. O da sacola plástica.

Marta hesita em entregá-lo, já que pode se tratar de um teste.

Ornella se acomoda no sofá da sala, tensa de empolgação, o pulso acelerado. Abre o jornal com entusiasmo, endireitando-se melhor nas almofadas. Pigarreia, pisca, como se para ver melhor, e analisa a primeira página. Vira-se para a faxineira, que, tendo recebido ordens de fazer companhia à patroa, montou a tábua de passar na sala. Ornella pergunta:

— Não quer ler junto comigo?

— Não, não.

— Estou confusa com relação a muitos fatos. Conto com sua ajuda. Por exemplo, quem é essa tal de Britney Spears e por que ela raspou a cabeça?

— Não sei — responde Marta, a frase ressaltada pelo sibilo do ferro a vapor.

— Eis uma: o papa, imprudente, fez comentários desagradáveis sobre os muçulmanos e agora eles estão ameaçando explodir igrejas. — Ela ergue os olhos. — Não é perigoso para você ir à igreja, é, Marta?

— Não, não.

Ornella vira a página.

— Parece que todo mundo está se explodindo. E todos esses computadores: você entende dessa história de informática?

— Que história?

Porém, a patroa sabe tão pouco que nem consegue formular uma pergunta.

— Em termos gerais.

— Não muito — diz a faxineira.

Com uma onda de afeição, Ornella dá uma palmadinha na almofada do sofá ao seu lado.

— Por que não para um instante e se junta a mim? Vou fazer um cafezinho para você! Podemos conversar sobre as notícias. Não acha que seria bom, para variar um pouco?

Marta, com expressão tensa, observa o apartamento, os pisos que precisam ser varridos, todas as superfícies que exigem limpeza. E a poeira debaixo da cama?

Quando a faxineira termina o trabalho, Ornella a acompanha até a porta.

— Nos vemos amanhã?

— Sim. Está bem — responde Marta, olhando para o chão. — Amanhã.

1994. Corso Vittorio, Roma

Já no início da década de 1990, o sucesso do jornal sob a chefia de Milton Berber começava a diminuir, um reflexo da redução do público leitor em geral. A televisão carcomeu os jornais por anos e o surgimento de canais de notícias dia e noite foi outro golpe. Os periódicos matinais, escritos na tarde anterior, pareciam cada vez mais ultrapassados. A tiragem diminuiu para menos de 25 mil exemplares.

Causa de maior preocupação era o próprio Milton. Embora continuasse forte mentalmente, seu corpo entrava em colapso: diabetes, hipertensão, visão reduzida, deficiência auditiva. Em 1994, ele reuniu os funcionários.

— Por que o jornal existe? — começou.

Alguns jornalistas deram risadinhas nervosas. Alguém sussurrou um gracejo.

— É sério — prosseguiu o chefe. — Eu me perguntei isso algumas vezes. Por que Cyrus Ott veio até aqui para fundar o jornal? Por que um sujeito tão rico e poderoso se daria a esse trabalho? Dizem que ele era um sincero aficionado de notícias e pensava que o mundo precisava de uma publicação de peso. Não acredito nisso. Sou jornalista; por natureza avesso a causas nobres. A verdade é que o cara veio até aqui por causa da pizza.

Todos riram.

— Quanto a mim — prosseguiu Milton —, não posso alegar ter motivos mais admiráveis. Simplesmente adoro editar o jornal: títulos e fechamentos. Nada nobre. Mas, gente, este é o fim da linha para mim. Chegou a hora de sair.

Alguns editores ficaram boquiabertos.

Milton abriu um largo sorriso.

— Ah, vamos, não precisam fingir surpresa. Num antro de fofocas como este, não venham me dizer que não sabiam.

Ele perdeu a voz naquele momento. Fez-se silêncio no recinto, com todos aguardando suas próximas palavras. Milton pegou um exemplar da edição matinal, ergueu-o apressadamente e foi até sua sala, de esquina. Era seu último dia no jornal. Três meses depois, em Washington, morreu em virtude de um AVC fulminante.

Substituí-lo não foi fácil. Boyd tentou uma série de diretores medíocres, cada um dos quais durou alguns anos antes de se aposentar com a segurança de deter ações do Grupo Ott. Nada impediu a queda na tiragem. A equipe foi sendo reduzida; o caderno de moda foi eliminado por completo; as seções de cultura e esportes, em especial, se tornaram terras improdutivas.

O jornal ainda publicava 12 páginas por dia, mas a quantidade de matérias originais caiu, ao passo que as provenientes de agências de notícias aumentou. Enquanto outros jornais combatiam as invasões de noticiários televisivos adotando gráficos chamativos e coloridos, aquele continuou tediosamente preto e branco.

O desafio seguinte seria ainda mais impiedoso: a internet.

A princípio, muitas publicações montaram seus sites, cobrando pelo acesso. Mas os leitores simplesmente buscavam conteúdo gratuito. Então, as empresas de comunicação passaram a lançar cada vez mais notícias on-line de graça, na esperança de que os anúncios, a seu devido tempo, começassem a compensar as homéricas perdas com a venda de exemplares impressos.

O jornal, no entanto, reagiu de um jeito idiossincrático: não fez nada. O chefe de redação, Herman Cohen, negou-se a tratar da possibilidade de se criar um site.

— A internet é para as notícias o mesmo que as buzinas de automóvel são para a música.

“BOLSAS DESPENCAM ANTE TEMORES DE DESACELERAÇÃO DA CHINA”

ABBEY PINNOLA, DIRETORA FINANCEIRA

Assim que chega ao portão de embarque, Abbey cai em seu costumeiro coma de viagem, um torpor que durante longas jornadas impregna seu cérebro como salmoura. Nesse estado, ela belisca qualquer aperitivo ao alcance, fica embasbacada com os sapatos de estranhos, torna-se filosófica, termina chorosa. Fita as fileiras de bancos espalhadas no saguão de embarque: casais jovens abraçados, maridos velhos lendo livros velhos sobre velhas guerras, namorados dividindo o fone de ouvido, palavras sussurradas sobre o duty free e os atrasos.

Abbey embarca no avião rezando para que não esteja cheio. O voo de Roma a Atlanta dura 11 horas e ela pretende se esparramar — vai trabalhar e dormir, nessa ordem. Pelo canto dos olhos vê um homem parando à sua fila de assentos, checando o bilhete. Abbey olha com raiva a paisagem, implorando que ele vá embora. (Certa vez permitiu que um passageiro começasse a conversar com ela, e aquele se tornou o voo mais longo da sua vida. O sujeito acabou convencendo-a a jogar Scrabble e insistiu que "ug" era uma palavra. Daí em diante, Abbey estabeleceu a regra de jamais conversar com ninguém em aviões.)

O cara diz:

— Poxa, veja só! — E se senta ao lado dela.

O avião mal começou a taxiar a pista e ele já puxa conversa. Abbey se move nervosamente na direção dele e faz um vago "hum", porém sem desgrudar os olhos da janela.

O sujeito se cala.

A força e a arremetida da decolagem despertam Abbey. Ela já tinha começado a sonhar. Com o quê? Não lembra. Precisa dos arquivos que estão no compartimento de bagagem, mas o sinal de colocar o cinto continua aceso. Então, ela deixa-se levar por seu coma de viagem, contemplando distraidamente a vista, vendo as nuvens abaixo mesclarem-se, transformando-se num colchão infinito.

Abbey observa as unhas, preocupada com Henry, que não quer ir visitar o pai em Londres durante as férias escolares e está quase na idade em que ela não o pode obrigar. Será que ele está esnobando o pai por lealdade a ela? Abbey espera que sim e que não. Obrigará Henry a ir a Londres até ele chegar a uma idade previamente estabelecida. Digamos, 16?

Meu Deus do céu! Já basta! Abbey vem tentando ignorar isso, mas se o idiota ao seu lado não ceder um cantinho do braço da poltrona, vai usar o saco de vômito para asfixiá-lo. Ela forma um ângulo bastante acentuado com o braço e, pouco a pouco, mete o cotovelo no antebraço do sujeito. Quanto tempo ele vai demorar para desistir?

Porém, o homem parece não notar, e como ela sente nojo de tocá-lo, desiste. Ele está puxando uma pele no polegar, tentando tirar um pedaço de cutícula. Asqueroso. Ela tem vontade de ver qual é a aparência do cara, para acrescentar um rosto à sua aversão, porém não pode se virar sem chamar sua atenção. Então, visualiza-o: americano, 50 e poucos anos, fracassado. Estrias, caspa, problema na tireoide. Trabalha no Office Depot vendendo escadas industriais. Ou oferece assistência técnica e joga video game depois do trabalho. Pochete, meia grossa, botinas. O que foi fazer em Roma, aliás? Será que ouviu falar que era um lugar cheio de cultura? Será que pediu que batessem uma fotografia sua no Coliseu, de braços dados com um falso gladiador?

Mas que coisa mais ridícula — por que *ela* deveria se sentir pouco à vontade durante 11 horas por causa desse imbecil? Abbey inicia outro golpe de cotovelo no braço da poltrona, aumentando a pressão contra o osso dele.

— Olha — diz o sujeito, tirando o braço —, vou dar mais espaço para você.

— Ah, obrigada — exclama Abbey, odiando-o ainda mais, as orelhas avermelhando, um tom carmesim espalhando-se acima dos lóbulos.

— Me desculpe — acrescenta o homem. — Sou péssimo para dividir espaço. Ajo assim sem perceber. Grite se ficar apertada. Sou desajeitado. — Ele sacode o braço, para dar ênfase. — Pelo menos estamos perto da saída de emergência. Sempre dá para notar os mais espertos, que pedem para sentar aqui. Estas são praticamente iguais às da primeira classe; não que eu já tenha ido lá, mas acho que são parecidas, e pelo preço da ralé.

— Olhe, você poderia me fazer o enorme favor de me acordar quando servirem o almoço? Se estiver acordado, claro. Obrigada.

Abbey pede isso encarando a poltrona diante de si; em seguida, vira-se para a janela e abaixa a tela. Mas foi uma idiotice. Ela não quer dormir e sim trabalhar. Agora será obrigada a fingir. Ela menospreza o passageiro ao lado.

Passam-se sete minutos — todo o sono fingido que Abbey consegue aguentar. Ela levanta-se parcialmente da poltrona, com um sorriso cordial fixo no rosto, e aponta para o compartimento de bagagem.

— Tenho que pegar uma coisa.

O sujeito se levanta de um salto, joga o livro na poltrona e abre caminho.

Com dificuldade, Abbey passa espremida até o corredor.

— Quer ajuda?

Tudo acontece em dois estágios: em primeiro lugar, ele lhe parece familiar. Em segundo, ela se dá conta de que o conhece. Caramba! Que pesadelo!

— Ah, meu Deus! — exclama ela. — Oi, oi. Não o reconheci. — Com efeito, Abbey ainda não sabe de onde o conhece.

— Você não sabia que era eu?

— Me desculpe. Estava totalmente distraída. Às vezes fico no mundo da lua quando viajo.

— Não tem problema. Quer que eu a ajude?

A ficha cai, por fim: é Dave Belling.

Abbey tem vontade de morrer. Dave do copidesque. O recém-despedido Dave. Dave, que foi mandado embora em meio ao corte de gastos. Dave, que *ela* colocou no olho da rua. Onze horas ao seu lado. E o pior, Abbey está no modo viagem, com calça de moletom, tranças no cabelo. (No jornal, sempre anda de terninho e bota, os olhos frios como moedas.) Como diria Henry, *Che figura di merda.*

— Acho que posso alcançar. Obrigada, de qualquer forma. — Porém, ela não consegue. Suas orelhas fervilham, rubras. — É aquela maleta azul. Não, azul-marinho. É. Isso. Essa mesmo. Ótimo. Obrigada. Muito obrigada.

Ele dá um passo para o lado, gentilmente, permitindo que ela volte ao lugar.

Abbey o faz com um sorrisinho no rosto e chumbo no estômago.

— Me desculpe se fui grosseira antes. Realmente não percebi que era você. — Pare de tagarelar. — Bom, mas como vai? Tudo bom? Indo para onde? — Para onde? Está num voo para Atlanta. E como ele vai? Acabou de ser despedido.

— Tudo muito bem — diz Dave.

— Ótimo, que ótimo.

— E você?

— Tudo bom. Indo para Atlanta, claro. Tenho uma reunião com o conselho do Grupo Ott. Nosso ajuste de contas anual.

— E é você que tem que fazer isso?

— Infelizmente. Nosso diretor alienado se recusa.

— Então o trabalho sujo fica nas suas mãos.

— Aham. Tudo por minha conta. Embora eu deva admitir que é interessante ir até a sede. Todos temos a tendência, em Roma, de achar que estamos no centro do mundo Ott. Então quando vou até Atlanta, tudo muda de figura. Vejo como somos pequenos.

— Não mais "nós" — ressalta ele, com bom humor. — Não no meu caso, pelo menos.

— Ah, sim, é verdade. Lamento.

— Como não havia nada de novo no jornal, achei que estava na hora de sair.

Dave não deve saber que Abbey sabe a verdade. E, o que é mais importante, não aparenta ter noção do papel dela em sua demissão.

— Acho que é o melhor a fazer — comenta ela, evitando o silêncio. — O que está lendo?

Ele tira o livro de sob o traseiro e lhe mostra a capa.

— Uau! — exclama Abbey. — Também sou fã de Jane Austen.

— É mesmo?

— Não li *Persuasão*, mas *Orgulho e preconceito* é talvez... não, com certeza o meu livro favorito, de todos os que já li.

Estou querendo que minhas filhas o leiam, mas acho que ainda estão um pouco novas.

— Que idade?

— Dez e onze.

— Eu mesmo não tinha lido nada dela até alguns meses atrás — comenta Dave. — Mas agora estou, tipo, numa espécie de missão de ler tudo o que ela fez. O que não é tanto assim. Este é o último da minha lista. — Ele examina a capa. — Não foi esse o título que ela escolheu para a obra, pois faleceu antes da publicação. O editor foi quem optou por *Persuasão*.

— Mas é um ótimo título.

— Sim e não.

— Qual é o seu favorito dela? — pergunta Abbey.

— Talvez *Mansfield Park*. Talvez *Orgulho e preconceito*. Do que não gostei muito foi *Razão e sensibilidade*.

— Na verdade, só li *Orgulho e preconceito*.

— Achei que ela fosse sua autora favorita.

— Eu sei, eu sei. Mas sou uma péssima leitora. Três filhos. O trabalho.

— Três filhos? — Dave faz uma careta.

— O que quer dizer?

— É que estou impressionado. Você parece jovem demais para ter três.

— Talvez. Embora não seja tão jovem assim. Bom. Desculpe, vou deixar que volte a ler.

— Não tem problema, sério, é legal ter a oportunidade de bater um papo. Ninguém conversa na redação. Já notou isso? Foi muito esquisito quando eu comecei lá. Eu pensava, tem algum tipo de panelinha aqui ou estou fedendo ou coisa parecida? Parece até que há uma cortina de silêncio lá.

— É assim mesmo.

— Você quase chega a ter a sensação de que todos o odeiam.

— Eu me sinto exatamente desse jeito quando estou lá.

Os colegas nem se dão ao trabalho de usar seu nome, chamando-a de "Contas a Pagar". Abbey odeia o apelido. Eles não aceitam uma mulher jovem acima deles na cadeia alimentar. Mas é *ela* que *os* mantém empregados. Esses caras, estenógrafos pretensiosos, passam sermões sobre as prerrogativas da imprensa como se o jornal fosse mais do que uma empresa. Não quando estamos perdendo tamanha quantidade de dinheiro. E o campeão dos sermonários, o insuportável Herman Cohen, sempre repassa as mensagens dela com um "Como os caça-níqueis estão acabando com a informação". Como se Abbey estivesse pondo o jornal a perder. Foi ele que impediu a criação de um site. Nessa altura do campeonato, ainda não estamos na rede! Mas os que a chamam de Contas a Pagar não consideram esses detalhes. Nem pensam em quanto dinheiro o jornal perde toda vez que eles atrasam o fechamento da edição (43 mil euros até agora, este ano). Tampouco em quanto Abbey lutou contra as demissões (conseguiu convencer o conselho do Grupo Ott a diminuir a quantidade, de 16 para 9, sendo apenas um do setor editorial). Sem ela, o pessoal estaria na rua em um mês. E *eles a* criticam.

— Isso é muito triste — prossegue Abbey. — Precisamos de um voo intercontinental para realmente trocar palavras com alguém da redação.

— Embora a gente tenha conversado uma vez, quando comecei.

— Ah, sim, o meu bem-vindo a bordo. Fui muito cretina?

— Não *muito*.

— Essa não. Sério?

— Estou brincando. Não, só parecia estar bastante ocupada.

— Com certeza. Sempre ocupada. O conselho se recusa a contratar um assistente. E por que deveriam, no fim das contas? Conseguem fazer com que eu trabalhe por três funcionários. É culpa minha. Me desculpe, eu não deveria estar desabafando com você. E aproveito para pedir desculpas retroativas se fui meio você-sabe-o-quê no trabalho. É que tem aquela atmosfera estranha no jornal às vezes, como você bem sabe. — Ela se inclina na direção dele. — E aí, então você gosta de ler?

Dave folheia as páginas do livro.

— Quando posso. — Em seguida, apoia a obra aberta, com as folhas viradas para baixo, na coxa.

— Não deveria fazer isso.

— Desse jeito?

— Vai arquear o livro. E rasgar a lombada.

— Não me importo.

— Desculpe. Estou me intrometendo. Vou deixá-lo ler.

— Não se preocupe.

— Eu deveria adiantar meu trabalho.

Ela abre a mesinha e, então, hesita. Há algo no arquivo que menciona Dave? Algo que ele não possa ver? Abbey abre só um pouco a pasta e tira algumas folhas inócuas, ao mesmo tempo estudando furtivamente o companheiro de voo. Dave vira a página do livro. Parece estar concentrado e nem um pouco interessado em espiar suas tabelas tediosas. Em que página ele está? Oitenta e três. Ela finge organizar os papéis e em seguida põe um sinal inexpressivo de conferido, quando na verdade está lendo *Persuasão* por sobre o ombro dele. Dave muda de página. Lê mais rápido do que Abbey. O que é meio irritante. Mas é o que se deveria esperar — ele já sabe o que está acontecendo na história. Ela faz outras modificações simuladas nos documentos. Dave vira a página de novo e, depois de prender visivelmente a respiração, abre mais o livro, para que ambos possam ler. Abbey foi pega de novo. Com as orelhas ardendo, ela dirige a atenção ao trabalho.

— Viciante, não é mesmo? — comenta ele, com educação.

— É um péssimo hábito meu. Desculpe.

— Não seja boba. Olhe. Por favor. — Dave abre o livro entre os dois, no braço da poltrona. — Quer que eu explique o que está acontecendo?

— Não, não, não precisa, sério. Tenho que adiantar o trabalho.

— Viu, é por isso que me despediram — brinca ele. — Todo mundo está trabalhando enquanto eu leio a maldita Jane Austen!

Despediram? Não foi assim que ele descreveu o ocorrido antes.

— Você com certeza está encarando isso sem ressentimento.

— É mais fácil quando se tem um novo emprego.

— Ah, já conseguiu um? Que bom ouvir isso.

— Obrigado. É, um dia depois de me mandarem embora, estava conversando com um italiano amigo meu e ele me falou desse cargo. Acho que tenho sorte.

Abbey se pergunta quantos anos ele tem. Talvez a mesma idade que ela? Um pouco mais velho?

— Ei, veja, já estão começando a trazer o primeiro almoço.

— Primeiro almoço?

— É, vamos ter dois almoços neste voo, por causa do fuso horário.

— Ah, tá.

— Sério.

Eles comem o frango de plástico, as cenouras de borracha e uma mistura cor-de-rosa, fazendo comentários irônicos sobre os alimentos, tal como as pessoas costumam fazer diante da comida insossa de avião, que, não obstante, consomem sem deixar um grão sequer.

— Mas então, por que está indo para Atlanta? — pergunta Abbey.

— Só queria visitar minha família antes de começar no novo trabalho.

— Quer dizer que é de lá.

— Sou da Geórgia. De uma cidadezinha chamada Ocilla.

— Um bom lugar?

— É legal. Mas eu não conseguiria morar lá de novo. Cresci naquela região, o que já vale para a vida inteira. E você? De onde é?

— Originariamente de Rochester, Nova York.

— Quer dizer que é uma "originariamente", também. Isso significa que houve um monte de outras paradas depois.

— Não tantas assim. Frequentei a universidade em Binghamton, fiz um ano de intercâmbio em Milão, onde conheci meu marido. Não mais agora. Ex. Só que não naquela época. Nunca sei como dizer isso.

— Permita a intromissão de minha experiência de copidesque: seu futuro-marido-de-então e futuramente-ex-marido, mas ainda em sua condição pré-ex-marido.

Abbey ri.

— É assim que você se expressaria no jornal?

— Agora você entende por que fui mandado embora.

Ela sorri.

— Bom, mas continuando, sim, conheci meu seja-lá-o-que-for em Milão. Ele é de lá. Foi meu primeiro caso amoroso realmente significativo, e eu era... — Abbey faz uma pausa.

— Era o quê?

— Sei lá. Boba. Tinha 23 anos.

— Não pode reclamar, saiu com três filhos do negócio.

— É verdade. Digo isso para mim mesma.

— Não tenho nenhum. Queria. Mas minha mulher, esposa-de-então, não. Por mais que eu argumentasse, ela não quis saber. Mas escute só: nos divorciamos em, sei lá, 1996, e ela conheceu um cara, e eles tiveram quatro filhos! Então, acho que a questão não é que ela não pretendia ter filhos. Não queria ter *comigo*!

Abbey fica calada.

— Que foi? — pergunta Dave.

— Não, nada não. Só estava pensando. Você parece encarar esse fato com bastante naturalidade. Com muita mesmo, como se não tivesse autocomiseração. Admiro muito isso.

Ele sorri, constrangido.

— Na verdade, não.

— É sério.

Dave mexe na cutícula.

— Tenho certeza de que você também é assim no caso do seu divórcio.

— Você só está falando isso porque não me ouviu reclamar do meu pobre ex! Não que seja pobre em qualquer sentido da palavra. Na realidade, é até meio que um rico filho da puta. Desculpe o palavrão.

— Por que ele é um filho da puta?

Abbey agita a cabeça nervosamente, como se atacada por uma abelha.

— Simplesmente é. Sei lá. Eu achava que estávamos totalmente apaixonados. Agora tenho a impressão de que ele só queria melhorar o inglês.

— Que nada!

— Não é só uma brincadeira. Meu ex é um tremendo anglófilo. Insistiu que déssemos nomes tradicionais britânicos ao nossos filhos ou nomes que ele pensava que fossem clássicos.

— Como quais?

— Henry, Edith e Hilda.

— Parecem saídos da Inglaterra vitoriana.

Abbey cobre o rosto.

— Eu sei, eu sei. Fico tão constrangida. Ele me obrigou! Juro. Eu era jovem e boba. E lembre-se de que esses nomes também são impossíveis de ser pronunciados por italianos. Então, os próprios avós das crianças em Milão, pessoas ótimas, devo admitir, nem conseguem pronunciar os nomes dos netos. Ridículo.

— E onde está seu ex-marido agora?

— Londres. Adorava tanto a cidade que se mudou para lá. No início, para encontrar um lugar grande para todos nós. Cheguei até a pedir demissão: na época era assistente contábil, antes de concluir o MBA. Então ele me mandou uma carta dizendo que estava com "problemas nervosos", seja lá o que isso signifique. O término foi lento e péssimo. Ele nunca chegou a me falar da namorada. Agora mora lá. Em Londres. Com ela.

— Com uma típica inglesa, imagino.

— Na verdade, para minha diversão, ela é de Nápoles.

— Bem, se isso não é um chute no traseiro... — diz Dave, rindo.

Ela sorri ao ouvir a expressão.

— Foi o que achei — prossegue Abbey. — Mas, bom. Quantos anos você tem, Dave, se não se importa de dizer?

— Quarenta e cinco. E você?

— Quarenta. Acabei de completar.

— Sério? Você é mais nova do que pensei.

— Ah, puxa, muito obrigada.

— Não, não nesse sentido. Quis dizer que você é jovem para ter um cargo tão importante. E três filhos e tudo o mais. Isso me deixa complexado.

A conversa vai morrendo. Ela está de frente para ele e não pode se virar discretamente.

— Vamos ler um pouco? — sugere Dave, abrindo o livro na parte em que estavam.

— É muita gentileza sua, mas vá em frente. Melhor eu adiantar meu trabalho.

Ela olha para ele de esguelha de vez em quando. Eles sorriem um para o outro e ele balança o livro, perguntando:

— Não está tentada?

Após trabalhar por um tempo, Abbey se vira para Dave, com o intuito de fazer uma piada. Porém, ele está dormindo, o livro aberto apoiado no peito. Jane Austen, pensa ela. Que tipo de homem lê Jane Austen? Ele não é gay, é? Não parece. Abbey não conhece muitos sulistas. Aquele sotaque fanhoso e aquela atitude simplória — são meio exóticos. Muito natural.

E se Dave acordar e a flagrar analisando-o? Então, ela o examina de esguelha. Ele não é muito alto, embora seja difícil dizer, já que está sentado. Blusão de moletom, jeans, botina. Uma expressão relaxada, de quem gosta do ar livre. A mão sobre o livro é pequena, porém angulosa e forte, unhas roídas, cutículas por fazer. Dave é mais complicado do que parece. Ainda está magoado com o divórcio. Mas mantém a privacidade: não é do tipo que desabafa por completo com as pessoas.

Ele se mexe dormindo e o braço vai parar no apoio entre os dois, tocando no cotovelo dela. Abbey fica quieta, resolve permitir o contato e volta a respirar.

Uma hora depois, Dave boceja e pestaneja, acordando.

— Me desculpe.

— Pelo quê? — sussurra ela.

— Acho que caí no sono por uns instantes — responde ele, baixinho. — Ei, por que estamos murmurando?

— Talvez porque as luzes estejam apagadas. — Abbey aponta para os banheiros. — Perdão, preciso dar um pulinho lá.

— Puxa — exclama Dave, abrindo o cinto e ficando de pé de um salto —, deixei você presa aqui?

— Imagina. De jeito nenhum.

Ela encolhe a barriga e passa espremida. Pega a bolsa do compartimento de bagagem e se dirige ao banheiro. Uma vez em segurança lá dentro, examina-se, nem um pouco lisonjeada com as luzes.

— Estou com a aparência péssima.

Abbey pega o desodorante roll-on da bolsa e o aplica. Abre toalhinhas úmidas refrescantes, esfrega-as no rosto e nas mãos, coloca base para esconder as manchas do rosto, passa um pouco de delineador nos olhos e também batom. Ou não. Tira o batom com uma toalha de papel, observa-se outra vez no espelho de metal arranhado e tira um cílio da maçã do rosto. Ajusta o aro do sutiã, que a estava machucando, e dá uma olhada sob a blusa: um sutiã preto esfarrapado. Então espia embaixo da calça: calçola azul, de velha. Bela combinação: renda de funeral em cima e material de paraquedas embaixo. Não seja idiota — que diferença faz? Mais uma toalhinha refrescante. Pronto.

Ela para à sua fileira.

— Oi.

Dave se levanta depressa.

— Olá.

Ela respira fundo e volta ao seu lugar.

— Você tomou banho lá?

— Por quê? Demorei muito?

— Dá a impressão de estar tão desperta. Não sei como vocês mulheres conseguem isso. Quando viajo fico parecendo um par de botas velhas.

— Nós mulheres temos nossos segredos — declara ela, com orgulho.

— Bom — responde ele, animado —, dou todo apoio.

Não é gay, pensa Abbey.

— Olha, é só uma viagem de avião — ressalta ela, tocando no braço dele. — Ninguém espera que os passageiros estejam impecáveis.

— Mas você com certeza está ótima — elogia Dave, a voz abaixando ante a ousadia do elogio. — Aliás, eu também preciso me refrescar um pouco. Embora não tenha muito o que melhorar.

— Ah, pare com isso.

Dave volta, dando tapinhas no rosto com as mãos úmidas.

— Melhor assim. — Ele se deixa cair na poltrona. — Melhor assim.

— É — diz Abbey. — É isso aí.

Um momento de silêncio.

— Me conte, gosta de morar em Roma? Tem um monte de amigos? — tenta ela outra vez.

— Mais ou menos. Sabe, não milhões. Eu não falava italiano no início, o que me empatou um pouco.

— Ainda assim, aposto que um monte de mulheres perseguiu você, não foi? O jornalista americano solteiro e etc. e tal.

— Não muito. Por um tempo namorei uma neozelandesa que trabalhava num pub perto lá de casa.

— Que fica em?

— Onde moro? Em Monti. Via dei Serpenti.

— Uma área legal.

— É um apartamento pequeno, mas, sim... Uma coisa que aprendi em Roma é que os italianos são muito simpáticos, mas têm as próprias panelinhas, sabe? Passam a vida inteira com as mesmas pessoas que conheceram na escola. E se você não estudou naquela escola, bom, nunca o convidam para jantar. Entende o que eu quero dizer?

— Com certeza. Isso é tão italiano...

— Muito difícil conseguir entrar. Para um americano. Acho que é mais fácil para as mulheres. Com os caras italianos espertos e coisa e tal.

— Você não caiu naquela história de amante latino, caiu? Vou lhe contar um segredo: os italianos, e sei disso porque me casei com um, são prima-donas, não garanhões. E me recuso a me apaixonar por um cara cujo guarda-roupa é melhor do que o meu. Muitos desses italianos parecem garotinhos. Meu filho, Henry, é muito mais maduro e tem só 13 anos. A maioria deles ainda pede à mãe para lavar sua roupa, fazer a bainha das suas calças jeans, preparar sanduíches de mortadela para o almoço. Nunca conseguem superar isso. — Ela torce o nariz. — O quê? Eu, amarga? Juro que não vou mais ficar fazendo discursos.

— Na verdade, é até bom ouvir isso. Passei os últimos anos me sentindo um americano largado e desleixado.

— Ei. — Abbey toca em seu braço com intimidade. — Você não precisa se preocupar nem um pouco com isso.

— Isso é ótimo para o meu ego, depois de, tipo, dois anos vendo italianos com suéteres cor-de-rosa e calças laranja se dando bem. Está me entendendo?

Abbey ri.

— Para dizer a verdade — prossegue Dave —, nos últimos seis meses, eu já tinha desistido dessa história. De conhecer alguma italiana. Sabe, perdi um pouco a paciência.

— Como assim?

— Acho que estou cansado de me dar mal. Sei que parece cinismo. Se você falasse comigo na época em que eu tinha 20, 30 anos, eu era bem romântico. Devia ter me visto no meu casamento. Fui eu que insisti numa cerimônia pomposa. Minha ex queria uma coisa mais simples. Mas sou maluco assim. Exagerado. A vida seria mais fácil se eu não fosse um bobalhão romântico. Mas não tem jeito, é assim que eu sou.

— Não chega a ser ruim.

— Talvez. Mas complica a vida.

— Qualquer coisa que valha algo é complicada. Não acha? Ou estou falando bobagem?

— Não, não. Acho que você tem razão.

— Meu problema são as muitas horas que eu passo no trabalho; sinceramente, não sei se eu conseguiria tempo para uma relação. E fico até com vergonha de contar quando foi minha última.

— Ah, vamos!

— Não vou dizer. Sério. Nem queira saber. Henry diz que estou substituindo o amor pelo trabalho. Isso vindo do meu garoto: 13, de repente 30. Acho que outro problema é que... e não quero parecer presunçosa... muitos caras se sentem intimidados por mim. Acho que às vezes dou a impressão de ser ambiciosa demais, totalmente voltada para a carreira. Sei lá. Mas espero que não me considerem desprezível. Realmente *não* sou assim. É só, que, no meu trabalho, não se pode fraquejar. É preciso ser durona ou todo mundo pisa em você. É assim que funciona. As pessoas acham que eu sou uma espécie de guerreira incansável. Mas na verdade não tenho tanta autoconfiança, sou bem tímida. Sei que não parece. Mas... — Ela observa a reação dele. — Informações demais, né? Me desculpe, estou falando sem parar.

— De jeito nenhum. Entendo você. Acho que todo mundo neste planeta precisa ter contato com outras pessoas para ser normal, saudável. Simples assim. E devo admitir que não sou uma exceção.

Ela não teve coragem de dizê-lo tão diretamente, pois não queria dar uma de mãe solteira patética.

— Talvez você tenha razão. Sabe, deve ser normal.

— Mais do que normal.

Abbey cruza as pernas e as pressiona com força: está morrendo de vontade de ir ao banheiro. Ficou tão ocupada se embelezando que esqueceu de fazer xixi. Não quer dar a impressão de ter algum problema na bexiga, mas já não consegue se segurar.

— Vou esticar as pernas um segundo — explica.

Em vez de usar o banheiro mais adiante, recorre ao de trás. Só entra quando fica fora de vista. Continua sentada no vaso depois de terminar, pensando.

Cheira o antebraço, que tocou no dele. Dave tem um aroma peculiar — até gostoso, na verdade. De que tipo? Másculo. De pele. Abbey se pergunta como será seu apartamento na Via dei Serpenti. Garrafas de vinho vazias, velas parcialmente queimadas, manchas de cera no tapete. Um lugar pequeno, disse ele, o que sugere que vive sozinho. Ela não pode convidá-lo para ir à sua casa em Roma por causa das crianças. Bom, com o tempo, talvez. Nos próximos dias, Abbey ficará num hotel quatro estrelas em Atlanta. Ela sente um frêmito. *Esqueça, sua louca. Mas seria bom passar um tempo com alguém.* Conversar. Ele é atraente, não é? Por incrível que pareça. Totalmente natural. Um pouco de companhia seria bom. Um adulto, para variar um pouco. Ter um homem por perto de novo. Já esqueceu de como é. Naquele hotel em que sempre a colocam — não seria bom se... Espere. Pare. É o coma de viagem que está falando, tornando-a esquisita e oferecida. A reunião do Grupo Ott. Pense nisso. Mas deveria conseguir o telefone desse cara. Descobrir quando ele voltará para Roma. Sair com ele por lá.

O filme exibido durante o voo está começando quando ela volta. Dave pegou os fones de ouvido para ela. É uma comédia. Abbey mantém o volume baixo, para que possa ouvir a si mesma também — não quer rir alto demais nem pouco demais, nem feito uma boba. A risada dele é agradável. Zombeteira, sincera. Ao rir, vira-se para ela, os olhos brilhando de prazer.

— Precisamos de pipoca.

— Com certeza!

A comissária de bordo passa com o carrinho no corredor, entregando a segunda refeição.

Abbey vê que horas são.

— Este é qual? O almoço número dois? Parece até jantar.

— É meio que um almoço-ajantarado — comenta Dave.

— Como você chamaria? Um jalmoço?

— Ou um almojantar.

— A menos que seja uma mistura de lanche e almoço. Aí você teria um lanchal. — diz Abbey. — Ou um almanche.

— Almanche. Gostei. Nós podíamos registrar o termo.

— Nós? Hum. Interessante.

— Ei, escuta, Dave, a gente devia se encontrar alguma vez em Roma. Não acha? Para tomar um café ou um drinque ou algo assim? Quando você voltar.

— Ah, sim, claro. Boa ideia.

— Você tem que me dar o número do seu telefone.

— Em Roma?

— Aham.

— Não tenho.

Abbey franze o cenho.

— Como assim?

— Bom, já não moro mais lá.

Um está intrigado com o outro.

— Já não moro mais lá — repete ele. — Não posso arcar com dois aluguéis.

— Dois? Onde fica o outro?

— Em San Jose.

— Não estou entendendo nada.

— Meu novo emprego. Em San Jose, na Califórnia.

— Aaah! — exclama ela, dando um sorriso forçado. — Sou tão idiota. Quando você disse que tinha conseguido outro emprego, imaginei, que tapada!, que era em Roma também.

— Não, não, não tenho mais visto de trabalho na Europa. Além do quê, já estava na hora de voltar para os Estados Unidos.

— Então, qual é o seu novo emprego? — pergunta ela, apressada, como se o local fosse insignificante.

— Algo a ver com internet. Ajudar a montar uma revista de música. Uma revista eletrônica, basicamente.

— Sei. Estou começando a entender. Mas...

— O quê?

— Nada não.

— Suas orelhas estão vermelhas. Você está bem?

Ela não pode acreditar que ele disse isso. Que comentário mais idiota a fazer.

— Estou bem sim — responde Abbey, com rispidez.

A comida chega. Ele pede o frango. É o último. E também o que ela queria. Abbey acaba tendo que se contentar com o peixe. Meio grosseiro ele não ter perguntado.

— Como está o seu? — quer saber Dave.

— Bom. — Após alguns instantes, Abbey acrescenta: — Teria preferido frango. Mas não importa.

— Quer trocar?

— Não, não. Não faz diferença.

Ela coloca os talheres na bandeja, abre a pasta e recomeça o trabalho. Melhor dizendo, olha furiosa para os documentos. Que coisa mais idiota de se dizer. Falar para alguém: Ei, olha só, você está ficando vermelha. Ele tem o quê, 5 anos? E como é que ela ia saber que ele estava indo morar na Califórnia? Ele falou como se fosse óbvio, como se o mundo inteiro estivesse acompanhando a vida dele.

Dave abre o *Persuasão* de novo, mas fica na mesma página, puxando a pele em torno da unha.

Asqueroso. E será que está mesmo lendo o livro? Será que é só para fazer tipo? A bem da verdade, não é lá o sujeito mais esperto do mundo. Um bom homem, seja lá de onde for. De uma cidadezinha de interior da Geórgia. Esse é um cara que não conseguiu se sair bem no jornal, que foi superado por aqueles imbecis do copidesque atordoados pelos antipsicóticos. Quando ela quis cortar uma cabeça no setor editorial, Dave Belling foi o mais dispensável — uma verdadeira façanha entre um grupo tão grande de fracassados sacrificáveis. (A bem da verdade, sua primeira escolha foi Ruby Zaga, mas Kathleen interveio para protegê-la.)

— Com licença — diz Abbey, ficando de pé sem dar satisfações.

Ela segue pelo corredor, indo para a frente, depois vai até o outro lado e volta. Espia a parte superior da cabeça de Dave por trás. Está ficando careca. O que anda acontecendo com esses homens? Metade deles só tem penugem, metade está na muda. Há alguma ligação entre calvície e babaquice? Ou cabelo farto e cretinice? Não foi por acaso que o despediu. Kathleen queria que todas as nove demissões fossem da área técnica. Porém, Abbey insistiu em que saísse ao menos uma pessoa do editorial — hora de dar uma lição na redação. Ela viu que as avaliações do desempenho de Dave sempre eram impecavelmente medíocres e que ele não tinha grandes aliados, no caso Kathleen ou Herman; então deu entrada nos papéis para que o sujeito fosse dispensado. Ainda bem. Imagine se tivesse que ver esse idiota todos os dias no trabalho, agora.

Abbey fica concentrada em seus papéis até chegar a Atlanta. O avião taxia rumo ao portão, o sinal de colocar os cintos é apagado, os detentos da classe econômica se desdobram, esticando os braços em direção aos compartimentos de cima. Já, Dave se espreguiça com despreocupação e boceja.

— Quer que eu pegue sua maleta?

— Não, pode deixar, obrigada. Tem algumas coisas frágeis dentro.

Quando a saída da frente é aberta, os passageiros seguem lentamente nessa direção, desembarcando em meio ao ritmo moroso dos "até logo... até logo... até logo..." dos comissários de bordo.

Dave espera que ela pegue seus pertences.

— Por favor, pode ir — diz Abbey.

— Não tem problema.

Ela embroma o máximo possível.

— Não precisa me esperar. Sério.

— Tudo bem.

No terminal, Dave se dirige à esteira de bagagens.

— Bom, se cuida, então — despede-se Abbey.

— Você só trouxe essa maleta?

— É o que sempre trago.

— Onde vai ficar, aliás?

— Esqueci. Um hotel qualquer.

— Qual?

— Não lembro. Acho que o Intercontinental.

— Talvez a gente possa dividir um táxi.

— Você não tem que ir para sei lá como se chama o lugar? Sua cidade? Além do quê, esse trajeto será incluído no meu relatório de despesas. Se dividirmos o valor, a questão do recibo vai se complicada.

— Ah — exclama Dave. — Está bem.

— É isso aí. Se cuida.

Ele se inclina para lhe dar um beijo no rosto.

Ela se retrai.

— Não quero passar meu resfriado para você. — Então, troca um aperto de mão com Dave.

No Intercontinental, Abbey coloca o trabalho na mesa. Desperdiçou tempo demais batendo papo com aquele imbecil. Boceja o tempo todo. Precisa ficar acordada, para se adaptar ao fuso de imediato — é o único jeito. Dá uma olhada no relógio. Tarde demais para ligar para os filhos. Mas como é possível a pessoa não mencionar que seu novo trabalho é em San Jose? Não importa. Que horas é a primeira reunião de amanhã? Um café da manhã. Bem-vinda à terra do café ruim e dos donuts do tamanho de assentos de vaso sanitário. Por que Dave flertou com ela, se vai morar em outra cidade? A mesa de Abbey no quarto do hotel vem acompanhada de um espelho. Ela se olha. Daria tudo para falar com Henry. O coma de viagem está deixando-a chorosa.

Um som de algo tocando. Abbey abre os olhos, desorientada. Está escuro. Que horas são? O alarme está piscando. Será que perdeu a reunião? Merda! Que barulho. Mas não se trata do alarme. Ela estende a mão para atender o telefone.

— Alô?

— Finalmente, encontrei você!

— Alô? — repete Abbey.

— É Dave Belling. Falando da recepção. Estou sendo bem mal-educado. Mas me arriscando. Decidi, sabe, que meus parentes podem esperar algumas horas. Não queria que nós dois não nos víssemos de novo. Já estava na rodoviária. Mas aí, pensei: isso é uma tremenda besteira. Então, vim até aqui. Você não estava dormindo, estava? E, olhe, espero não estar incomodando. Se for esse o caso, pode me dizer que vou seguir meu caminho, sem o menor problema. Mas, se não, pensei em convidar você para tomar um drinque ou algo do tipo. Talvez até um jalmoço. Ou um rápido lanchal.

Abbey ri, esfregando os olhos. Acende a luminária, pestanejando.

— Que horas são?

— Hora do lanchal.

— Acho que cochilei. Pensei que já era amanhã.

— Se não for conveniente para você, caio fora. Não tem problema.

— Espere, espere aí. Pode esperar um minutinho? Vou descer. Não suba. Onde você está?

Como ela não tem tempo de tomar banho, refresca-se da melhor forma possível no banheiro, passando o creme hidratante como se estivesse sovando massa. Deveria estar se preparando para a reunião do conselho. Deveria ir dormir cedo.

— Oi — diz, dando umas batidinhas no ombro dele, por trás.

Dave está ao balcão da recepção, folheando uma revista.

— Olá — ele a saúda, sua expressão se animando. — Tem certeza de que não estou sendo inoportuno?

— Claro que não.

— O que está a fim de fazer? Quer tomar um drinque? Comer algo?

— Depois daquele bolo cor-de-rosa suspeito do avião, vou ficar sem comer até outubro.

— Com certeza. Vamos tomar alguma coisa, então.

Eles vão até o bar do hotel. A TV de parede está mostrando o canal de negócios da rede NBC, com a seguinte manchete: "Bolsas despencam ante temores de desaceleração da China".

— Vai dar tudo certo amanhã — afirma Dave. — É óbvio que você vai ser a mulher mais inteligente da sala, portanto não se preocupe.

Eles conversam longamente, sobre o divórcio dele, sobre o dela. Depois de três doses de Bacardi Breezer, Abbey lhe diz:

— É como você falou no avião. Sou mais romântica do que deveria. E, tudo bem, você leva um chute no traseiro de vez em quando. Mas, para ser sincera, prefiro ter sentimentos verdadeiros. Prefiro isso a... Sabe? Entende o que eu quero dizer?

— Com certeza.

— Bom, olha...

— Olha...

Ambos riem.

Dave a chama, baixinho:

— Vem cá.

Em seguida, inclina-se sobre a mesa. Beija-a. Volta ao seu lugar devagar, como se não estivesse esperando por isso.

— Bom — diz Abbey.

— Bom, então... — acrescenta Dave.

— Sem brincadeira.

Eles vão até o quarto dela. Abbey entra apressada no banheiro, movendo os lábios ante seu reflexo: "Você está maluca."

Quando sai, ele vai até ela. Abbey retribui o abraço, esperando um beijo, porém Dave apenas a abraça, apertando-a e, em seguida, soltando-a enquanto respira serenamente. Então, ele se inclina para trás e a olha nos olhos.

— Hum — exclama Abbey. — Eu precisava disso.

— *Eu* precisava disso.

Ela o beija, a princípio com suavidade, depois com entusiasmo. Ainda com os lábios colados, os dois cambaleiam rumo à cama, aos trancos e barrancos, dando risadinhas. Abbey cai no colchão, em cima do controle remoto, ligando a TV.

— Ah, meu Deus! Desculpe! — diz ela, de repente séria.

Dave desliga a TV, atirando longe o controle. Desabotoa a blusa dela e a tira. Em seguida, abre a calça de Abbey e também se livra dela. A diretora financeira está apenas com o sutiã preto funéreo e a calçola azul. Ela dobra os braços para cobrir o peito e cruza as pernas.

— Podemos desligar uma luz?

— Vamos deixar tudo aceso, por um instante — responde ele.

— Mas você não vai tirar a roupa?

— Ei, não se cubra.

— Está meio claro demais aqui.

— Quero olhar para você — ressalta Dave.

— Mas você ainda está vestido. E eu estou de... de... de sutiã, com esse troço. — Ela ri, com hesitação.

— Espere, espere. Não puxe as cobertas.

— Por quê? Não posso?

— Uma questão de ordem primeiro. — O tom de voz dele muda, fica frio. — Um detalhe. — Os olhos percorrem o corpo dela. — Me conte uma coisa, Contas a Pagar.

Ela congela ao ouvir o apelido.

— Por quê? Por que de todas as pessoas, Contas a Pagar, você resolveu *me* despedir? — Dave está de pé próximo à cama, fitando-a. — Então? Me explique.

2004, Sede do Grupo Ott, Atlanta

Os jornais estavam em queda vertiginosa.

Os entretenimentos rivais, de celulares a video games, de redes de relacionamento social a pornografia on-line, abundavam. A tecnologia não só atraía os leitores como também os mudava. Como o tamanho das páginas impressas era maior que a do monitor, ela foi reduzida, cortando as notícias em pedacinhos ainda menores. Atualizações instantâneas na internet alimentaram o desdém pelas manchetes impressas com um dia de atraso. Até mesmo o hábito de trocar informação por dinheiro diminuiu — on-line, o pagamento era opcional.

À medida que a quantidade de leitores caía de forma drástica, os anunciantes iam desaparecendo e as perdas, se acumulando. Porém, com obstinação, os jornais pagos resistiram. Expressavam suas opiniões, apresentavam seus resumos das notícias no mundo, distribuindo-os nas páginas, imprimindo durante a noite e fazendo a entrega no dia seguinte, para que o jornal fosse aberto diante de olhos cansados no café da manhã. A cada dia que passava, menos olhos.

Apesar de tudo isso, Boyd não estava disposto a deixar o jornal do pai sucumbir. Já o resgatara antes, quando contratara Milton Berber. O truque era encontrar o líder certo. Daquela vez, ele escolheu Kathleen Solson, uma antiga protegida de Milton. Ela galgara posições em Roma, fora trabalhar no antigo jornal de Milton em Washington, onde progredira depressa. Foi repórter dos subúrbios, fez parte da equipe que cobria o Pentágono, tornou-se repórter da editoria nacional que cobria a região sudoeste e, em seguida, editora de nacional, tudo em menos de uma década.

Mas naquele nível na hierarquia de Washington, a competição acirrava. Para chegar ao topo, ela precisaria maquinar por anos. Ou poderia arriscar-se, aceitar o cargo mais alto em um jornal menor e usá-lo como campo de prova. Kathleen foi até Roma para se encontrar com o grupo de editores de então, uma categoria esparsa àquela altura, os números reduzidos em virtude dos anos de perda de pessoal.

Se ela aceitasse o emprego, comunicou Kathleen a Boyd, muitas mudanças teriam que ser feitas. O jornal precisaria preencher aquelas baias vazias, comprar novos computadores, ampliar sua cobertura no exterior: algum que falasse mandarim para Xangai, outro que dominasse árabe para o Oriente Médio e assim por diante. Aquele era um momento decisivo demais na história — a guerra ao terror, a ascensão da Ásia, as mudanças climáticas — para se falar da gordura de celebridades na praia.

— Podemos deixar isso a cargo da internet — disse ela.

Boyd concordou, e Kathleen voltou para Roma, levando seu assistente na editoria nacional de Washington, Craig Menzies.

Logo teve motivos para se preocupar. O Grupo Ott — apesar das promessas de Boyd — mostrou-se relutante em custear seus planos. Ela acabou se vendo limitada pela verba cada vez mais apertada, e o próprio Boyd ignorou-a, deixando tudo a cargo de subordinados, sobretudo ao machado afiado da diretora financeira, Abbey Pinnola. Primeiro, essa mulher suspendeu de novo a contratação de funcionários. Depois, cortou os aumentos por mérito. E depois exigiu a dispensa de funcionários.

Kathleen solicitou páginas coloridas e um site e insistiu na contratação de mais correspondentes no exterior. O Grupo Ott negou todos os pedidos. Foi só quando decidiu entrar em contato com Boyd por canais particulares que ficou sabendo que ele estava muito doente.

Era câncer, o mesmo que matara Ott. Quando Boyd ficara sabendo do diagnóstico, sentiu algo similar a orgulho: ele o pai estavam juntos naquilo. Porém, no momento em que seus sintomas pioraram, deixou a fantasia de lado. Ficou furioso com todos que o cercavam, os que viveriam mais do que ele, embora não merecessem — seus filhos crescidos, digitando mensagens idiotas em celulares, tapados que não tinham a menor noção de nada. Por fim, até a raiva o abandonou, abrindo caminho para dias mais lúgubres. A vida de Boyd fora desperdiçada, inferior em relação à do pai. Não havia mais tempo para remediar isso.

Como presidente do conselho, Boyd transformara o Grupo Ott. Porém, não o enriquecera. Na época em que faleceu, a empresa valia um terço a menos do que quando assumira.

Nenhum dos seus quatro filhos podia ser considerado um sucessor óbvio. O primogênito, Vaughn, era muito malvisto; as duas filhas, inteligentes porém indômitas; o caçula, Oliver, tão débil que se negou a participar do conselho.

Nem por isso, porém, deixaram o mais novo em paz. Ele cuidara de Boyd durante a doença e os irmãos se sentiam incomodamente em dívida. Assim, procuraram um papel para o rapaz. As propriedades do Grupo Ott eram diversificadas o bastante para lhe oferecerem algo. Que tal o jornal em Roma? Ninguém da nova geração conseguia explicar por que o avô fundara aquela empresa jornalística tão improfícua. Ele provavelmente perdera o tino para os negócios. No entanto, naquele momento, pelo menos, o jornal viria a calhar. Seria ideal para Oliver: nenhuma pressão, já que dificilmente podia piorar. Além disso, a Europa era um continente artístico, o que lhe interessaria. E ele poderia morar na antiga mansão do avô em Roma, que estava até então vazia. Talvez até os surpreendesse e desse um jeito no jornal.

O próprio Oliver não se deixava iludir. Opôs-se à ideia, lembrando aos irmãos que não entendia nada de negócios e que mal lera um jornal na vida, exceto para conferir a seção de cultura. Vaughn disse que um negócio era um negócio.

— Mas eu não sei absolutamente nada sobre isso — insistiu Oliver.

— Vai aprender.

Quando Oliver chegou, a redação ficou em polvorosa. Kathleen e Abbey agarraram o rapaz como ursos polares caçando morsas — ali estava um Ott vivo e real, no meio delas. Seus pedidos se resumiam ao seguinte: dinheiro. Funcionários irritados também o assediaram, protestando contra o congelamento dos salários, a ameaça de demissão, o tapete imundo (não lavado desde 1977, contaram). Oliver telefonou depressa para Vaughn.

— De jeito nenhum — disse o mais velho. — Sabe quanto o jornal está perdendo?

— Não exatamente.

— Bom, eles têm sorte de ainda estar recebendo salário.

Oliver evitou ir até a redação depois disso, passando lá somente após o expediente, para assinar documentos ou pegar correspondência. De resto, escondia-se na mansão, saindo apenas para caminhar com Schopenhauer, seu basset hound.

“ATIRADOR ENFURECIDO MATA 32 EM CAMPUS”

OLIVER OTT, DIRETOR

O TELEFONE TOCA NA SALA. COMO OLIVER SABE QUEM É, põe o sobretudo, chama Schopenhauer e leva o cachorro até lá fora para caminhar.

É um sujeito magrela, já corcunda apesar de ter menos de 30 anos, e sua cabeça pende para a frente como se estivesse num gancho de casacos e não encaixada na coluna. Uma franja loura e sebosa oculta a fronte cheia de espinhas e os olhos azul-claros, mas o nariz arredondado aparece entre as mechas de cabelo durante a caminhada. Os lábios apresentam marcas de pequenas mordidas e o queixo oscila conforme ele fala por entre os dentes com o cão. Oliver fita a correia da coleira, testemunhando o mundo do ponto de vista de Schopenhauer — a vida no nível das farejadas.

Um odor chama a atenção do basset hound, que pula rumo a uma moita com respingos de urina. O cachorro puxa o dono para lá e para cá, dá arrancadas, prendendo Oliver em nós cada vez mais intrincados.

— Estou começando a achar que a coleira está aqui mais por ironia — comenta.

As caminhadas levam os dois a várias partes da cidade. Aos jardim botânicos nas colinas de Janiculum. Ao Valle dei Cani em Villa Borghese. Ao gramado ressecado do Circus Maximus, onde os turistas andam com dificuldade pelo percurso ancestral das antigas bigas romanas, tomando grandes goles das garrafas de água. Nos dias mais quentes, Oliver e Schopenhauer atravessam o Tibre, rumo às vielas sombreadas de Trastevere. Ou se dirigem à Via Giulia, cujos prédios resolutamente altos desafiam o sol. Ou perambulam pelo cemitério protestante em Testaccio, onde o avô de Oliver está enterrado.

Como a lápide dele é sem graça — "Cyrus Ott. Nasceu em 1899. Faleceu em 1960" —, Oliver passa para túmulos mais interessantes, lendo baixinho os nomes gravados:

— "Gertrude Parsons Marcella... Tenente-coronel Harris Arthur McCormack... Wolfgang Rappaport. Faleceu aos 4 anos." — Oliver diz ao cachorro: — Michael James Lamont Hosgood morreu com 15 anos. Está ali, ao lado da mãe, que faleceu vinte anos depois, em Kent. Ela deve ter pedido para ser enterrada aqui, ao lado do filho. Você não acha, Schop?

Na sepultura de Devereux Plantagenet Cockburn há uma estátua em tamanho natural do falecido, um dândi jovem, em posição inclinada, com um cocker spaniel no colo e o polegar em um livro, dando a impressão de que cada visitante do túmulo interrompe agradavelmente seus estudos. Oliver lê a longa inscrição, que conclui: "Foi adorado por todos que o conheceram e amado pela família e pelos parentes, que tentaram melhorar sua saúde levando-o a diversas partes do mundo de clima mais adequado. Despediu-se da vida em Roma, em 3 de maio de 1850, aos 21 anos."

O sol deixa sua posição no céu e os mosquitos assumem as suas, levando Oliver e Schopenhauer de volta ao monte Aventino. Sua casa é uma mansão do século XVI, que Cyrus Ott comprou a um ótimo preço no início da década de 1950. Oliver digita a senha e o portão de ferro automático abre, rangendo. No interior da residência, o telefone toca.

Ele solta o cachorro, enrola a coleira e entra na sala. O pé-direito ali é ainda mais alto do que no saguão; adornos ao estilo rococó, com querubins cor de pêssego e estrelas cintilantes nos cantos, enfeitam o teto apainelado. Os quadros a óleo nas paredes estão mal iluminados demais para que se veja de imediato o que retratam — de longe, parecem todos florestas à noite; somente as molduras douradas reluzem. Nos tapetes orientais há trilhas profundas, gastas pelo vaivém de pessoas rumo à cozinha, às janelas com venezianas, às estantes, ao canapé do tête-à-tête, ao telefone antigo cuja campainha antiquada vibra, nesse momento, diante do papel de parede. A secretária eletrônica atende.

"Oi, sou eu de novo", diz Kathleen à máquina. "Estou na redação. Por favor, me ligue. Obrigada."

Oliver pega um livro de Agatha Christie de uma pilha no chão e se acomoda junto com o cachorro (atraído por um biscoito de chocolate) no canapé. Às 19 horas, a empregada anuncia o jantar. É uma espécie de ensopado. Perfeitamente comível, apesar de ter alecrim demais e sal de menos. Schopenhauer fareja o ar com aroma de carne de forma suplicante, os olhos caídos injetados, baba nas bochechas. Oliver pega o jornal do dia — o setor que cuida das assinaturas insiste em enviá-lo, embora ele nunca o leia. Abre-o na mesa e coloca em cima o prato, com os restos de comida. Pega uma cadeira para o cachorro, que dá um salto e põe-se a farejar o jornal. Em seguida, Schopenhauer vira o focinho para o lado a fim de abocanhar a carne e a cenoura; finalmente, inclina a cabeça para trás, empurrando a comida goela abaixo.

— Seria melhor usar talheres — comenta Oliver. — Mas não tem como ensinar você.

Assim que o prato esvazia, o cão ainda amarrota o jornal, lambendo os respingos de molho e os pedacinhos de cartilagem. Oliver joga fora na cozinha as páginas amarfanhadas, enquanto Schopenhauer toma água na tigela, a língua e as orelhas espirrando o líquido em volta.

O telefone toca outra vez na sala. E novamente a secretária eletrônica atende.

— Estou indo para casa agora — informa Kathleen, exausta. — Pode me encontrar pelo celular. Agradeceria se me ligasse esta noite. É meio urgente. Obrigada.

Schopenhauer empurra a porta com o focinho e sai caminhando, dirigindo-se para o segundo andar.

— Passar um tempo sozinho é bom para qualquer relacionamento — diz Oliver, como se o cachorro ainda estivesse na sala.

Ele se deita de barriga para baixo no chão, com pilhas de livros dispostas ao redor, lembrando capim alto: *Os últimos casos de Miss Marple*, um estudo da Taschen sobre Turner, um catálogo de obras de arte inglesas do século XX em leilão, da Sotheby's, uma *Coletânea de contos do padre Brown*, de Chesterton, publicada pela Penguin, um catálogo da exposição *Caravaggio: os últimos anos* na Galeria Nacional de Londres e *O arquivo secreto de Sherlock Holmes.*

— Aonde é que você foi? — pergunta Oliver ao cão ausente. Ele dá uma olhada na cozinha. — Schop? — Espia na sala de jantar. — Onde diabos você se meteu?

Oliver sobe a escada escura, usando uma lanterna. (Mora apenas no térreo; o restante da mansão está completamente escuro, com os móveis cobertos com lona.) O reflexo da luz percorre com rapidez o patamar do segundo andar.

— Schopenhauer, cadê você?

As entranhas negras da residência o engolem; um candelabro cintila; o telefone toca na sala. A secretária eletrônica bipa, o número da mensagem piscando eternamente no "99", porque o mostrador não possui um terceiro dígito.

— Onde você está, seu bobo? — chama Oliver, em meio ao breu do salão de festas. Ele vai iluminando cada espaço com a lanterna e solta um "ah!" ao ver olhos reluzindo sob o piano. — Desculpe, estou cegando você. — Apaga a lanterna e o basset hound vai até ele, as unhas longas demais batendo no assoalho. O dono se ajoelha para saudar o amigo. — O que estava fazendo debaixo do piano? Dormindo? — Acaricia a orelha longa e úmida do cachorro. — Espero não ter acordado você.

Os dois caminham às cegas até o escritório, que contém documentos da época do avô. Oliver acende a luz e, bisbilhotando como um detetive de romance policial, espia as gavetas. Encontra um bloco com anotações de Ott de cinquenta anos atrás — referências a rolos de papel-jornal, ao preço de máquinas linotipo, ao custo de telex. Há uma carta inacabada do avô para a esposa e o filho: "Queridos Jeanne e Boyd, o importante a saber, e preciso deixar isso claro". Termina aí.

Oliver vira a página e encontra outra carta de Ott. "Quero que você fique com todos os quadros — nós os compramos juntos, e sinto que devem ser seus", começa. "Entregue esta mensagem aos meus advogados e eles farão o que pedi." A frase seguinte está ilegível. Em seguida: "Tenho vontade de vê-la, mas não vou telefonar. Esta doença não é nada agradável. Não há nada que alguém precise ver. Mas você precisa saber que me arrependo de certas coisas", prossegue a carta. "Lamento tê-la deixado em Nova York. Mas tomei essa decisão e tive que arcar com as consequências. Eu me casei, depois você se casou. Não me intrometeria depois disso. Considerava-me um homem honrado e não sabia como deixar de sê-lo. Pensar nisso agora parece loucura. Mas me meti numa confusão. Acabei me atrapalhando por completo. Construí e construí — só Deus sabe como me saí bem. Aqueles arranha-céus, cheios de inquilinos, andar após andar, mas nem um único quarto com sua presença. Você me perguntou por que vim para Roma. Nunca me importei com as notícias. Vim para ficar no mesmo ambiente que você, mesmo que precisasse construí-lo, enchê-lo de gente, de máquinas de escrever e de tudo o mais. Só espero que você entenda que o jornal foi para você."

Segue-se uma mancha de tinta azul, como se a ponta da caneta houvesse permanecido ali por algum tempo. A escrita recomeça, diminuta agora: "Não posso enviar esta carta... Embora devesse... Tarde demais agora... Que homem pequeno sou... Não seja idiota — simplesmente mande-a."

Ott nunca o fez.

Oliver guarda o bloco na gaveta.

— Seu bicho gordo — diz para Schopenhauer ao carregá-lo escada abaixo. — Está bem mais pesado do que eu imaginava; sempre esqueço disso. — Deixa o cachorro na sala, como se estivesse colocando uma mesa no chão. Uma mesa que sai correndo. — Dormindo debaixo do piano! — exclama, batendo palma. — Agora estou todo sujo de poeira.

O telefone vibra diante do papel de parede.

— Finjo que não está tocando e o aparelho finge que não estou aqui.

A secretária eletrônica solta um bipe: "Oliver, é Abbey. Se quiser lhe dou um resumo das reuniões em Atlanta. Bom, já voltei. Ligue quando puder. Obrigada."

Ele conduz Schopenhauer de volta ao canapé.

— Pare de ficar me olhando — pede ao cachorro. — Estou tentando ler.

O cão arrota.

— Seu rebelde porcalhão — diz Oliver. Porém, incapaz de resistir por muito tempo, acaricia a orelha do animal. Schopenhauer geme satisfeito, apoiando-se no quadril do dono. — Meu querido amigo, tenho tanta sorte... — E então acrescenta, subitamente constrangido: — Se alguém me visse conversar com você! Mas não é como se eu estivesse falando sozinho, é? Você está ouvindo, porque... — Para aí, a fim de ver se provoca uma resposta.

O cachorro boceja.

— Está vendo, eu tenho que terminar a frase. Senão, você não aceita.

Schopenhauer fecha os olhos.

Ao longo das semanas seguintes, os telefonemas aumentam.

— Dinheiro, dinheiro, dinheiro — diz Oliver ao cão. — O que posso fazer? Não administro o Grupo Ott.

Kathleen fala à secretária eletrônica: "... e vou precisar da sua presença na reunião com os funcionários. Como já disse a todos que você vai comparecer, ficaria muito grata se retornasse a minha ligação."

Em Valle dei Cani, Oliver troca a coleira de Schopenhauer pela trela extensível, que permite ao animal brincar com outros cachorros, porém sem fugir. Os demais donos observam Oliver com curiosidade: ele se afasta, indo à extremidade da área cercada, atrás de uma árvore, com um romance policial perto do rosto, sem estabelecer contato visual com ninguém enquanto agarra a maior e mais incontrolável trela do mundo. Passados alguns minutos, ele sempre precisa ir correndo até Schopenhauer para desprender a corda de algum animal ou de alguém. Oliver nunca faz comentários nessas ocasiões, mesmo quando lhe dirigem a palavra. Livra seu cachorro, volta depressa para sua árvore, retoma a leitura — ou melhor, finge fazê-lo.

Ele não tem amigos em Roma, exceto Schopenhauer. Aliás, não tem amigos em lugar nenhum, salvo o cão, a menos que seu companheiro dos tempos de escola, o aposentado Sr. Deveen, ainda esteja vivo. Porém, já deve estar morto a essa altura. Quantos anos teria? Na certa nem chegou ao século XXI, com todos aqueles cigarros. Bom homem. Não se pode condená-lo. Deve ter vivido muito solitário. Essa é a melhor explicação.

O jantar esta noite é *bigoli al tartufo nero*, e Schopenhauer faz uma bagunça medonha. Massa comprida não é seu forte.

— Eles me avisaram dos seus latidos, mas nunca dos seus modos nada bons à mesa.

Os dois amigos do peito iniciam outra expedição aos ambientes escuros dos andares de cima. Oliver entra furtivamente nos cômodos, espiando os quadros sob as lonas: o retrato de uma cigana de Modigliani; os chapéus de feltro pretos e as garrafas verdes de Léger; as galinhas azuis de Chagall saltando diante da lua; a paisagem rural inglesa de Pissarro.

Oliver fica diante do de Turner: um navio despedaçando-se e a espuma do mar; a forma como o artista captou a água, as ondas grandes e agitadas... Poderia fitar a obra durante horas, embora nem seja lá muito fã de Turner. Qual é seu lance, então? Na Universidade de Yale, sua monografia (abandonada quando Boyd adoeceu) era "Naufrágio ao luar: Caspar David Friedrich e a paisagem alemã do século XIX". Mas pode-se considerar um absurdo falar do seu "lance" no que diz respeito à arte.

Enquanto Oliver admira Turner, seu olhar atento passa de um aspecto a outro da tela, buscando o prazer do detalhe seguinte, fascinado pelo processo de contemplação.

— Só me importa a beleza — diz a Schopenhauer.

Só as imagens dos náufragos em primeiro plano decepcionam: um ruído de imagem em um panorama que sem isso seria impecável. O artista cometeu um erro crasso, não apenas porque suas figuras humanas eram inaceitáveis como também nunca podem ser representadas de forma bela. Um rosto é o oposto da beleza, pelo jeito como muda de maneira brusca do riso à brutalidade.

— Como é que as pessoas podem se sentir atraídas umas pelas outras? — pergunta ele.

Os ouvidos latejam por causa do toque incessante do telefone lá embaixo. Já passa da meia-noite.

— Será que não podem me deixar em paz?

Da secretária eletrônica surge a voz monótona do seu irmão mais velho, Vaughn, ligando de Atlanta. Supostamente querendo saber se Oliver já está com uma namorada italiana. A família receia que ele seja gay. Seus parentes não gostam de homossexuais. Nem de comunistas. Que tal historiadores da arte? Não faz diferença. Mas ele não é. Não é o quê? Um historiador da arte; é um admirador de arte. Apreciador de beleza. Porém não de faces.

— Você teria gostado do Sr. Deveen — diz Oliver a Schopenhauer. — Mas eu recearia apresentá-lo a você; e se vocês dois não se dessem bem? Ainda assim, acho que teria gostado dele. Sabe, incumbiram-me do Sr. Deveen, não o escolhi. Obra do destino. Acontece que fizeram a campanha adote-um-aposentado na minha escola. Todo mundo foi obrigado a fazer isso.

Ao contrário dos três irmãos, Oliver foi enviado para um internato na Inglaterra, já que o pai não queria um garoto tão irritante perambulando com afetação pela casa.

— Todo sábado eu ia para a casa do Sr. Deveen — conta ele ao cachorro. — Fazia chá, tarefas, compras, que, no caso dele, significavam cigarros e uísque irlandês; de que marca mesmo? E também o *New Statesman*. Você não faz ideia do que é, Schop: uma revista para esquerdistas e historiadores da arte. E acho que também para atores, que foi a profissão do Sr. Deveen. Quando ele gozava de plena saúde, literalmente vivia nas galerias. Tinha os catálogos mais incríveis. Posso dizer com toda sinceridade, Schop, que foi ele quem me apresentou ao mundo da arte. Quanto conhecimento! Podia falar sobre qualquer período, de um jeito muito cativante. Embora não gostasse muito de arte contemporânea, era obcecado por Pollock e praticamente todos que vieram depois dele. Quando eu lhe fazia perguntas sobre artistas, o Sr. Deveen respondia citando a exposição: "Sr. Deveen, o que acha de Klee?" E ele dizia: "As coleções de Sir Edward e Lady Hulton na Tate, em 1957, alto nível." Eu pegava o catálogo e ele o folheava, explicando tudo, sorvendo o uísque irlandês com leite, que eu tinha que manter quente no fogão. (É mais difícil do que você pensa esquentar esse líquido, Schop, pois ele gruda muito na maldita panela.) Mas aquele cheiro, nunca vou esquecer. E a caneca lascada de sempre. O Sr. Deveen costumava pedir: "Não a quebre, pelo amor de Deus!" Tinha uma bela voz de barítono. Foi ator de radioteatro na BBC Manchester, em sua época, e ao ouvi-lo se entendia por quê. Bem. — Em seguida, Oliver acrescenta: — Acho que foi o uísque. Nada mais. Ele não era. Eu não era. Sabe, não o condeno. O Sr. Deveen estava só e... Sim, o uísque. Não foi culpa dele. Mas já chega dessa história.

Oliver pede que as empregadas façam *involtini di vitello* para o jantar. Não gosta tanto do prato, mas seu companheiro de rabo abanando é um consumidor voraz. Schopenhauer come quase todo o conteúdo do prato — demais, no fim das contas, pois fica com dor de barriga. Oliver exerce o papel de babá nas 24 horas seguintes, limpando as poças de vômito de cachorro.

Assim que o pior passa, lê em voz alta *O cão dos Baskerville*, com o cão de Aventino cochilando em seu colo. Oliver conhece esse romance tão bem que ler não seria a palavra certa — ele passeia pela obra, revê velhos conhecidos, permite que a longa trama do Dr. Watson o envolva com delicadeza. Nessa noite, contudo, as páginas ficam ressecadas e amareladas. Oliver ergue o focinho de Schopenhauer.

— Você precisa melhorar! E logo! — Aproxima mais o cachorro de si. — Já atuei como babá por tempo demais. — Acaricia o animal. — E sou péssimo nisso. Quando cuidei de Boyd, eu o incomodava o tempo todo. Evitava o máximo que podia, mas não tinha jeito. Ele me dizia: "Você deve estar achando ótimo eu ter adoecido, pois pode me usar como desculpa para abandonar a faculdade. Agora nunca vai se formar." Mas achei que *ele* quisesse que eu ficasse em casa para cuidar dele. Sabe, foi o que pensei. Às vezes me pergunto se ele pediu que eu voltasse para me testar: ver se eu obedeceria. E, sendo um tremendo molenga, eu voltei, claro, e ele odiou essa minha atitude. Falava: "Mulheres acatam, homens contestam." É isso aí. E, sabe, por acaso eu acabaria me tornando professor? Eu, dando aulas? Não me vejo fazendo isso. Mas espero ter ajudado Boyd, que adorava você, meu amiguinho! Você se lembra dele? Meu pai gostava de jogar aquele seu rato de borracha estridente. Lembra quando ele o jogava no gramado, em Atlanta? E você ficava lá, parado, olhando para o bicho com muito desdém.

Oliver sorri.

— Ah, vamos, conhece muito bem aquela expressão que você faz. E meu pai, que não era do tipo que ia pegar objetos, ia até o jardim com a bengala, pegava seu rato bobo e o atirava de novo. E você ficava parado no lugar, bocejando!

O telefone toca e Kathleen deixa outra mensagem: marcou a data para a reunião dos funcionários e Oliver tem que discursar para o pessoal, informando quais são os planos do Grupo Ott para o futuro.

— Que planos? — pergunta Oliver a Schopenhauer.

Vaughn liga à noite e dessa vez o irmão atende: se há planos, ele precisa se inteirar.

— E aí, vamos vender essa casa? — pergunta o primogênito.

— Que casa?

— Essa em que você está morando.

— A do vovô? Por quê?

— Bom, acho que você vai voltar.

— Do que é que você está falando, Vaughn?

— Ollie, você sabe que vamos fazer a eutanásia do jornal, né? Abbey recomendou que o fechássemos. Como é possível que não saiba disso, Ollie? O que anda fazendo aí?

— Mas por que fechá-lo?

— Por questões financeiras, basicamente. Talvez se tivéssemos dispensado mais funcionários alguns meses atrás poderíamos ter prolongado sua vida. Mas eles lutaram contra nós em todos os aspectos; só concordaram, no fim das contas, em cortar um cargo da redação. E ainda estão querendo injeção de capital depois disso? Pura loucura. Mantivemos Kathleen por um tempo, suspendendo a possibilidade de novos investimentos. Mas para quê? Vocês não têm nem site. Como esperam obter renda sem marcar presença na rede? Acho que a gente podia ter se livrado de Kathleen. Mas, convenhamos, o jornal é inútil. Chegou a hora de seguir em frente.

— A gente não tem dinheiro suficiente para mantê-lo?

— Claro que sim. Temos grana justamente *porque* não costumamos manter coisas inúteis em funcionamento.

— Ah.

— Quero que participe da reunião de funcionários. Kathleen está sendo irredutível nesse aspecto. E precisamos mantê-la feliz por enquanto; não queremos má publicidade, certo?

— E por que querem que *eu* participe?

— Precisamos de um representante do Grupo Ott no local. Não tem como escapar dessa, Ollie.

Na manhã da reunião, Oliver pergunta a Schopenhauer:

— Se partirem para cima de mim, você vai mordê-los? — Acaricia o cachorro. — Não faria isso, faria? Nem sairia do lugar. Vamos.

Os dois vão andando até lá, subindo a Via del Teatro Marcello, passando pela Piazza Campitelli, percorrendo a Corso Vittorio, com Oliver sussurrando para Schopenhauer, no caminho:

— Sabe, todos sabemos que não entendo desse troço. O restante da família é que entende. Pelo visto, tenho algum parafuso a menos. Falta algum cromossomo. O gene da inteligência. Sou defeituoso. Então, pergunto o seguinte, Schop: posso ser considerado culpado pelos meus defeitos? Sabe, minhas falhas são culpa minha? — O cão o observa. — Não me dê esse olhar condescendente. O que é que você já fez de tão espetacular na vida?

Chegam ao prédio cinza-metálico que abriga a redação há meio século. Os funcionários fumam feito chaminé diante da imponente porta de carvalho. Oliver passa apressado por todos, atravessa a portinhola articulada, percorre a passadeira vinho desbotada até o elevador. Lá em cima, fica sabendo que Kathleen e Abbey saíram. Felizmente, quase todo o pessoal da redação está ocupado, reunindo matérias sobre um tiroteio na Virginia Tech. Mas alguns funcionários conseguem indagar Oliver sobre "o grande anúncio" que lhes prometeram. São boas notícias? Com tristeza, ele se dá conta de que os repórteres ainda não sabem; então, toca Schopenhauer com as mãos geladas, em busca de calor. O cão as lambe.

Kathleen volta, leva Oliver até sua sala e informa que ele vai ter que conduzir a reunião sozinho. Abbey se une aos dois e apoia a posição da colega: ele não vai ter ajuda.

— Mas não conheço ninguém aqui — protesta o rapaz.

— Vou apresentá-lo — diz Kathleen.

— E não sei nada sobre a indústria do jornalismo.

— Talvez devesse ter aprendido algo. Faz dois anos que está aqui — ressalta ela.

Eles dão uma olhada no relógio: falta pouco para a reunião.

— Sinto muito pelo que está ocorrendo.

Kathleen zomba.

— Sente? Ah, dá um tempo, você poderia ter evitado isso. Tem agido com total indiferença.

— Não, não, não tenho.

— Convenhamos: você não fez o menor esforço. O jornal funcionou por todos esses anos e está terminando com você no comando. Seu avô fundou este lugar. Isso não faz alguma diferença para você? Ele queria criar um jornal para o mundo. Agora você o está fechando.

— Mas sou totalmente inútil nesse tipo de coisa; nem deveriam ter me dado o cargo.

— É, mas deram, Oliver. Deram. Cabia a você.

— Mas eu sou... sou defeituoso, se é que me entende. Não funciono direito. — Ele dá uma risada nervosa, afastando o cabelo da testa manchada, ainda fitando Schopenhauer, sem olhar uma única vez para as mulheres. — Não tenho o cromossomo certo ou coisa assim.

— Corta essa.

— Acho que é melhor irmos até lá — sugere Abbey.

Oliver se dirige à porta, mas Kathleen o detém com o indicador.

— Você não pode levar o cachorro.

— É para me dar apoio emocional.

— De jeito nenhum. Tenha um pouco de respeito.

Oliver prende a coleira de Schopenhauer na perna da mesa de Kathleen e dá um breve afago no cachorro.

— Me deseje sorte.

Ele fecha a porta assim que passa ao encalço de Kathleen e Abbey, rumo à redação.

Elas o levam ao meio da rodinha e recuam, dando vários passos para trás. Os funcionários se reúnem na frente dele. Como o tapete está imundo!, percebe Oliver. Ouve-se o burburinho da multidão. Oliver enche um copo de plástico no bebedouro.

— Melhor começarmos — sugere Kathleen.

O rapaz dá um sorriso vacilante.

— Você conhece todos aqui? — pergunta ela.

— Acho que alguns rostos são familiares — responde Oliver, sem olhar para nenhum deles. Então, inclina-se para trocar apertos de mão, sussurrando: — Obrigado... obrigado... oi... obrigado por vir.

A maior parte dos funcionários do jornal trabalha ali há anos. Eles se casaram levando em consideração suas expectativas de salário, fizeram hipotecas contando com o emprego, formaram famílias sabendo que o jornal custearia as vidas dos filhos. Se o lugar deixar de operar, estarão arruinados. Todos esses anos criticaram o jornal, porém agora que surge a ameaça de ele fechar, amam-no desesperadamente de novo.

— Estão todos aqui? — pergunta Oliver. Ele fala de improviso por alguns instantes, em seguida apavora-se e pega uma cópia do relatório confidencial do conselho do Grupo Ott a respeito do jornal. Enquanto esquadrinha as páginas, também lança olhares suplicantes na direção de Kathleen. Ela desvia os olhos. O rapaz pigarreia e localiza um trecho relevante. Lê-o em voz alta, acrescentando: — Foi o que o conselho decidiu. — Pigarreia outra vez. — Sinto muito mesmo.

Faz-se silêncio na redação.

— Não sei mais o que dizer — acrescenta Oliver.

Uma pergunta surge do fundo da sala. O pessoal se vira, abre espaço. Quem indaga é um técnico-chefe, um americano de ombros largos que aparenta ser ainda mais alto por estar de patins.

— Que merda é essa? — pergunta. — Num vocabulário bem claro, explique para nós o que está acontecendo.

Oliver balbucia algumas palavras, porém o sujeito o interrompe:

— Para de enrolar a gente, cara.

— Não estou enrolando, estou tentando ser bem claro. Acho que...

Ruby Zaga se intromete:

— Então o Grupo Ott está fechando o jornal? É isso o que está dizendo?

— É o que eu li no relatório, infelizmente — responde Oliver. — Lamento muitíssimo, muitíssimo mesmo. Sei que não basta. Eu me sinto péssimo por causa disso, se isso fizer vocês se sentirem melhor.

— Não, na verdade não melhora em nada — diz o técnico-chefe. — E o que diabos quer dizer com "É o que eu li no relatório"? Como assim "ler"? Vocês é que *escreveram* isso. Não me venha com essa, cara. Não me venha com essa.

— Não fui eu que escrevi. Foi o conselho.

— Você não faz parte do conselho?

— Faço. Mas não estava nessa reunião.

— Não? E por que não estava?

Alguém sussurra:

— Quem indicou esse cara para a direção?

— O relatório diz — prossegue Oliver — que... que é um problema relacionado ao atual cenário de negócios. Não se trata só do jornal, mas de toda a mídia. Acho. Tudo o que eu sei é o que está escrito nesse relatório.

— Papo furado.

Oliver se vira para Kathleen e Abbey.

— Esperem um momento — diz Herman Cohen. — Antes de perdermos as estribeiras, há alguma forma de reverter esse quadro? Queria saber se essa decisão é realmente definitiva.

O técnico-chefe ignora o colega e patina até Oliver.

— Você é um babaca, cara.

A situação quase beira a violência.

Oliver dá um passo para trás.

— Eu... eu não sei o que dizer.

O técnico sai encolerizado, levando junto uma dúzia de funcionários furiosos.

— Meus filhos estudam numa escola particular — informa Clint Oakley. — Como vou pagar as mensalidades agora? O que eles vão fazer?

— O Grupo Ott está oferecendo a compra do controle acionário? — pergunta Hardy Benjamin.

— Não sei — responde Oliver.

— Não quero ser indelicado — diz Arthur Gopal —, mas qual é o objetivo desta reunião se você não sabe informar nada?

— Seria possível falar com alguém que nos dê mais informações? — quer saber Craig. — Kathleen? Abbey?

Abbey dá um passo à frente:

— O Sr. Ott é a única pessoa autorizada a falar em nome do Grupo Ott.

Em seguida, ela volta ao lugar em que estava.

Outros funcionários se retiram, indignados.

— Há quanto tempo sabia que isso ia acontecer? — pergunta alguém.

— Acabei de descobrir — responde Oliver.

Diversos repórteres protestam, sem acreditar.

— Total desperdício de tempo — comenta alguém.

Mais pessoas vão embora.

— Talvez se o Grupo Ott tivesse tentado investir no jornal em algum momento, em vez de deixar o negócio afundar, não estaríamos nesta lama.

Oliver se inclina na direção de Kathleen.

— O que eu faço? — sussurra. — Acho que isso já está passando dos limites. Melhor encerrar a reunião?

— Você é quem sabe.

O rapaz se vira para a multidão, que já nem chega a isso a essa altura. Só há algumas pessoas diante dele. Em vários cantos da redação, os funcionários se compadecem dos colegas, fazem ligações interurbanas não autorizadas, vestem os sobretudos para ir embora.

— Sinto muito mesmo — prossegue Oliver. — Fico repetindo isso pois não sei o que mais dizer. Vou tentar obter respostas para todas as perguntas de vocês.

— Será que poderia trazer alguém que realmente saiba alguma coisa?

— Posso — responde Oliver, assentindo para o chão. — Posso. Vou tentar fazer com que a pessoa adequada venha conversar com vocês.

Até mesmo Kathleen e Abbey já tinham saído. Ele está sozinho agora, diante dos últimos jornalistas consternados.

— Hã... tchau — despede-se Oliver.

Fica perdido por alguns instantes, então anda sem firmeza até a sala de Kathleen. Mas, a meio caminho, para. Ergue a cabeça, coloca os cabelos atrás das orelhas.

Há uma comoção lá.

Oliver se apressa. Abbey e Kathleen estão ajoelhadas no chão.

Entre as duas está Schopenhauer, olhando não para Oliver, mas para a parede, na direção em que alguém virou seu pescoço.

O cachorro respira de forma ruidosa, o maxilar pendurado sem firmeza, e deixa escapar um som peculiar. Pelo visto, não consegue inspirar: seus pulmões dilatam-se parcialmente, ele estrebucha, o peito murcha. Como ainda está preso à perna da mesa, Kathleen puxa a coleira.

— Droga! — Ela tira o nó por fim, mas não adianta nada: Schopenhauer parou de se mover. — Droga! — repete. Então, golpeia a perna da mesa. — Droga!

— O que houve? — pergunta Oliver. — Não entendo o que aconteceu.

— Acho que alguém entrou aqui enquanto estávamos lá dentro — responde Kathleen.

Mas o rapaz não quis dizer isso, e sim "O que acabou de acontecer?" e "Por que Schopenhauer está tão quieto?".

— Isso é terrível — comenta Abbey. — Terrível. E foi um dos funcionários aqui. Vocês notaram quem saiu cedo da reunião?

— Quase todo mundo saiu cedo — responde Kathleen.

Abbey diz:

— Sinto muito, Oliver.

— Lamento mesmo — acrescenta a editora-chefe.

— Ele está muito machucado? — quer saber o rapaz.

Nenhuma das duas responde.

— Temos que chamar a polícia — diz Abbey.

— Por favor, não — pede Oliver.

— Precisamos descobrir quem fez isso.

— Vou levá-lo agora. Não vamos... não vamos condenar as pessoas. Não quero saber quem foi. Todo mundo estava furioso comigo.

— O que não lhes dava o direito. Isso é horrível.

— Não é culpa de ninguém — diz Oliver.

— É sim — insiste Kathleen.

O dono põe o braço debaixo do corpo flácido do cão e, com um gemido, levanta o animal.

— Ele sempre pesa mais do que eu imagino.

Oliver carrega o cachorro pela redação, abre a porta do elevador com o dedo mindinho e entra, esforçando-se para apertar o botão do térreo. Porém, como não o consegue alcançar, tem que colocar Schopenhauer no chão.

— Bom garoto — diz. — Bom garoto.

Aperta o botão e fita o teto. O elevador chacoalha ruidosamente por um momento e em seguida desce.

2007. Corso Vittorio, Roma

Os últimos dias do jornal foram tensos. Alguns funcionários deixaram de comparecer à redação. Alguns roubaram os computadores, como compensação pelos futuros salários perdidos. Outros beberam escancaradamente, deixaram de cumprir os prazos de fechamento e até brigaram na redação. Então o último dia chegou, terminou e eles se viram livres, de súbito.

Uma parte dos funcionários tinha emprego garantido, porém a grande maioria não. Alguns programaram férias. Outros planejaram deixar o jornalismo. Talvez essa fosse uma bênção disfarçada, comentaram, embora ninguém soubesse dizer bem sob que aspecto.

Em Paris, Lloyd Burko não fazia a mínima ideia da comoção. Não lera o jornal e não acompanhava as notícias havia meses. Ele e o filho, Jérôme, moravam juntos, fazendo economia e sobrevivendo apenas. Cada um acreditava estar cuidando do outro. Lloyd cozinhava com prazer, embora mal, para Jérôme e seus amigos esqueléticos, um bando de boêmios. Os jovens sempre convidavam o velho para participar de suas atividades. Lloyd dava um sorriso agradecido ante as ofertas, mas se retirava polidamente para o quarto.

Para a surpresa de todos, foi Arthur Gopal quem conseguiu o emprego mais prestigioso, como repórter de um grande jornal em Nova York, onde foi morar. Uma mudança e tanto: cobrindo tiroteios, levando bronca de policiais, melhorando textos de repórteres incompetentes que faziam perguntas do tipo "Bom, sabemos que o tiroteio ocorreu numa fábrica de sopas, mas de que tipo de sopa?". Um ano antes, Arthur tinha esposa e filha. Era estranho pensar nisso naquele momento, e ele não o fazia.

Hardy Benjamin conseguiu um emprego em Londres, escrevendo matérias sobre tecnologia para uma agência de notícias do setor de economia. Como seu namorado irlandês, Rory, estava desempregado, ela arcava sozinha com o aluguel do apartamento em Tower Hill. Indignava-se com os que sugeriam que o sujeito vivia à custa dela — só nesse âmbito se recusava a encarar a situação em termos financeiros..

Kathleen Solson foi recontratada pelo jornal no qual trabalhara antes, em Washington, porém num cargo inferior. Em última análise, o período que passara em Roma não deslanchara sua carreira. Ela e o marido, Nigel, voltaram para o antigo apartamento perto de Dupont Circle. Como Kathleen tinha alguns dias de folga antes de começar no novo emprego, colocou-se a par das novidades lendo as notícias on-line, desempacotou os livros, pendurou as fotografias em preto e branco excessivamente grandes. Sobretudo, desejou que esse tempo livre terminasse logo.

Herman Cohen aposentou-se, com a intenção de escrever a história do jornal. Ele e a esposa, Miriam, compraram uma casa nas cercanias da Filadélfia; Herman disse a ela que aquela seria a última vez que se mudariam. No fim das contas, ele não começou a escrever o livro — era tão agradável simplesmente conviver com os netos... Quando o visitavam, Herman ficava nas nuvens e, por mais que maltratassem o idioma, ele nunca os corrigia.

Winston Cheung, depois de passar um tempo dormindo no porão dos pais, encontrou um emprego num abrigo de animais exóticos em Minnesota. Em geral, adorava o trabalho, embora não gostasse de forrar com jornal a gaiola dos macacos — a sim-

ples visão de manchetes bastava para fazê-lo entrar em pânico. Porém, isso não o incomodou por muito tempo, pois o jornal regional fechou e ele passou a usar serragem. Em pouco tempo até os macacos esqueceram do conforto proporcionado pelo jornal.

Ruby Zaga por fim podia voltar para casa, no Queens. Mas era a última coisa que queria. Roma a consolava. Como economizara dinheiro, teoricamente poderia ficar anos sem trabalhar. A perspectiva a horrorizava e, depois, a animava. Sua família — os adorados sobrinhos e sobrinhas, o irmão — podia visitá-la. Ruby lhes daria a oportunidade de fazer a grande turnê pela Europa. Passara quase metade da vida em Roma. Metade da vida no jornal. Suspirou: estava livre.

Craig Menzies deixou o jornalismo para trabalhar numa empresa de lobby em Bruxelas. Como teve condições de alugar uma casa, montou uma oficina para seus trabalhos científicos na garagem. Chegou a considerar a elaboração de um pedido de patente adequado. Pensava com frequência em contatar Annika em Roma, onde ela ainda morava. Tinha algo a lhe dizer, deixar clara sua mensagem.

Embora tivessem oferecido um cargo para Abbey Pinnola na sede do Grupo Ott, ela o recusou. Não queria tirar os filhos de Roma, tampouco colocar um oceano entre eles e seu ex-marido — que vivia em Londres —, por mais que o detestasse. Decidiu que seu novo emprego seria em um setor que jamais a traísse. Optou então por finanças internacionais e conseguiu um trabalho na filial de Milão do Lehman Brothers.

Quanto a Oliver Ott, aceitou um cargo na sede, onde não se esperava que fizesse nada, justamente o que acontecia. Ficava contemplando pela janela a Atlanta poluída lá embaixo, torcendo para o dia terminar. Seus irmãos o encorajaram a comprar outro cachorro, ao menos.

Ele ia a todas as reuniões do conselho, votando de acordo com o que todos pediam, até mesmo concordando com a venda da mansão em Roma, juntamente com os quadros. No leilão, o Modigliani foi para um marchand em Nova York, o Léger para um colecionador particular em Toronto, o Chagall para uma fundação em Tel-Aviv, o Pissarro para uma galeria em Londres e o Turner para uma empresa de navegação em Hong Kong, que o pendurou atrás do balcão da recepcionista.

Enquanto os irmãos de Oliver discutiam na sala do conselho, ele fitava o retrato do avô. Nenhum dos ali presentes conhecera o falecido patriarca. Conheciam apenas as lendas: que Ott lutara na Segunda Guerra Mundial e levara um tiro, que o tirara do combate e provavelmente lhe salvara a vida. Que construíra um império a partir de uma refinaria de açúcar falida. Mas grande parte da vida de Ott continuava a ser um mistério. Por que foi para a Europa e nunca mais voltou? Houvera uma mulher no jornal, Betty, e alguns diziam que Ott teve um caso com ela. Seria verdade? Betty faleceu em 1979 e o outro sócio-fundador, Leo, em 1990. Quem poderia dizer agora?

Da noite para o dia, o jornal desapareceu das bancas, levando consigo o logotipo da primeira página, as fontes características, as páginas de esporte e as notícias, a seção de economia e a de cultura, os enigmas e os obituários.

A leitora mais fiel do jornal, Ornella de Monterecchi, foi até lá para exigir que não o fechassem. Mas chegou tarde. O porteiro ainda lhe fez a gentileza de deixá-la entrar na sala abandonada. Ele acendeu as luzes fluorescentes, que piscaram, e permitiu que ela perambulasse por lá.

O ambiente estava fantasmagórico: mesas e fios largados, levando a lugar nenhum, impressoras quebradas, cadeiras de escritório tortas. Ornella percorreu com hesitação o tapete imundo e parou no copidesque, ainda cheio de folhas diagramadas manchadas e edições antigas. Aquela sala, a certa altura, continha o mundo inteiro. Agora, só tinha lixo.

O jornal — aquele relatório diário da estupidez e da genialidade da espécie — nunca antes deixara de sair. Agora, sumira do mapa.

Agradecimentos

Para começar, gostaria de lembrar os que não podem ler esta obra. Meu maravilhoso avô combatente Robert Philips (1912-2007) e minha querida avó erudita Monica Roberts (1911-1996). Com eles, Charles Dominic Philips (1940-1955), cuja lembrança pretendo guardar aqui; Nick fazia aniversário em 10 de fevereiro. Meu herói de infância e tio, Bernard Rachman (1931-1987). E meu outro tio Lionel Rachman (1928-2008), um dos homens mais incríveis a percorrer sebos e pistas de corrida.

Passo, então, aos que tenho o privilégio de agradecer diretamente. Minha família: meus pais maravilhosos, Clare e Jack, que sempre foram extremamente generosos, cercando-me de livros, ideias e muito carinho. Minha irmã Emily, a advogada mais brilhante do mundo, cujas sugestões astutas, ajuda altruísta e entusiasmo incansável me incentivaram inúmeras vezes. Minha irmã mais velha, Carla, uma ótima aliada, dando-me acesso a sua amizade e a sua mente incrível, cheia de sagacidade e consideração. Meu irmão, Gideon, sempre divertido e generoso, bem como meu atacante de meio-campo do Chelsea, fornecedor de vinho e colunista favorito. Também Joel Salzmann e minhas sobrinhas Talia e Laura; Olivia Stewart e meus sobrinhos Tasha, Joe, Adam e Nat. Meu primo e amigo Jack Slier, além de seu pai, Lionel Slier, outro primo e amigo. Sou muito grato igualmente a Paula, Hayley e Alicia. Em Londres, Sandra Rachman e Mike Catsis. Em Israel, Aviva Rachman e Omri Dan. Em Vancouver, Alice Philips e Greg Oryall.

Agora, meus amigos. Ian Martin, cujos socos no queixo, mente e benevolência me salvaram mais de uma vez. Seu pai, Paul Martin (1938-2007), um dos meus leitores favoritos — como eu teria adorado lhe dar um exemplar desta obra! Hetty Martin, pelas xícaras de chá, pelo pato kosher e outras especialidades do País de Gales. Dos tempos de Toronto, Suzanne Brandreth e Stephen Yach. De Nova York, Ian Mader, Mareike Schomerus e Hien Thu Dao. De Vancouver, Valerie Juniper. De Paris, Paul Geitner, Chuck Jackson e Maureen Brown. De Ancara, Selcan Hacaoglu. De Roma, Jason Horowitz, Daniele Sobrini, Aidan Lewis e a encantadora família Rizzo: Aldo, Margherita e Benedetta.

Por fim, este livro ficaria incompleto sem a inclusão do meu conto favorito, Alessandra Rizzo, que, com seu apoio, sua paciência e seu amor, me incentivou enquanto eu escrevia.

Sou grato à minha agente literária, Susan Golomb, por fisgar meu manuscrito no lago e fazer maravilhas com ele. E também a Terra Chalberg e Casey Panell, da Susan Golomb. E à minha editora, Susan Kamil, da Dial Press e da Random House, cujos toques hábeis e sabedoria ajudaram a tornar *Os imperfeccionistas* bem menos imperfeito. Agradeço igualmente a Noah Eaker, Carol Anderson e a todos os que trabalharam no livro na Dial Press e na Random House.

Este livro foi composto na tipologia Minion Pro,
em corpo 11/15,3, e impresso em papel off-white 80g/m^2,
no Sistema Cameron da Divisão Gráfica
da Distribuidora Record.